TACK!

Genom att välja en klimatsmart pocket från Månpocket bidrar du till vårt arbete för att göra produktionen av pocketböcker miljövänligare.

Vår vision är att ge ut böcker där man tagit hänsyn till miljön i varje steg av produktionen - och vi strävar efter att bli ännu bättre.

Vi har därför valt att trycka alla våra böcker på FSC-märkt papper. FSC står för Forest Stewardship Council och är en oberoende, internationell organisation som verkar för socialt ansvarstagande genom ett miljöanpassat och ekonomiskt livskraftigt bruk av världens skogar. FSC:s regelverk slår bland annat vakt om hotade djur och växter, om hållbart och långsiktigt bruk av jorden och om säkra och sunda villkor för de som arbetar i skogen.

För de utsläpp som trots allt inte går att undvika i bokproduktionen klimatkompenserar vi genom Climate Friendly. Vi bidrar härigenom till utbyggnaden av hållbar utvinning av förnyelsebar energi, såsom vindkraft.

Vill du veta mer? Besök **www.manpocket.se/klimatsmartpocket**

Märket för ansvarsfullt skogsbr
FSC-SWE-0061
®1996 Forest Stewardship Council

nart
cket

Johan Theorin

SANKTA PSYKO

Denna Månpocket är utgiven enligt överenskommelse med
Wahlström & Widstrand, Stockholm

Omslag: Richard Hansson

Tryckt hos CPI – Clausen & Bosse, Leck, Tyskland 2012

ISBN 978-91-7503-074-6

TILL KLARA

Tack till Kajsa Asklöf, Roger Barrett, Katarina Ehnmark Lundquist, Ann Heberlein, Rikard Hedlund, Kari Jacobsen, Cherstin Juhlin, Anders Parsmo, Ann Rule, Åsa Selling och Bengt Witte som direkt eller indirekt hjälpte till med den här romanen.

Käre Ivan, kan man skriva ett kärleksbrev till någon man aldrig har träffat? Jag försöker i alla fall. Jag har ju bara sett dig på bild i tidningarna, under hemska skrikande rubriker. Svartvita fotografier tagna av pressen för att visa "Ivan Rössel, den galne barnamördaren" eller vad de nu kallar dig.

Bilderna är hårda och orättvisa men jag har tittat mycket på dem ändå. Det är något med blicken i dina ögon, så lugn och klok och ändå så genomträngande. Du verkar se världen som den är, och verkar se rakt igenom mig. Jag skulle önska att du kunde se på mig i verkligheten också. Jag skulle så gärna vilja träffa dig.

Ensamhet är en fruktansvärd sak, och jag har tyvärr haft min egen dos av den genom åren. Jag antar att du i ditt låsta rum bakom sjukhusmuren också måste känna dig ensam ibland. I tystnaden sent på natten, när ingen annan i hela världen är vaken … Det är så lätt att sugas in av ensamheten och kvävas av den till slut.

Jag skickar med ett fotografi av mig själv, taget en varm och solig dag i somras. Som du ser har jag ljust hår men tycker om mörka kläder. Hoppas att du vill titta på mig som jag har tittat på bilderna av dig.

Nu ska jag sluta för den här gången, men jag vill gärna skriva igen. Jag hoppas att det här brevet kommer att hitta fram till dig på andra sidan av muren. Och jag hoppas att det på något sätt finns en möjlighet för dig att sända ett svar.

Finns det något jag kan göra för dig?

Jag gör vad som helst, Ivan.

Vad som helst.

Del 1: Rutiner

Yet everyone begins in the same place;
how is it that most go along without difficulty
but a few lose their way?

John Barth: *Lost in the Funhouse*

I

AKTA VÅRA LEKANDE BARN! läser Jan genom taxibilens sidoruta. Texten står målad på en blå plastskylt, och under den finns uppmaningen KÖR SAKTA.

"Jävla ungar!" ropar chauffören.

Jan far framåt. Taxin har svängt runt ett hörn och bromsat in framför en trehjuling.

Ett barn har lämnat den nästan mitt på gatan.

Gatan ligger i ett villaområde i staden Valla. Jan ser låga trästaket framför vita tegelhus, och så den stora varningsskylten.

Akta våra lekande barn. Men gatorna är tomma, trots trehjulingen. Här finns inga barn att akta.

Kanske är de inomhus allihop, tänker Jan. Inlåsta.

Chauffören ser på honom i backspegeln. Han ser ut att vara nära pensionen, med fårad panna, vitt tomteskägg och en trött blick.

Jan är van vid trötta blickar, de finns överallt.

Chauffören har knappt sagt ett ord före svordomen och inbromsningen, men när han har börjat köra igen ställer han plötsligt en fråga:

"Patricias sjukhus… jobbar du däruppe?"

Jan skakar på huvudet.

"Nej. Inte än."

"Jaså? Så du söker jobb där?"

"Jo."

"Jaha, du", säger chauffören.

Jan säger inget mer, han sänker blicken. Han vill inte berätta för mycket om sig själv, och han vet inte vad han får berätta om sjukhuset.

Chauffören fortsätter:

”Du vet väl att det finns ett annat namn på det stället?”

Jan tittar upp igen.

”Nej. Vilket då?”

Chauffören småler över ratten.

”Det berättar de säkert däruppe.”

Jan tittar åt sidan, på raderna av villor, och tänker på mannen han snart ska möta.

Doktor Patrik Högsmed, chefsöverläkare. Hans namn fanns under en platsannons som Jan hade hittat i mitten på juni:

BARNSKÖTARE/FÖRSKOLLÄRARE
sökes för vikariat till Gläntan

Texten under rubriken liknade många andra som han hade läst:

Du är barnskötare och/eller förskollärare, gärna man och yngre eftersom vi eftersträvar en jämställd och blandad personalgrupp.

Som person är du trygg i dig själv, och öppen och ärlig. Du tycker om lek och musik och all slags skapande verksamhet. Vi har ett grönområde som granne på vår förskola, så du uppskattar även utflykter i skog och mark.

Du ska aktivt arbeta <u>för</u> en positiv stämning på förskolan och <u>mot</u> alla former av kränkande behandling.

Mycket av det här stämde in på Jan. Han var en yngre man som var utbildad förskollärare, han tyckte om lekar och han hade spelat en hel del trummor i tonåren – mest för sig själv.

Och han tyckte inte om kränkningar, av personliga skäl.

Men var han öppen och ärlig? Det berodde på. Han var bra på att *verka* öppen, i alla fall.

Det var adressen till kontaktpersonen som fick Jan att klippa ut annonsen: personen hette Patrik Högsmed, och hans adress var Administrationen, Sankta Patricias rättspsykiatriska regionklinik i staden Valla.

Jan hade alltid haft svårt att göra reklam för sig själv, men platsannonsen hade legat och stirrat på honom i flera dagar på köksbordet och till slut hade han ringt numret som stod under överläkarens namn.

”Högsmed”, svarade en låg mansröst.

”Doktor Högsmed?”

”Ja?”

”Jag heter Jan Hauger, och jag är intresserad av den lediga platsen.”

”Vilken plats?”

”Tjänsten som förskollärare hos er. Med början i september?”

Det blev tyst i luren, innan Högsmed svarade:

”Jaha, den ja ...”

Högsmed pratade lågt, han verkade disträ. Men han fortsatte med en fråga:

”*Varför* är du intresserad av tjänsten?”

”Ja ...” Jan kunde inte säga sanningen, han hade genast börja ljuga – eller i alla fall dölja saker om sig själv. ”Jag är *nyfiken*”, var allt han sa.

”Nyfiken”, sa Högsmed.

”Ja ... nyfiken både på arbetsplatsen och på staden. Jag har mest jobbat på förskolor och daghem i storstäder. Så det vore spännande att flytta till en lite mindre plats, och jämföra hur förskoleverksamheten bedrivs där.”

”Bra”, hade Högsmed sagt. ”Nu är förstås det här en lite speciell barnverksamhet, eftersom barnen har föräldrar som är patienter ...”

Sedan hade han fortsatt med en utläggning om varför Sankta Patricias sjukhus över huvud taget hade en förskola: ”Vi öppnade den för några år sedan, som en försöksverksamhet ... Grundidén bygger på forskning om hur totalt avgörande små barns relationer är till föräldrarna, för deras utveckling till socialt mogna individer. Både permanenta och tillfälliga fosterhem har alltid vissa brister, och här på Sankta Patricia tror vi mer på vikten av att barn har en regelbunden och stabil kontakt med sin biologiska mor eller far ... trots de speciella omständigheterna. Och för den enskilda föräldern är förstås kontakten med barnet en del av behandlingen.” Doktorn gjorde en paus och tillade: ”Det är ju det vi gör här på kliniken: vi *behandlar*. Vi straffar inte, vad våra patienter än har gjort.”

Jan hade lyssnat, och noterat att doktorn inte använde ordet *bota*.

Högsmed hade avslutat med en snabb fråga:

”Hur låter det här?”

Det lät intressant, tyckte Jan, och hade skickat in en ansökan med sitt cv bifogat.

I början på augusti hade Högsmed ringt tillbaka – Jan hade gått vidare i urvalet, och doktorn ville träffa honom. De hade bestämt en mötestid på sjukhuset, innan Högsmed fortsatte:

”Jag har ett par önskemål också, Jan.”

”Ja?”

”Ta med legitimation. Ditt körkort eller pass, så att vi säkert vet vem du är.”

”Jajamän.”

”Och en sista sak, Jan… ta inte med några vassa föremål. Då släpps du tyvärr inte in hos oss.”

”Vassa föremål?”

”Vassa föremål av metall, alltså… Inga knivar.”

Jan anlände – utan vassa föremål – till Valla med tåget vid ettiden, en halvtimme före intervjun. Han höll noga koll på tiden, men var fortfarande ganska lugn. Det var inget berg han skulle klättra över, det var bara ett möte om ett jobb.

Dagen var en solig tisdag i början av september och stadens gator runt stationen var ljusa och torra, men folktomma. Det var första gången som han besökte Valla, och när han klev ut på torget insåg han att ingen visste att han var här. Ingen. Överläkaren på Sankta Patricia väntade på honom förstås, men för doktor Högsmed var han bara ett namn och ett cv.

Var han redo? Visst. Han drog ner kavajärmarna och rättade till den blonda luggen, innan han gick bort till taxistationen. En enda bil fanns inne.

”Sankta Patricias sjukhus. Vet du var det ligger?”

”Jodå.”

Chauffören liknade jultomten men var inte lika godmodig, han vek bara ihop sin tidning och startade motorn. Men när Jan hade satt sig i baksätet möttes deras ögon någon halv sekund i backspegeln, som om jultomten ville kolla att han var frisk.

Jan funderade på att fråga honom om han visste vad Sankta Patricia var för sorts sjukhus, men det var klart att han visste.

De körde bort från torget längs gatan som löpte vid järnvägen, innan de svängde ner i en kort vägtunnel under tågspåren. På andra sidan fanns en samling stora bruna tegelhus som såg ut som någon sorts vårdcentral, med fasader av stål och glas. Jan såg två gula ambulanser parkerade framför den breda entrén.

”Är det här Patricia?”

Men jultomten skakade på huvudet.

”Nä, här är folk sjuka i kroppen, inte knoppen ... Det där är regionsjukhuset.”

Solen lyste fortfarande, det fanns inte ett moln på himlen. De svängde till vänster efter sjukhuset, körde uppför en brant backe och rullade in i villaområdet där en skylt varnade för barnen.

Akta våra lekande barn ...

Jan tänker på alla barn som han har vakat över genom åren. Inget av dem var hans egna, han var anställd för att ta hand om dem. Men de kom att bli hans, på sätt och vis, och det var alltid svårt att skiljas från dem när hans vikariat var slut. De grät ofta vid avskedet. Han grät också, ibland.

Plötsligt får han syn på några barn bland villorna; fyra pojkar i tolvårsåldern spelar landhockey vid ett garage.

Eller *är* tolvåringar verkligen barn? När slutar barn vara barn?

Jan lutar sig bakåt i taxisätet och skjuter undan alla djupa frågor. Han måste koncentrera sig på att ha tydliga svar nu. Jobbintervjuer är jobbiga om man har något att dölja – och vem har inte det? Alla har sina små hemligheter som man inte vill prata om. Jan också. Men just i dag får de inte komma fram.

Högsmed är psykiatriker, glöm inte det.

Taxin lämnar villaområdet och kör genom några kvarter med låga radhus. Så tar husen slut, och landskapet öppnar sig mot ett stort gräsfält. Och bortom fältet finns en enorm betongmur, minst fem meter hög och grönmålad. Uppe på krönet av muren löper tunna linjer av hårt spänd taggtråd.

Det enda som saknas är höga torn med beväpnade vakter.

Ett stort grått stenhus höjer sig bakom muren, nästan som ett slott. Jan ser bara den översta delen, med rader av smala fönster under ett långt tegeltak.

Många av fönstren är täckta av galler.

Där bakom gallren sitter de, tänker Jan – de farligaste av de farliga. De som inte kan gå lösa på gatorna… Och dit in ska du.

Han känner hjärtat öka takten inne i bröstkorgen när han tänker på Alice Rami och möjligheten att hon just nu sitter och tittar på honom genom ett av gallren.

Lugn, bara lugn.

Jan är en trygg person, glad och trevlig, och han *älskar* verkligen barn. Doktor Högsmed kommer att förstå det.

Det finns en bred port av stål i betongmuren, men framför den råder stoppförbud, så taxin stannar ute på vändplanen. Jan är framme. Taxametern visar på nittiosex kronor. Han lämnar över en hundralapp.

”Det är jämnt.”

”Jaha.”

Jultomten verkar besviken på dricksen, fyra kronor räcker inte till några klappar till barnen. Han kliver inte ur bilen för att öppna dörren. Jan får gå ut själv.

”Lycka till med jobbet, då”, säger chauffören bara när han lämnar över kvittot genom det halvöppna sidofönstret.

Jan nickar och rättar till sin kavaj.

”Känner du någon som är anställd där?”

”Inte som jag vet”, säger jultomten. ”Men de flesta håller nog tyst om att de jobbar däruppe… så slipper de en massa frågor om de intagna.”

Jan ser att en mindre dörr bredvid den breda porten har öppnats borta i muren. Där står någon och väntar på honom; en man i fyrtioårsåldern med runda glasögon och tjockt brunt hår. På håll påminner han lite om John Lennon.

Lennon sköts av Mark Chapman, tänker Jan. Varför minns han det? Därför att mordet över en natt gjorde Chapman till världskändis.

Om nu Rami finns på Sankta Patricia, vilka andra kändisar är inlåsta på sjukhuset?

Glöm det, säger en inre röst. *Glöm Lodjuret också. Koncentrera dig på intervjun.*

Mannen vid muren har ingen vit läkarrock på sig, bara svarta byxor och brun kavaj – men det är ändå uppenbart vem han är.

Doktor Högsmed rättar till sina glasögon och spanar bort mot Jan. Bedömningen har redan börjat.

Jan ser en sista gång på taxichauffören.

”Kan du säga namnet nu?”

”Vilket namn?”

Jan nickar bort mot betongmuren.

”Namnet på sjukhuset … Vad kallas det av folk?”

Jultomten svarar inte först; han bara ler nöjt åt Jans nyfikenhet.

”Sankta Psyko”, säger han.

”Vadå?”

Taxichauffören nickar mot muren.

”Hälsa Ivan Rössel … Han lär ju sitta där.”

Fönstret vevas upp, och taxin kör iväg.

2

NEJ, DET ÄR INTE vanlig taggtråd som kröner muren runt Sankta Patricias klinik – det upptäcker Jan när han gått bort till den och skakat hand med doktor Högsmed. Det är eltrådar. De bildar ett meterhögt elstängsel överst på muren, med lysdioder som blinkar rött vid varje stolpe.

"Välkommen." Högsmed ser på honom genom tjocka glasögon, utan att le. "Var det svårt att hitta hit?"

"Nejdå ... Inte alls."

Betongmuren och eltrådarna påminner om en palissad, tycker Jan – som en inhägnad för tigrar, men på gruset till höger om porten upptäcker han en liten bit vardag: det är ett cykelställ. Herr- och damcyklar står på rad, utrustade med cykelkorgar och varningsreflexer. En av dem har till och med en barnstol av plast på pakethållaren.

Ståldörren klickar till, den dras åt sidan av osynliga händer.

"Efter dig, Jan."

"Tack."

Att gå in genom en fängelsemur är som att ta de första stegen in i mynningen på en kolsvart grotta. En isolerad och främmande värld.

Porten glider igen bakom dem. Det första Jan ser innanför muren är en lång vit övervakningskamera, med linsen riktad rakt mot honom. Kameran sitter fastskruvad på en stolpe bredvid porten, tyst och orörlig.

Sedan ser han ännu en kamera på en annan stolpe närmare sjukhuset, och ännu fler borta på själva byggnaden. OBS! KAMERAÖVERVAKAT OMRÅDE! varnar en gul skylt bredvid vägen.

De går förbi en parkering, och där finns fler skyltar: RESERVERAT FÖR SJUKTRANSPORT, står det på en av dem, och på en annan RESERVERAT FÖR POLIS.

Här innanför muren kan Jan se sjukhusets hela ljusgrå fasad. Det är fem våningar högt, med långa rader av smala fönster. Runt fönstren på de nedersta våningarna kryper någon sorts murgröna, som stora lurviga maskar.

Jan känner sig trängd härute, fångad mellan stenmuren och sjukhuset. Han tvekar, men doktorn leder honom vidare med raska steg.

Gångbanan slutar vid en ståldörr. Den är stängd, men överläkaren trycker in sitt magnetkort i dörren och vinkar mot den närmaste kameran, och efter någon halvminut klickar det till i låset.

De kommer in i ett mindre rum, med en inglasad reception och ytterligare en kamera. Det luktar såpa och våt sten här – golvet är nytvättat. En bredaxlad skugga sitter bakom det mörka glaset i receptionen.

En sjukhusvakt. Jan undrar om han är beväpnad.

Tanken på våld och vapen får honom att lyssna efter ljud från patienterna, men de är nog för långt borta. Inlåsta bakom ståldörrar och tjocka väggar. Och varför skulle man *höra* dem? Det är knappast så att de vrålar eller skrattar eller hamrar på gallren med plåtmuggar. Eller hur? Deras värld är snarare tysta rum och tomma korridorer.

Doktorn har frågat något. Jan vrider på huvudet.

”Ursäkta?”

”Legitimationen”, säger Högsmed igen. ”Har du med dig den, Jan?”

”Visst... Här.”

Jan fumlar i kavajfickan och räcker fram sitt pass.

”Behåll det”, säger Högsmed. ”Vik bara upp sidan med dina personuppgifter, och håll upp den framför kameran här.”

Jan håller upp passet. Det klickar till i kameran. Nu finns han registrerad.

”Bra. Då ska vi bara ta en titt i din väska också.”

Jan får öppna väskan och plocka upp innehållet inför vakten och doktorn: ett paket med näsdukar, en regnjacka, en hopvikt Göteborgs-Posten …

”Då är vi klara.”

Doktorn vinkar till vakten bakom glaset, och så leder han Jan genom en stor stålbåge – en metalldetektor, ser det ut som – och vidare mot ännu en dörr, som han låser upp.

Jan tycker att det blir kallare och kallare, ju längre in i sjukhuset de kommer. Efter ytterligare tre stålportar är de inne i en korridor som slutar med en enkel trädörr. Högsmed öppnar den.

”Jaha, här håller jag till.”

Det är bara ett vanligt kontor. Det mesta är vitt på läkarens rum, allt från tapeterna till de inramade diplomen bredvid bokhyllorna. Bokhyllorna är också vita, precis som pappershögarna på skrivbordet. Det finns bara en enda personlig sak därinne, en bild på skrivbordet på en ung kvinna som ser glad men trött ut, med en nyfödd baby i famnen.

Men till höger på bordet ligger något annat också, ser Jan; det är en samling mössor och hattar. Fem stycken, väl använda. En blå vaktkeps, en vit sköterskehätta, en svart rektorshatt, en grön jägarmössa och en röd clownperuk.

Högsmed nickar mot samlingen.

”Välj en, om du vill.”

”Förlåt?”

”Jag brukar låta mina nya patienter välja en av mössorna och ta på sig den”, säger Högsmed. ”Sedan pratar vi om varför han eller hon valde just den mössan, och vad det kan betyda … Du får gärna göra samma sak, Jan.”

Jan sträcker ut handen mot bordet. Han vill välja clownperuken – men vad symboliserar den? Är det inte bättre att vara en hjälpande sjuksköterska? En god människa. Eller en rektor, som står för klokheten och kunskapen?

Hans hand börjar darra svagt. Till slut sänker han den.

”Jag får nog stå över.”

”Jaså?”

”Ja … jag är ju ingen patient.”

Högsmed nickar kort.

”Men jag såg att du var på väg att välja clownen, Jan … Och det är intressant, för clowner har ofta hemligheter. De döljer saker bakom en leende mask.”

”Jaså?”

Högsmed nickar.

”Seriemördaren John Wayne Gacy jobbade extra som clown i Chicago, innan han greps, han tyckte om att uppträda inför barn … och seriemördare och sexförbrytare är förstås en sorts barn, de ser sig själva som världens mitt och har aldrig vuxit upp.”

Jan säger inget mer, han försöker le. Högsmed tittar på honom några sekunder, sedan vänder han sig och pekar mot en furustol framför skrivbordet.

”Sätt dig, Jan.”

”Tack, doktorn.”

”Jo, jag vet att jag är doktor … men du kan kalla mig Patrik.”

”Okej … Patrik.”

Det låter fel, tycker Jan. Han vill inte vara *du* med en doktor. Han sätter sig på besöksstolen, sänker axlarna och försöker slappna av, med en snabb blick på överläkaren.

Doktor Högsmed är ung för att vara chef för ett helt sjukhus, men han verkar inte helt pigg. Hans ögon är blanka och blodsprängda.

Och nu, när Högsmed själv har satt sig vid skrivbordet, böjer han sig snabbt bakåt i den ergonomiska kontorsstolen, tar av sig glasögonen och spärrar upp ögonen mot taket.

Jan undrar tyst vad Högsmed håller på med, ända tills han ser att läkaren har plockat upp en liten flaska med ögondroppar. Han för den till pupillerna och trycker in tre droppar i varje öga. Sedan blinkar han bort tårarna.

”Hornhinnekatarr”, förklarar han. ”Läkare kan också vara sjuka, det glömmer man ibland.”

Jan nickar.

”Är det allvarligt?”

”Inte speciellt … men loberna har känts som sandpapper i en vecka nu.” Han lutar sig fram och fortsätter blinka bort tunna tårar, innan han tar på sig glasögonen igen. ”Jaha, Jan, välkommen hit, som sagt ... Du vet väl vad vår rättspsykiatriska klinik har döpts till, i folkmun?”

”Har döpts till?”

Överläkaren gnuggar sig i högerögat.

”Vad sjukhuset kallas nere på stan, alltså ... öknamnet på Sankta Patricia?”

Jan känner förstås till det sedan en kvart tillbaka – namnet malde i huvudet på honom när han klev in här, ihop med namnet på mördaren Ivan Rössel – men han ser sig ändå omkring som om svaret står skrivet på väggarna.

”Nej”, ljuger han. ”Vad kallas det?”

Högsmed ser mer spänd ut.

”Det vet du nog.”

”Kanske ... Taxichauffören sa ett namn på vägen hit.”

”Jaså?”

”Ja ... Är det ’Sankta Psyko’?”

Överläkaren nickar snabbt, men verkar ändå besviken över svaret. ”Jo, en del utomstående säger det, ’Sankta Psyko’. Till och med jag har hört det namnet ett par gånger, och det är inte alltid som jag får ...” Högsmed hejdar sig, han lutar sig fram några centimeter. ”Men vi som arbetar här i huset säger *inte* det. Vi säger det rätta namnet: Sankta Patricias rättspsykiatriska regionklinik – eller ’kliniken’, om vi har ont om tid ... Och om du anställs här vill jag att du också använder något av de namnen.”

”Självklart”, säger Jan och möter Högsmeds blick. ”Jag tycker inte heller om smeknamn.”

”Bra.” Överläkaren lutar sig bakåt igen. ”Och du kommer ju hur som helst inte att arbeta härinne på kliniken, om du skulle få jobbet ... Förskolans verksamhet är åtskild från sjukhuset.”

”Jaså?” Det är en nyhet för Jan. ”Så den ligger inte här i huset?”

”Nej, Gläntan är en separat byggnad.”

”Men hur gör ni med ... med barnen?”

”Hur vi *gör*?”

”Ja, när de ska hit? Jag menar, hur umgås barnen med ... med sin mamma eller pappa?”

”Vi har ett särskilt besöksrum. Barnen kommer dit via en sluss.”

”En sluss?”

”Det finns en underjordisk gång”, säger Högsmed. ”Och en hiss.”

Sedan lyfter han upp flera papper från skrivbordet. Jan känner igen dem; det är hans jobbansökan. Som en bilaga finns ett utdrag ur brottsregistret, som visar att Jan Hauger aldrig har dömts för sexualbrott. Jan är van att begära sådana utdrag från polisen – de krävs alltid när någon ska arbeta med barn.

”Då ska vi se ...” Högsmed kisar med sina röda ögon och börjar sakta bläddra igenom papperen. ”Ditt cv ser ju väldigt bra ut. Du var barnskötare i Nordbro två år efter gymnasiet ... Sedan utbildad till förskollärare i Uppsala, och så flera vikariat på olika daghem och förskolor i Göteborg, och till slut lite arbetslöshet här under våren och sommaren.”

”Bara en dryg månad”, säger Jan snabbt.

”Men du har haft *nio* olika vikariat på sex år”, säger Högsmed. ”Stämmer det?”

Jan nickar tyst.

”Och ingen fast anställning, än så länge?”

”Nej”, säger Jan. Han gör en paus. ”Av olika skäl ... Oftast har jag vikarierat för någon som varit föräldraledig, och de har förstås alltid kommit tillbaka till sin anställning.”

”Jag förstår. Och det här är ju också fråga om ett vikariat”, säger doktorn. ”Fram till årsskiftet, i första hand.”

Jan kan inte släppa den vaga antydningen om att han är en rastlös person. Han nickar mot sitt cv.

”Barnen och föräldrarna har tyckt om mig ... Och jag har alltid fått goda vitsord.”

Doktorn läser vidare i papperen, och nickar.

”Jag ser det, väldigt goda ... från de tre senaste arbetsplatserna. De rekommenderar dig allihop.” Han sänker papperen och ser på Jan. ”Och de andra?”

”De andra?”

”Vad tyckte de andra dagisföreståndarna? Var de missnöjda med dig?”

”Nej. Det var de säkert inte, men jag ville inte ta med varenda positiv...”

”Nej, jag förstår”, avbryter doktorn. ”För mycket beröm luktar illa... Men kan jag ringa dem? Något av de tidiga daghemmen?”

Doktorn verkar plötsligt pigg och nyfiken, och har redan lagt handen på telefonen.

Jan sitter tyst, med halvöppen mun. Det här är mössornas fel, anar han – att han tackade nej till Högsmeds psykologiska test. Han vill skaka på huvudet, men hans nacke känns stel.

Inte Lodjuret, tänker han. *Ring gärna de andra, men inte Lodjuret.*

Han rör på huvudet till slut. Han nickar.

”Det går jättebra”, säger han, ”men tyvärr har jag inga telefonnummer.”

”Inga problem... Det finns på nätet.”

Högsmed kastar en sista blick på Jans gamla arbetsgivare, och knappar sedan in en grupp bokstäver i datorn.

Namnet på ett av de tidiga daghemmen. Men vilket av dem? *Vilket?* Jan kan inte se det, och han vill inte luta sig över skrivbordet för att få veta om det är Lodjuret.

Varför hade han skrivit upp det namnet i sitt cv?

Nio år sedan! Ett enda misstag med ett enda barn, för nio år sedan... ska det dras fram nu?

Han andas lugnt och håller fingertopparna lätt vilande mot låren. Det är bara dårar som börjar vifta med händerna när de är pressade.

”Bra, här har vi ett nummer”, mumlar Högsmed och blinkar mot datorskärmen. ”Då ska jag bara slå det...”

Han lyfter luren, trycker in ett halvdussin siffror på telefonen och kastar en blick på Jan.

Jan försöker le, men håller andan. Vem ringer doktorn till?

Finns det någon kvar från hans tid på Lodjuret – någon som fortfarande minns honom? Någon som minns vad som hände i skogen?

3

”Hallå?”

Överläkaren har fått svar, han lutar sig framåt över bordet.

”Patrik Högsmed, ja … Och jag söker någon hos er som har jobbat ihop med Jan Hauger. Just det, H-A-U-G-E-R. Han var vikarie hos er för åtta nio år sedan.”

Åtta eller nio år sedan. Jan sänker huvudet när han hör de orden. Då är det något av daghemmen i Nordbro som doktorn har ringt. Antingen Solrosen eller Lodjuret. Jan hade lämnat sin barndomsstad efter det.

”Var det före din tid, Julia? Okej, men finns det någon där som jobbade när … Bra, koppla mig till föreståndaren då. Jag väntar.”

Det blir tyst i rummet igen, så tyst att Jan hör en dörr stängas någonstans ute i korridoren.

Nina. Jan minns plötsligt att föreståndaren för Lodjuret hette Nina Gundotter. Märkligt namn. Han har inte tänkt på Nina på många år – han har stoppat in alla minnen från Lodjuret i en flaska och grävt ner den.

Den vita klockan tickar på väggen, den är kvart över två nu.

”Hallå?”

Överläkaren har fått svar igen, och Jan trycker in fingrarna i låren. Han håller andan och hör Högsmed presentera sig och förklara sitt ärende en gång till, innan han blir tyst och lyssnar.

”Så du minns Jan Hauger? Så bra … Vad kan du berätta?”

Tystnad, överläkaren kastar en snabb blick på Jan och fortsätter lyssna.

”Tack”, säger han efter en halv minut, ”då vet jag. Ja, jag ska hälsa honom. Tack … tack så mycket.”

Han lägger på luren och lutar sig bakåt.

”Fler goda vitsord.” Han nickar mot Jan. ”Det där var Lena Zetterberg på Solrosens daghem i Nordbro, och hon hade bara bra saker att säga om dig. Jan Hauger var positiv, ansvarsfull, omtyckt av både föräldrar och barn … Högsta betyg.”

Jan börjar le igen.

”Jag minns Lena”, säger han. ”Vi trivdes bra ihop.”

”Då så.” Överläkaren reser sig och tar upp en plastmapp från skrivbordet. ”Då går vi bort till vår egen fina förskola … Du vet väl att det heter *förskola* numera, Jan?”

”Jo.”

Doktorn håller upp dörren för Jan.

”Termen daghem har blivit lika omodernt som barnstuga och lekskola”, säger han och lägger till: ”Och det är förstås samma sak med psykiatriska termer, de förlorar sin salongsfähighet genom åren. Ord som hysteriker, galning och psykopat … De är inte godtagbara längre. Vi pratar inte ens om *sjuka* eller *friska* personer på Patricia, vi pratar bara om *fungerande* eller *icke-fungerande* personer.” Han tittar på Jan. ”För vem av oss är alltid frisk?”

En svår fråga, och Jan svarar inte.

”Och vad kan vi egentligen veta om varandra?” fortsätter doktorn. ”Om du skulle råka möta en man här i korridoren, Jan, skulle du veta om han var ond eller god?”

”Nej … men jag skulle väl tro på att han ville mig väl.”

”Bra”, säger doktorn. ”Att lita på andra handlar mest om hur trygg man är i sig själv.”

Jan nickar och följer efter Högsmed genom sjukhuset. Doktorn är redo med magnetkortet igen.

”Det här är faktiskt snabbaste vägen till förskolan”, säger Högsmed när han låser upp dörrarna. ”Man kan gå genom sjukhuskällaren också, men den vägen är krånglig och otrevlig. Så vi går ut genom grinden igen.”

De tar sig ut ur sjukhuset samma väg som de kom. När de passerar vaktkuren kastar Jan en blick mot det tjocka säkerhetsglaset och frågar lågt:

”Men vissa patienter här, de är väl farliga?”

”Farliga?”

”Ja, våldsamma?”

Högsmed suckar, som om han tänker på något tråkigt.

”Jo, men mest farliga för sig själva. Då och då våldsamma mot andra”, säger han. ”Det finns förstås personer intagna här på kliniken som har destruktiva drivkrafter, antisociala kvinnor och män som har gjort vad man kan kalla *dåliga* saker...”

”Och dem kan ni bota?” frågar Jan.

”*Bota* är ett stort ord”, säger Högsmed och tittar på ståldörren framför sig. ”Vi terapeuter ska inte ge oss in i samma mörka skog som patienterna gått vilse i, vi ska stanna ute i ljuset och försöka locka ut patienten till oss...” Han tystnar och fortsätter: ”Vi kan se mönster hos våldsbrottslingar, och en gemensam nämnare är olika barndomstrauman. De har ofta haft en mycket dålig relation med föräldrarna, ofta med olika kränkningar och brist på kontakt.” Han öppnar den yttre porten och ser på Jan. ”Och det är därför vi har det här projektet, Gläntan. Målet för vår lilla förskola är att behålla de känslomässiga banden mellan barnet och den intagna föräldern.”

”Och den andra föräldern går med på de här besöken?”

”Om de själva är friska. Och i livet”, säger doktorn lågt och gnuggar sig runt ögonen. ”Så är det inte alltid... Det är sällan några socialt stabila familjer vi har att göra med.”

Jan frågar inte mer.

Till slut kommer de ut i solskenet igen. Överläkaren blinkar plågat mot dagsljuset.

”Efter dig, Jan.”

De går bort mot betongmuren. Jan har inte tänkt på det, men luften utomhus känns så ren den här höstdagen. Torr och frisk.

Porten i muren glider upp och Jan kliver ut. *Ut i friheten.* Det känns faktiskt så när han kommer ut på gatan, trots att han förstås hade kunnat lämna sjukhuset när han ville. Inga vakter hade hållit kvar honom.

Stålporten slår igen bakom dem.
"Den här vägen", säger Högsmed.
Jan följer efter längs stenmuren och ser bort mot stadens utkanter i söder. Bortom en bred nyplöjd åker ligger flera kvarter med små radhus. Han funderar på vad husägarna där borta tycker om sjukhuset.
Högsmed kastar också en blick bort mot radhusområdet, som om han hör Jans tankar.
"Våra grannar", säger han. "Förr var förstås stan inte lika utbyggd som nu, då låg sjukhuset mer isolerat härute. Men vi har aldrig haft några problem med protester eller namnlistor, sånt som andra psykiatriska kliniker råkat ut för. Jag tror att familjerna där borta vet att vår verksamhet är säker… att allas trygghet är vår främsta prioritering."
"Har någon rymt?"
Jan inser att det är en provocerande fråga. Men Högsmed lyfter sitt pekfinger till en etta.
"En patient, under min tid här", säger han. "Det var en ung man, en sexförbrytare, som hade lyckats bygga en ranglig stege av nedfallna grenar i ett hörn av parken. Sedan klättrade han bara över stängslet och försvann." Högsmed ser bort mot radhusen igen och fortsätter: "Polisen grep honom i en park samma kväll, men då hade han redan fått kontakt med en liten flicka. De satt tydligen på en parkbänk och åt glass." Doktorn tittar upp mot elstängslet ovanpå muren, och tillägger: "Säkerheten skärptes ännu mer efter det, men jag är inte säker på att något farligt skulle ha hänt… Ibland söker sig rymlingar till barn bara för att få trygghet. De är små och rädda inombords."
Jan säger ingenting, han går bara med ut på vägen framför muren. Han har gissat rätt; de är på väg mot träpaviljongen norr om sjukhuset. Gläntan.
Betongmuren svänger av framför den i en båge över gräsmattan och försvinner bakom sjukhuset. Runt förskolan finns bara ett lågt staket. Innanför det ser Jan flera gungor, en röd lekstuga och en sandlåda, men inga barn. De är förmodligen inomhus.
"Hur många barn är där nu?" frågar han.
"Ett dussintal", säger Högsmed. "Tre barn bor där dygnet runt just

nu, av olika skäl. Sex eller sju kommer hit på dagtid. Sedan har vi ytterligare några som kommer hit mer sporadiskt." Han öppnar sin mapp och tar upp ett papper. "Och förresten", fortsätter han, "här har vi lite regler när det gäller barnen... Lika bra att du läser dem nu."

Jan tar emot papperet. Han stannar till utanför grinden till förskolan och börjar läsa:

PERSONALREGLER

1) Barnen på Gläntan och patienterna på Sankta Patricias psykiatriska klinik ska hållas åtskilda. Detta gäller DYGNET RUNT, med undantag för individuella besöksstunder hos barnens föräldrar.
2) Förskolans personal har INTE tillträde till någon av sjukhusets vårdavdelningar. Endast sjukhusets administrativa lokaler får besökas av förskolepersonalen.
3) Förskolepersonalen ansvarar för att eskortera barnen genom slussen mellan Gläntan och sjukhusets besöksavdelning. Barnen får INTE gå ensamma.
4) Personalen får INTE under några omständigheter diskutera besöket på sjukhuset med barnen, eller ställa frågor om barnens föräldrar. Sådana samtal får endast föras av läkare och barnpsykologer.
5) Personalen har i likhet med sjukhusets anställda total TYSTNADSPLIKT när det gäller allt som rör Sankta Patricias psykiatriska klinik.

Nederst finns en streckad linje, och när Jan tittar upp ser han att Högsmed håller fram en penna.

Han tar emot den och skriver sitt namn på linjen.

"Bra", säger Högsmed. "Jag ville som sagt visa det redan nu... Alla förskolor har ju olika *regler*. Det är du van vid, eller hur?"

”Absolut.”

Men Jan har nog aldrig stött på någon av de här reglerna förut. Och ordern från sjukhusledningen är tydlig:

Håll tyst om Sankta Psyko.

Inga problem. Jan har alltid varit bra på att behålla hemligheter.

LODJURET

Jan hade börjat arbeta på Lodjurets dagisavdelning som tjugoåring, samma varma sommar som Alice Rami gav ut sitt debutalbum – de båda händelserna hörde ihop för honom. Han hade köpt hennes skiva när han upptäckte den i ett skyltfönster, tagit hem den och spelat den om och om igen. *Rami och August* var albumtiteln, men August var ingen person utan hennes band som bestod av två killar på bas och trummor. De fanns på bild ihop med Rami, två killar med svart spretigt hår på varsin sida om hennes änglavita hårslingor. Jan såg på bilden och undrade om någon av dem var hennes pojkvän.

Dagen efter köpte han en billig bärbar cd-spelare för att kunna lyssna på Rami när han gick till jobbet på daghemmet. Den kortaste vägen dit gick genom en tät granskog; han vandrade på stigarna och lyssnade på hennes viskande röst:

Mord är alltid självmord;
jag dödar både dig och mig
Hat kan kallas kärlek
då vet jag var jag har dig.

Liv kan vara död
och stark kan vara svag,
när lammen fyller tågen varje dag

Andra texter handlade om makt, mörker, medicin och månskuggor. Jan lyssnade och lyssnade den sommaren tills han kunde sångerna utantill; han kände att Rami sjöng till honom. Varför inte? Hon hade till och med en sång på skivan där namnet "Jan" fanns med.

I mitten av augusti började flera nya barn på daghemmets avdelningar. Ett av dem var speciellt: En pojke med blonda ljusa lockar.

Jan stod vid ingången till Lodjuret när pojken kom gående. Egentligen såg han pojkens mamma först; Jan tyckte att han kände igen henne. En kändis eller en gammal bekant? Kanske var det bara att modern såg äldre ut. Mellan trettiofem och fyrtio år, en ganska hög ålder för att ha barn på dagis.

Sedan fick Jan syn på pojken – liten och smal som en sticka, men med stora blå ögon. Fem eller sex år gammal. Han hade gulblont hår, precis som Jan hade haft i den åldern, och var klädd i en trång röd jacka. Han kom gående hand i hand med sin mamma mot dagiset – men de gick förbi Jans avdelning Lodjuret och bort mot dörren till Brunbjörnen.

De var ett omaka par, tyckte han; modern var lång och smal och klädd i en ljusbrun läderjacka med pälskrage, medan hennes son var så kort att han knappt verkade nå henne till knäna. Han fick trippa fram med korta snabba steg för att hålla takten med mammans kliv.

Pojkens ytterkläder såg tunna ut i höstkylan. Han borde få nya.

Jan hade öppnat dörren till Lodjuret, på väg in i värmen med ett halvdussin barn framför sig, men hejdade sig när mamman och pojken kom gående och såg på dem. Pojken tittade bara ner på marken, men mamman gav honom en snabb blick och en opersonlig nick. Han var en främling för henne, en namnlös barnskötare. Jan nickade tillbaka, och stannade tillräckligt länge i dörren för att se hur hon och pojken gick uppför backen och drog upp dörren till Brunbjörnens barnavdelning.

På utsidan av den dörren satt en mörkbrun björn av utskuren masonit, och på dörren som Jan hade öppnat för barnen fanns ett gult lodjur. Två köttätare från skogen. Ända sedan han hade börjat på daghemmet i somras hade Jan tyckt att namnen kändes fel – lodjur och björnar var ju inga vänliga djur, de var rovdjur.

Pojken och mamman hade försvunnit. Jan kunde inte stå kvar här i dörren, han måste jobba. Han gick in till sin egen barngrupp men kunde inte glömma det korta mötet.

Dagisavdelningarna hade gemensamma barnlistor på sina datorer, och innan Jan gick hem ihop med Ramis musik smög han in på expeditionen för att få veta vad den nye pojken på Brunbjörnen hette.

Han hittade namnet direkt: William Halevi, son till Roland och Emma Halevi.

Jan tittade länge på de tre namnen. Det fanns en hemadress också, men den behövde han inte veta just nu. Det räckte med vetskapen att lille William skulle finnas på grannavdelningen hela hösten, bara en dörr bort.

4

"KAFFE, JAN?" SÄGER MARIE-LOUISE.

"Tack, gärna."

"Lite mjölk?"

"Nej tack."

Marie-Louise är föreståndare på Gläntan. Hon är mellan femtio och sextio år, med ljusgrått lockigt hår och djupa skrattrynkor runt ögonen – och hon ler mycket och verkar vilja att alla människor ska trivas omkring henne, både små och stora.

Och Jan trivs faktiskt. Han vet inte hur han har väntat sig att förskolan skulle vara när han kom in där, men härinne märks ingenting av betongmuren som sveper förbi Gläntan bara några tiotal meter bort.

Efter Patricias kala korridorer och Högsmeds vita kontor har Jan hamnat i en regnbågsfärgad värld där böljande barnteckningar fyller väggarna, där gula och gröna barnstövlar står uppradade i hallen och stora lådor i dagrummet är fyllda med mjukisdjur och bilderböcker. Luften är lite varm och tung här, som i alla lokaler där barn nyss har lekt.

Jan har varit på många ljusa och rena förskolor genom åren, men Gläntan ger honom en lugn känsla i kroppen så fort han kliver in där. Det finns harmoni i det här lilla huset – det känns *mysigt*.

Just nu är det mycket tyst därinne, för barnen sover middag inne i kuddrummet. Det är därför hela personalen kan samlas.

Marie-Louise har tre yngre kollegor vid bordet. Två av dem är kvinnor. Lilian, med mörkrött uppsatt hår, är i trettiofemårsåldern. Hon har ett sorgset stråk i ögonen som hon jobbar på att dölja – Lilian pratar mycket, rör sig nervöst och har ett lite för högt skratt. Kollegan Hanna, med rakt blont hår, är kanske tio år yngre och klädd i vit blus och rosa jeans. Vackra blå ögon, men hon sitter mest tyst.

Lilian och Hanna är inte lika, men de har ett gemensamt intresse. Mitt under kaffestunden går de ut för att röka på gatan utanför Gläntans staket, och ser mycket förtroliga ut genom fönstret. Lilian viskar något och Hanna nickar.

När Marie-Louise tittar ut mot de båda rökarna får hon en liten rynka mellan ögonbrynen. Sedan kommer de tillbaka, och då ler hon igen.

Marie-Louise ler extra ofta mot den fjärde anställde på daghemmet: Andreas. Han röker inte, han snusar bara, och påminner med sina breda axlar mer om en byggarbetare än en barnskötare. Andreas känns trygg; ingenting verkar oroa honom.

Överläkare Högsmed sitter också med vid köksbordet. Han började med att presentera Jan och kallade honom ”den manlige kandidaten” – vilket avslöjade att det fanns minst en annan person som var tänkbar för jobbet – men efter det har Högsmed låtit personalen prata.

Men vad kan de prata om? Jan har ju precis läst personalreglerna och tänker inte bryta mot dem, inte den här dagen. Så han kan inte fråga något om Sankta Patricias sjukhus, han kan inte prata om barnen. Han letar efter ett samtalsämne.

”Vem var Sankta Patricia?” frågar han till slut.

Doktorn tittar på honom.

”Ett helgon förstås.”

”Men vad gjorde hon? Och när levde hon? Vet ni det?”

Han får bara tystnad och huvudskakningar till svar.

”Vi sysslar inte så mycket med helgon här”, säger Högsmed och ler bistert.

Det blir tyst igen, så Jan frågar Marie-Louise om arbetstider.

”Gläntan bemannas dygnet runt just nu”, svarar hon. ”Vi har tre barn som för tillfället inte är fosterhemsplacerade, så de bor här även på nätterna.” Hon gör en paus. ”Skulle det vara ett problem för dig, Jan, att ha ensamt ansvar här på nätterna?”

”Inte alls.”

Något knackar försiktigt på köksfönstret bredvid Jan, och när han vrider på huvudet ser han att det har börjat regna. Snart smattrar hårda droppar mot rutan. Bakom den skymtar han stenmuren, och sjukhuset. Han tittar bort mot kliniken, ända tills Lilian frågar:

”Har du nån familj, Jan?”

Den frågan är ny. Är Lilian familjekär? Han småler reflexmässigt mot henne.

”Jo … En lillebror som läser till läkare i London och en mor uppe i Nordbro. Men ingen fru … och inga egna barn.”

”Nån flickvän kanske?” säger Lilian snabbt.

Jan öppnar långsamt munnen, men Marie-Louise lutar sig fram med en lite bekymrad min och säger lågt:

”Sånt är privat, Lilian.”

Jan ser att Lilian och Hanna båda saknar ringar på vänsterhanden. Han gör en snabb huvudskakning. *Nej.* Den kan antingen betyda att han är singel, eller inte vill svara.

”Vad gör du på fritiden då, Jan?”

Det är doktor Högsmed som har frågat.

”Lite allt möjligt”, säger han. ”Jag är intresserad av musik, jag spelar lite trummor … och så tecknar jag.”

”Tecknar vadå?”

Jan tvekar när han ska svara – det här börjar också kännas personligt.

”Jag håller på med en serie … Ett gammalt drömprojekt.”

”Jaha … För någon tidning, då?”

”Nej. Den är inte klar, långt ifrån.”

”Du får visa den för barnen”, säger Marie-Louise. ”Vi läser mycket för dem.”

Jan nickar, men han tvivlar på att förskolebarnen vill läsa serien om Den Skygge. Det är för mycket hat i den.

Ett dämpat rop hörs plötsligt från kuddrummet. Marie-Louise stelnar till, Andreas vrider på huvudet.

”Det lät som Matilda”, säger han lågt.

”Jo”, säger Marie-Louise, ”Matilda drömmer mycket.”

”Det är hennes fantasi”, säger Lilian. ”Matilda fantiserar hela tiden.”

Det är allt Jan hör dem säga om något av barnen, och sedan blir det tyst vid bordet. Alla verkar vänta på fler rop från kuddrummet, men inga hörs.

Högsmed gnuggar sig i ögonen och tittar på klockan.

”Okej, Jan, då kanske du vill åka hem?”

”Ja ... det kan väl vara dags nu.”

Han förstår vinken – överläkaren vill ha bort honom. Han vill höra vad förskolans fyra anställda tycker om den manlige kandidaten.

”Jag hör av mig, Jan ... jag har ju ditt nummer.”

Jan tar farväl, med ett vänligt leende och bestämda handslag åt alla.

Utanför har höstregnet dragit vidare.

Inte en människa syns till vid sjukhusets mur när han går ut genom Gläntans grind. Men Sankta Patricia själv ser nästan levande ut – fasaden har mörknat av regnet och sjukhuset liknar en stor stenkoloss som lutar sig över förskolan.

Jan stannar till vid muren och tittar mot sjukhuset. Mot alla fönster. Han väntar på att någon ska visa sig därborta – ett huvud som rör sig bakom ett galler, eller en hand som läggs mot glasrutan. Men ingenting händer, och till slut blir han lite orolig för att någon vakt ska få syn på honom och tro att en galning står där och stirrar. Då börjar han gå igen, med en sista blick bort mot den lilla förskolan.

Sankta Patricias stora mur är kusligt fascinerande, men han måste sluta tänka på den. Han ska koncentrera sig på Gläntan, det lilla huset med de sovande barnen.

Förskolor är som oaser av frid och trygghet.

Han vill verkligen få platsen där, även om hans nerver fortfarande är spända av Högsmeds granskning. Av *mösstestet.* Och ännu värre, av samtalet till hans gamla arbetsplats.

Men det som hade hänt på Lodjuret skulle inte hända på Gläntan. Han hade varit ung då, en tjugoårig barnskötare. Och helt ur balans.

5

Störtregnet har dragit förbi; höstluften i Valla är kall och frisk. Staden ligger som i en gryta nedanför Jan när han går tillbaka genom villakvarteren, över järnvägen och ner till affärsgatorna. De är fyllda av tonåringar och pensionärer. De unga står utanför affärerna, de äldre sitter på bänkarna. Han ser hundar i koppel och små grupper av fåglar runt papperskorgarna, men väldigt få barn.

Nästa tåg tillbaka till Göteborg går om en timme, så Jan har gott om tid att promenera. För första gången när han går omkring i Valla funderar han på hur det skulle vara att bo där. Just nu är han besökare, men om han får jobbet på förskolan måste han flytta hit.

När han går nedför Storgatan ringer plötsligt hans telefon. En frisk vind blåser; han ställer sig vid en tegelvägg och svarar.

”Jan?”

Det är en knarrig och kraftlös röst, hans gamla mor. Den fortsätter direkt:

”Vad gör du? Är du i Göteborg?”

”Nej, jag har varit … på jobbintervju.”

Han hade alltid svårt att berätta för mamman vad han höll på med. Det kändes för personligt.

”Jobbintervju, det låter ju bra. Är det inne i stan?”

”Nej, lite utanför.”

”Men då ska jag inte störa …”

”Det är okej, mamma. Det har gått bra.”

”Hur mår Alice, då?”

”Jo … Hon mår bra. Hon jobbar på.”

”Det vore trevligt om ni kom upp hit någon gång. Båda två.”

Jan är tyst.

”Lite senare i höst, kanske?” säger mamman.

Jan hör ingen kritik i hennes röst, bara stilla förväntan hos en ensam änka.

”Jo, jag kommer upp i höst”, säger Jan, ”och jag ska... jag ska höra med Alice.”

”Bra. Och lycka till nu. Tänk på att du ska vara nöjd med arbetsgivaren också.”

Jan tackar snabbt och stänger av mobilen.

Alice. Han har råkat nämna det namnet någon gång för sin mor, och det har sakta tagit form och blivit sonens flickvän. Det finns förstås ingen Alice i hans liv, hon var en drömfigur – men nu vill modern träffa henne. Någon gång måste han berätta hur läget verkligen är.

Han går runt i Vallas centrum och ser många stora affärsfönster, men ingen kyrka. Ingen kyrkogård heller.

Det finns ett fint länsmuseum vid ån, med ett litet kafé. Jan går in där och köper en smörgås. Han sätter sig vid fönstret och tittar ut mot busstationen.

Han känner inte en enda person i Valla – är det skrämmande eller befriande? Fördelen är att en främling kan börja ett helt nytt liv, och välja vilka detaljer han ska berätta om ifall någon frågar var han kommer ifrån. Ju färre svar, desto bättre. Han behöver inte säga ett ord om sitt tidigare liv. Inte ett ord om Alice Rami.

Men det är hans dyrkan av henne som gör att Jan sitter här.

Han fick tipset om Sankta Patricias sjukhus i början på juni, när hans sista vikariat på en förskola i Göteborg var på väg att ta slut. Det var en ganska rolig kväll, han hade nästan varit glad.

Han var ensam man bland kvinnor, som vanligt. Kollegorna på förskolan hade bjudit ut honom på restaurang för att tacka för tiden som varit, och han hade gått med på det. Efteråt hade han gjort något unikt – han hade bjudit hem dem till sin lilla lägenhet i Johanneberg. En trång enrummare, hyrd i andra hand.

Vad skulle han bjuda på? Han själv drack nästan aldrig alkohol, klarade knappt av smaken.

"Jag tror jag har lite chips hemma, om ni vill komma."

Det ville de fem kollegorna, men Jan själv hade börjat ångra sig när han ledde dem uppför trappan och låste upp dörren.

"Det är inte så städat, tyvärr..."

"Det gör inget!" ropade de, fnittriga och berusade.

Jan släppte in dem.

Hans dagbok var gömd i en skrivbordslåda, ihop med serien om Den Skygge. Så han hade inget annat att dölja, mer än Rami-bilderna. Hade han vetat om det här besöket skulle han nog ha gömt dem också, men nu när kollegorna kom in i vardagsrummet såg de förstås det inramade skivomslaget i hallen, plus en konsertaffisch ute i köket och den stora postern som hade funnits i en musiktidning nästan tio år tidigare, uppsatt med nålar bredvid bokhyllan.

Det var en svartvit bild på Rami som stod bredbent med sin elgitarr på en liten scen, med det spretiga håret lysande av strålkastarna och resten av bandet som suddiga spöken bakom sig. Hon blundade i ljuset, tjugo år gammal, och såg ut som om hon morrade mot mikrofonen. Det var den enda idolbild han någonsin hade hittat, och det var därför han hade sparat den i alla år.

En av barnskötarna, några år äldre än Jan, stannade till vid den.

"Rami?" sa hon. "Gillar du henne?"

"Visst", sa Jan. "Hennes musik, alltså... Har du hört henne?"

Kollegan nickade, med blicken mot Rami.

"Jag lyssnade på henne när första skivan kom, men det var ju ett bra tag sen. Det kom väl aldrig någon uppföljare, eller hur?"

"Nä", sa Jan lågt.

"Och nu är hon ju intagen", sa kollegan.

Jan tittade på henne. Det här var nytt för honom.

"Intagen? På ett sjukhus?"

"Ja... Hon sitter på nåt slags mentalsjukhus. Sankt Patriks sjukhus, här på västkusten."

Jan höll andan. Alice Rami som intagen? Han försökte föreställa sig det.

Jo, det gick.

"Hur vet du det?" sa han.

Kollegan ryckte på axlarna.

"Jag hörde det någonstans för några år sen, jag minns inte riktigt ... det var bara skvaller."

"Vet du varför ... Varför hon hamnade där?"

"Ingen aning", sa kollegan. "Men hon måste väl ha gjort nåt knäppt, eller hur?"

Jan nickade tyst.

Sankt Patriks sjukhus. Han ville fortsätta fråga sin kollega om Rami, men ville inte verka besatt. Då och då genom åren hade han varit ute på olika forum på Internet för att leta efter nyheter om Rami, men aldrig hittat några. Det här var bästa tipset hittills.

Sedan hände ingenting, förutom att sommaren bara gick och att Jan också bara drev fram – som arbetslös. I flera veckor läste han lokala annonser i Göteborgs-Posten om jobb på förskolor, och hittade några som han sökte.

I början av juli hade annonsen från Gläntans förskola dykt upp. Den liknade de andra, men det var adressen till kontaktpersonen som fick Jan att klippa ut den: överläkare Högsmeds adress hade varit Administrationen, Sankta Patricias rättspsykiatriska regionklinik i staden Valla, en knapp timmes tågresa från Göteborg.

Jan läste annonsen, om och om igen.

En förskola på en rättspsykiatrisk klinik?

Varför då?

Sedan mindes han ryktet om att Alice Rami satt inspärrad på "Sankt Patriks sjukhus på västkusten". Sankt Patrik skulle kunna vara en förvanskning av Sankta Patricia.

Det var då han satte sig ner och ringde doktor Högsmed.

Jan hade sökt jobb på ett dussin olika förskolor i och utanför Göteborg under våren och sommaren, utan att få ett enda. Han kunde lika gärna söka ett till.

6

JANS TELEFON RINGER KVART över åtta på torsdagsmorgonen, när han ligger i sängen. Han kryper upp och svarar, och hör en mansröst i luren:

”Gomorron, Jan! Det här är Patrik Högsmed på Sankta Patricias klinik. Väckte jag dig?”

Doktorns röst är full av energi.

”Nej … det är ingen fara.”

Hans egen röst är hes och släpig, han har sovit tungt och drömt konstiga drömmar. Hade Alice Rami varit med i dem? Någon kvinna hade det varit, hon hade stått på en scen, klädd i mörk päls, och klivit ner i en stor låda …

Överläkaren tar tillbaka honom till nuet:

”Jag skulle bara berätta att vi satt och pratade på Gläntan lite i går, efter att du hade gått … jag och personalen. Ett givande samtal. Och efter det gick jag tillbaka till kontoret och funderade lite själv, och pratade med klinikledningen. Så nu har vi bestämt oss.”

”Jaha?”

”Så jag undrar helt enkelt: kan du komma hit och prata om anställningsvillkoren så fort som möjligt? Och börja jobba här nästa måndag?”

Livet kan förändras så fort. Tre dagar senare är Jan tillbaka i Valla, hans nya hemstad. Men han har inget hem där än, så den här eftermiddagen står han och ser in i en trång hall fylld av möbler och flyttkartonger. Han tittar på en lägenhet i ett av stadens stora hyreshus, norr om Vallas centrum och väster om Sankta Patricia.

En silverhårig tant i grå kofta tar sig fram mellan kartongstaplarna – hon är så kort att de tycks luta sig över henne.
”Här bor mest äldre hyresgäster”, säger tanten. ”Nästan inga barnfamiljer … så det är inget stoj och stök.”
”Bra”, säger Jan och kliver längre in i lägenheten.
”Hyran i andra hand är fyratusenetthundra”, säger tanten och sneglar lite skamset på Jan. ”Jag har knappt lagt på något på originalhyran, så det går inte att snåla och pruta … men då får man den fullt möblerad.”
”Okej.”
Fullt möblerad? Jan har nog aldrig sett så mycket prylar i en lägenhet. Stolar, skåp och byråar står staplade längs väggarna. Den liknar mer ett möbellager än en bostad, och på sätt och vis *är* den ett lager. Möblerna och lådorna tillhör kvinnans son, som just nu bor i Sundsvall.
Jan öppnar skafferiet i köket och ser rader av flaskor på hyllorna – spritflaskor. Rom, vodka, konjak och olika likörer. Urdruckna.
”De där är inte mina”, säger tanten snabbt. ”De blev kvar efter förra hyresgästen.”
Jan stänger dörren.
”Finns det något vindsförråd?”
”Däruppe står barnbarnens cyklar”, säger tanten. ”Jaha, är du intresserad?”
”Jo. Lite.”
Han har redan kollat med Vallas bostadsförmedling – det fanns inga lediga lägenheter den här månaden, och väntetiden för ett eget hyreskontrakt är minst ett halvår. Under UTHYRES i lokaltidningen var allt som fanns den här möblerade trerummaren.
”Jag tar den”, säger han.

Efter lunch samma dag tar han tåget tillbaka till sin enrummare i Göteborg, hämtar sin gamla Volvo på verkstan och köper några få flyttkartonger. Över helgen packar han ihop sina egna möbler i en släpvagn och kör dem till en avfallsanläggning. Jan har levt i snart trettio år, men det är ändå inte mycket han äger och ännu mindre som han känner sig fäst vid. Det finns en frihet i att inte äga för mycket.

Så flyttar han in i trerummaren och stuvar undan så många av tantens kartonger som möjligt, försöker gömma allt skräp i garderoberna och bakom soffan. Nu har han ett slags hem.

Han har tagit med sig det snedställda ritbordet också, och den nästan tvåhundra sidor långa serien om hjälten som han kallar *Den Skygge*. Han har hållit på med den i femton år nu, men lovar sig själv att göra klart den här i Valla. Finalen ska förstås bli en stor slutstrid mellan Den Skygge och hans fiender, De fyras gäng.

Måndagen nittonde september är en vacker höstdag; solen lyser på träden och gatorna, och på den stora betongmuren runt Sankta Patricia. Kvart över åtta går Jan igenom den för andra gången och anmäler sig hos chefsöverläkaren, som tar emot vid vaktkuren i receptionen.

Högsmed skakar hand. Hans ögon är friska nu. Skarpa.

”Grattis till tjänsten, Jan.”

”Tack, dokt– Patrik… Tack för förtroendet.”

”Det är inget förtroende. Du var bästa kandidaten.”

Så går de in genom alla de låsta dörrarna, träffar personalchefen och Jan skriver sitt namn på olika kontrakt. Nu är han en del av sjukhuset.

”Det var det”, säger Högsmed. ”Ska vi ta och gå bort till din nya arbetsplats, då?”

”Gärna.”

De följs åt genom muren och ut på vägen, men Jan kan inte hjälpa att han tittar åt sidan. Mot Patricia. Högsmed håller en liten föreläsning:

”Anstalten är från slutet av artonhundratalet. Den var en anstalt för så kallade sinnesslöa från början, och efter det mentalsjukhus där lobotomi och tvångssterilisering användes regelbundet… men det är förstås omgjort sen dess. Moderniserat.”

Jan nickar, men när de kommer bort från muren kan han se fönstergallren igen. Han tänker på Rami, och sedan på namnet som taxichauffören hade nämnt: Ivan Rössel, seriemördaren.

”Sitter patienterna bara på de övre våningarna?” frågar han. ”Eller är de utspridda?”

Högsmed lyfter handen, i ett stopptecken.

”Vi diskuterar aldrig patienterna.”

”Det förstår jag”, säger Jan snabbt. ”Jag vill inte veta något om någon enstaka person... jag bara funderar på hur många de är?”

”Drygt hundra.” Överläkaren går tyst några sekunder, innan han fortsätter med lite mjukare röst: ”Jag vet att du är nyfiken på Sankta Patricias verksamhet... det är mänskligt. Få personer har ju ens varit i närheten av en psykiatrisk klinik.”

Jan är tyst.

”Jag kan bara säga en sak om vår verksamhet”, fortsätter doktorn, ”och det är att den är långt ifrån så dramatisk som folk tror. Det är *business as usual*, nästan hela tiden. De flesta av klinikens patienter har förstås haft allvarliga psykiska störningar, med olika trauman och tvångssyndrom. Det är därför de är här. *Men*”, Högsmed håller upp ett finger, ”det betyder inte att kliniken är full av vrålande galningar. Ofta är patienterna lugna och totalt kontaktbara. De *vet* varför de är här, och de är... ja, nästan *tacksamma* att vara det. De har inte en tanke på att rymma.” Han tystnar och tillägger: ”Inte alla, men de flesta.”

Han öppnar den lilla grinden till förskolan och fortsätter:

”Jag kan säga en sista sak om patienterna också: Ett antal av dem har haft olika sorters missbruk. Därför råder strikt drogförbud på avdelningarna.”

”Inga mediciner ens?”

”Mediciner är en annan sak, de ordineras av oss läkare. Men folk får inte börja självdosera... Och vi har även begränsningar i telefonerande och tevetittande.”

”Är det förbud mot all underhållning?”

”Absolut inte”, säger doktorn när de går mot förskolans ingång. ”Det finns gott om papper och pennor för den som vill skriva och teckna, det finns radio och massor av böcker... och vi har mycket musik.”

Jan tänker genast på Rami med gitarren. Doktorn fortsätter:

”Och så uppmuntrar vi ju en annan sak, om patienterna är föräldrar: ett regelbundet umgänge med barnen… Både patienterna och deras barn behöver trygghet och rutiner. De har ofta haft brist på sådant tidigare i livet.”

Överläkaren öppnar dörren till förskolan och lyfter pekfingret en sista gång:

”Goda rutiner är avgörande i livet. Så det är ett mycket viktigt arbete ni gör här.”

Jan nickar. *Ett viktigt arbete med goda rutiner.*

Det hörs ljusa rop och skratt genom dörröppningen, och han går in i förskolan med långa steg.

Han mår bra nu; han är lugn. Det känns alltid bra när Jan ska träffa barn.

LODJURET

Jan hade en lägenhet ett par kilometer från daghemmet Lodjuret, väster om Nordbro centrum. Det låg ett stort friluftsområde mellan hans höghusområde och dagiset – flera kilometer av granskog och klippor och låga berg ovanför en stor fågelsjö, som skapade illusionen av en avlägsen vildmark. Oftast cyklade han till jobbet, men när han hade gott om tid gick han genom skogen och ibland när han var helt ledig tog han promenader där. Han lärde känna landskapets stigar och grusvägar, och ibland vek han av för att gå ut på en berghäll och titta ut på sjön och fåglarna.

Det var på en morgonvandring till jobbet som han upptäckte den gamla bunkern.

Den låg inmurad i en bergssida, med utsikt över vattnet. Inga skogsvägar eller stigar löpte förbi den, och nu på hösten var den mycket svår att upptäcka – den liknade mest en stor jordhög, dold av ris och barr och gulnade lönnlöv. Men den rostiga plåtdörren däruppe stod inbjudande halvöppen när Jan gick förbi, och den fick honom att stanna och ta några långa kliv uppför branten för att titta närmare.

Han böjde sig fram, det var kolmörkt därinne. Väggarna verkade vara flera decimeter tjocka.

Cementgolvet såg torrt ut, så han ställde sig på alla fyra som en grottforskare och kröp in.

Rummet innanför var större än bunkerns betonghölje; det hade delvis borrats ut ur bergssidan.

Någon hade varit där och roat sig, men inte nyligen. Gulnade tidningar och några urdruckna ölburkar låg slängda i ett hörn, annars var det helt tomt. Det fanns faktiskt ett par fönster, såg Jan, men de var bara långsmala gluggar under taket, nästan igenproppade av löv och jord. Han gissade att bunkern hade använts av försvaret som observationspost – ett minne från kalla kriget.

Han kröp ut igen och ställde sig på slänten. Han lyssnade. Träden susade svagt. Inga andra skogsvandrare syntes till.

Nedanför bunkern löpte en jämn och platt vägbank av grus, delvis täckt av gräs och ris. Det fanns ingen räls där, men kanske var den resterna av en gammal järnväg som gått här många årtionden tidigare. Kanske hade den använts vid byggandet av skyddsrummet.

Jan klev ner på den och började gå söderut. Grusbanan ledde in i en smal klyfta mellan två enorma klippblock. Klyftan slutade vid en rostig grind; den var stängd men Jan lyckades dra upp den. Så kom han ut från klyftan, gick uppför en svagt sluttande slänt och kom upp på en höjd.

Nu återsåg han vattnet i fågelsjön några hundra meter bort – och plötsligt kände han igen sig. Lodjurets barngrupper hade gjort en utflykt hit upp i somras, precis när hans vikariat hade börjat. De skulle säkert gå hit igen.

Han stannade till och funderade.

Granskogen växte tät här, men Jan hittade en stig och gick några hundra meter tills han såg gångvägen vid dagiset och det gröna staketet runt uteplatsen. Bakom det var de morgontidiga barnen från Lodjuret och Brunbjörnen redan ute och lekte. Han såg lille William Halevi sitta uppe på en klätterställning och lyfta armarna för att visa alla att han vågade släppa taget.

William var en djärv pojke, det hade Jan sett när avdelningarna lekte tillsammans – trots att han var liten och späd skulle han alltid klättra högst och springa fortast.

Jan tittade på William, och tänkte på bunkern i skogen.

Och det var så det började; inte som en färdig plan för att locka bort ett barn i skogen, utan mest som en tankelek. Ett tidsfördriv som Jan höll för sig själv.

7

"HÄR SITTER SCHEMAT, JAN", säger Marie-Louise och pekar på kylskåpsdörren. "De här tiderna måste vi hålla, varje dag. Ibland lämnar vi ett barn uppe på sjukhuset, samtidigt som vi hämtar ett annat."

Han tittar på papperet. Där står en rad namn, datum och klockslag för överlämningarna den kommande veckan.

Överst står *Leo: måndag kl 11-12*. Sedan följer *Matilda: måndag kl 14-15* och *Mira och Tobias: kl 15-16*.

Än så länge är klockan bara kvart i nio.

"Vi följer med dem", säger Marie-Louise, "och hämtar dem. Det finns speciella tillfällen också, när den andra föräldern kommer hit för att hälsa på ... och då går de upp tillsammans."

Jan nickar. *Den andra föräldern.* Det är den fria mamman eller pappan hon pratar om. De som inte sitter inspärrade.

Han har träffat flera av dem redan, de har tittat in i kapprummet och lämnat barnen som inte bor på Gläntan. Men är det biologiska föräldrar till barnen, eller fosterföräldrar? Jan får förstås inte fråga. De var prydligt klädda kvinnor eller män från trettioårsåldern och uppåt. Några såg ut att vara pensionärer.

Han har stått med Marie-Louise i kapprummet och hälsat dagbarnen välkomna, ett efter ett. Alla barn som ska vara på Gläntan den här dagen har anlänt nu: Elva stycken.

När barn lämnas av kan det ibland vara förtvivlan och många tårar, det vet Jan sedan länge. Föräldrarna kan i sin tur vara överdrivet glada och pratsamma för att dölja oro eller skam över att åka iväg från barnen. Men här på Gläntan är de vuxna dämpade. Kanske är det betongmurens fel – skuggan från Sankta Psyko faller över alla på förskolan.

Och barnen? De är mest blyga. De ler och viskar och tittar intensivt på den nya personen som står bredvid deras förskolefröken, de undrar vem han är. Under alla år på olika förskolor har Jan nästan bara träffat nyfikna barn med vakna ögon. Barn är bara avtrubbade när de är riktigt sjuka. Till skillnad från vuxna kan de aldrig dölja hur de mår.

”Tyvärr har du missat vår må bra-stund i dag”, säger Marie-Louise när hon har visat Gläntans alla rum för Jan.

”Vad är det?”

”Det är något vi har för personalen på måndagar. Vi sätter oss helt enkelt ner i femton minuter och berättar hur vi mår.” Hon ler mot honom. ”Men du får chansen att göra det nästa måndag.”

Jan nickar tyst. Han vill inte fundera över hur han mår.

”Jaha”, säger Marie-Louise, ”vill du börja jobba nu?”

”Gärna.”

”Bra.” Hon ler. ”Då tänkte jag att vi skulle ha bokstund.”

Jan får äran att välja en barnbok ur lådorna i lekrummet, och han drar upp en tunn bok någonstans i mitten av bunten: *Emil och soppskålen*.

”Dags att läsa!”

Jan sätter sig på en stol vid väggen i lekrummet, och barnen slutar leka och sätter sig på små pallar i en ojämn halvcirkel. De är nyfikna på honom, som sagt, men fortfarande mycket avvaktande. Han förstår dem.

”Okej, kommer ni ihåg vad jag heter?”

Ingen svarar.

”Kommer någon ihåg?”

Barnen stirrar tyst på honom.

”Jan”, viskar till slut en flicka med bara en framtand.

Hon sitter lite närmare honom än de andra. Matilda – visst heter hon det? Hon ser ut att vara fem år, med mittbena och långa rågblonda flätor.

”Just det, jag heter Jan Hauger.” Han håller upp boken. ”Och det här är Emil … Emil i Lönneberga. Känner ni honom?”

Flera barn nickar, han har fått lite kontakt nu.

"Har ni läst den här boken, när Emil fastnar med huvudet i soppskålen?"

"Jaa..."

"Har ni läst den många gånger?"

"Jaa!"

"Då kanske ni inte vill läsa den igen?"

"Joo!" ropar barnkören.

Jan ler mot dem. Alla bekymmer försvinner när man möter ett barns blick. Deras ögon tar emot allt ljus i världen och sänder ut det igen. Han öppnar boken och börjar läsa.

Förmiddagen går. Rutiner är viktiga på Gläntans daghem. Marie-Louise verkar vilja ha så många som möjligt, och barnen med. Efter högläsningen ska alla gå ut och leka. Barnen tar på sig jackor och stövlar och går ut på gården, innanför det meterhöga staketet. Nästan halva gruppen vill leka tafatt, och Jan får jaga. Då släpper deras sista spår av blyghet, och de skriker av rädsla och glädje när han jagar dem runt sandlådan och förrådet. Förskolan har ingen stor gård, men den är väldigt grön; gräs och buskar växer fortfarande friskt den här varma hösten, och det finns ingen asfalt och nästan inget grus på gården.

Jan kan se sjukhusområdet från en ny vinkel nu. Här på baksidan av Sankta Patricia finns ingen mur, bara ett fem meter högt stängsel med ett nät av eltrådar högst upp.

"Jaga mig! Jaga mig!"

Jan fortsätter leka. Han höjer armarna som ett riktigt monster och jagar alla barn som vill bli jagade. De gömmer sig bakom lekstugan på bakgården, och då smyger han runt och låtsas inte kunna hitta dem – innan han plötsligt vänder om runt hörnet, och skriker som ett troll: "Bo-hoo!"

Det är roligt, han trivs lika bra härute på gården som i lekrummet, men plötsligt vrider han på huvudet mot sjukhusstängslet – och då ser han att någon står och stirrar därborta.

Jan tvärstannar, och slutar le.

Det är en lång och mager gammal kvinna som står bakom Sankta

Patricias stängsel, klädd i en svart kappa. Smala vita ben sticker ut under den. Hon har en räfsa i ena handen, och vid fötterna ligger en lövhög. Den andra handen håller hårt i stängslets stålöglor.

Kvinnan stirrar rakt på Jan. Hennes ansikte är blekt, men blicken är nästan lika mörk som hennes klädsel. Sorgsna ögon, eller kanske hatiska – det går inte att se.

”Jan?”

Han rycker till och vrider på huvudet – Marie-Louise har ropat till honom från ett öppet fönster i förskolan.

”Ja?”

”Leo ska lämnas snart … Jag tänkte att du kunde följa med mig, så att du ser hur vi gör med honom. Vill du det?”

”Ja … Visst.”

Jan nickar mot henne. Marie-Louise stänger fönstret och han tittar bort mot sjukhuset igen. Men kvinnan bakom stängslet är borta. Bara lövhögen ligger kvar.

Rutinerna fortsätter. Barnen kommer in från gården, drar av sig stövlarna och går direkt ut i lekrummet för att sätta sig med olika spel. Jan har alltid fascinerats av hur disciplinerade småbarn kan vara när de vet vad de ska göra.

När allt är lugnt tittar Marie-Louise på klockan.

”Jaha, nu är det dags för överlämning …”

Hon hämtar ett magnetkort från ett skåp i köket och leder ut honom till kapprummet.

”Leo!” ropar hon. ”Kom nu.”

Bredvid krokarna som håller uppe barnens ytterkläder finns en vit dörr som Jan hittills inte har lagt märke till – han har i alla fall inte funderat över vad som finns bakom den.

Marie-Louise går fram med magnetkortet. Det, ihop med en fyrsiffrig kod, öppnar den vita dörren: Trettioett-nollsju.

”Mitt födelsedatum”, säger Marie-Louise, ”trettioförsta juli.”

Jan ser en brant betongtrappa bakom dörren. Marie-Louise tänder lyset, vänder sig om och sträcker leende ut handen.

”Sådär, Leo … nu ska vi gå till pappa!”

Leo har inte varit med och lekt ute på gården. Han är knappt fem år, klädd i små blå snickarbyxor och smalt byggd med tunna ben. Nu tar han Marie-Louises hand och följer med henne nedför trappan, steg för steg. Jan går tyst efter dem.

”Du kan stänga dörren, Jan.”

Han gör det, och de glada skratten och ropen från förskolan klipps av tvärt. Det blir tyst som i en grav. Väggarna i trappan verkar vara av samma betong som muren – alla ljud dämpas därnere.

Leo går med korta steg nedför trappan bredvid Marie-Louise. Hon pratar inte heller, det finns ett märkbart allvar i luften.

Efter tjugo trappsteg kommer de ner i källaren, ner i en underjordisk gång med betonggolv som är täckt av en tunn blå tygmatta. Men någon har lagt ner lite tid på att försöka göra gången hemtrevlig, för väggarna är soligt gulmålade och dekorerade med färgglada tavlor.

Det är tuschteckningar, ser Jan. Han skulle inte ha kunnat teckna dem – de är för glada. Skrattande råttor badar i en bassäng, elefanter röker stora pipor, valrossar spelar tennis.

Djuren känns vilsna härnere.

”Sådär”, säger plötsligt Marie-Louise och stannar, ”då är vi framme, Leo!”

De har gått ett femtiotal meter och är djupt inne i underjorden nu, förmodligen under själva sjukhuset. Till höger finns en vitmålad hissdörr med en smal fönsterruta. Men källargången är inte slut, ser Jan, den fortsätter rakt fram åtta eller tio meter till innan den tvärt svänger till höger.

Marie-Louise drar upp hissdörren för Leo, och han går in i med korta steg.

Jan tar också ett steg fram, men hans chef skakar på huvudet.

”Leo vill åka ensam”, säger hon. ”Barnen får göra det, om de vill.”

Jan nickar. Han är spänd, men hade ändå hoppats att få komma till besöksrummet.

”Men ibland åker vi upp med barnen?”

”Jadå”, säger Marie-Louise. ”Det får du bestämma själv, ihop med barnen.”

När dörren är öppen får Jan en snabb skymt av hissen. Han ser ett litet stålrum med två knappar märkta UPP och NER, bredvid ännu en skåra för magnetkort och en röd larmknapp. Övervakningskameror? Han ser inga, varken på väggen eller i taket.

Marie-Louise går in i hissen, drar magnetkortet i skåran och trycker på UPP-knappen.

"Hej då, Leo!" ropar hon när hon stänger dörren. "Vi ses snart!"

Hennes röst låter ännu käckare än vanligt, som om den försöker jaga undan en plötslig oro.

Jan skymtar Leos lilla ansikte som kikar ut genom det smala fönstret. Så klickar det till i hissen och den börjar röra sig uppåt.

"Det var det, då går vi tillbaka", säger Marie-Louise. Hennes röst låter lugnare och hon fortsätter: "Leo ska hämtas om en timme... Det kanske du kan göra själv, Jan?"

"Gärna."

"Bra." Marie-Louise ler mot honom. "Jag sätter den lilla larmklockan i köket, så hör du när det är dags... De skickar ner barnen ensamma från besöksrummet exakt på timmen, så det är viktigt att vi är här då."

Så går de tillbaka uppför källartrappan igen, öppnar dörren och är tillbaka i kapprummet. Marie-Louise formar händerna som en tratt runt munnen och ropar:

"Fruktstund, allihop!"

Några av barnen grinar illa åt ordet "frukt", men de flesta kommer springande. Flera knuffas, de vill komma först. Kamp, alltid kamp.

Allt är som det brukar vara på en förskola.

Men Jan tittar flera gånger på väggklockans tickande visare. Han kan inte hjälpa att han tänker på lille Leo, ensam med sin inspärrade pappa.

8

DET FINNS INGA ÖVERVAKNINGSKAMEROR på Gläntan, och det är förstås bra. Men Jan ser inga teveapparater heller.

”Teve? Nej, vi har bara radio här på förskolan”, säger Marie-Louise allvarligt. ”Om vi skaffar teve skaffar vi snart en massa tecknade filmer som barnen vill titta på, och passiva barn blir olyckliga barn.”

I lekrummet är det full fart på barnen; de har lagt ut de tjocka hoppmattorna på golvet och leker att de är skeppsbrutna på flottar. Jan hoppar med i leken, det känns skönt efter turen ner i källaren.

Uppe på väggen hänger en skylt, ser han, skriven med Marie-Louises prydliga stil. Barnen kan förstås inte läsa än, men den verkar ändå menad för dem:

På Gläntan

... talar vi alltid om för någon vuxen vart vi går.
... får alla vara med när vi pratar eller leker.
... talar vi aldrig illa om någon annan.
... slåss eller bråkar vi aldrig.
... leker vi aldrig med vapen.

Lilian är också där med barnen, de hoppar från matta till matta för att klara sig från hajarna i havet. Precis som Jan går hon in i leken med liv och lust, men då och då ser han ett stråk av sorg dra över hennes ansikte när hon ser på barnen.

Efteråt tar de igen sig på en hoppmatta, och då vill han fråga om något är fel, men Lilian är snabbare och frågar:

”Trivs du här nu, Jan?”

Det är som om hon verkligen bryr sig.

”Du menar i Valla?” Jan måste tänka efter vad han ska säga. ”Ja, jag har ju knappt flyttat hit. Men det verkar bra... Fina omgivningar.”

”Vad gör du på kvällarna?”

”Inte så mycket... Jag lyssnar lite på musik.”

”Du har inga vänner här?”

”Nej... inte än.”

”Kom ner till Bills Bar då”, säger Lilian. ”Det ligger vid hamnen, de har ett bra husband...”

”Bills Bar?”

”Jag hänger där jämt”, säger Lilian. ”Det brukar vara folk från Sankta Patricia där, också. Du kan lära känna hur mycket nya människor som helst hos Bills.”

Skulle Jan börja springa på krogen och vara social? Det har han aldrig gjort förr, men varför inte?

”Kanske det”, säger han.

Så leker de vidare med de skeppsbrutna barnen, ända tills Jan hör larmklockan skrälla ute i köket. Bra, han har väntat på den.

Han hämtar magnetkortet, öppnar källardörren och går ensam tillbaka ner i gången.

Inget rör sig därnere. Tavlorna på väggen hänger kvar i raka rader. Klockan är fem minuter i tolv och fönstret i hissdörren därnere är fortfarande mörkt – hissen har inte skickats ner med Leo än.

Han stannar.

Åk upp, tänker han. *Åk upp och se dig omkring på Sankta Psyko.*

Men han står kvar med magnetkortet och väntar vid hissen någon minut, innan han tittar bort mot slutet av källargången. Bort mot den tvära kröken till höger.

Han blir lite nyfiken på vad som finns där borta, bakom hörnet.

En annan väg in i sjukhuset?

Hissen med Leo har fortfarande inte kommit ner, så Jan lämnar dörren och går sakta framåt. Han ska bara snabbt se efter vart källargången tar vägen.

Gången svänger och fortsätter några meter till – innan den slutar vid en massiv ståldörr. Den är ordentligt stängd med ett långt järnhandtag. Jan läser ordet SKYDDSRUM på en vit skylt bredvid dörren. Och under den texten *Denna dörr skall hållas låst!*

Skyddsrum – Jan känner till dem. De är som en bunker i underjorden.

Han får en bild av lille William inne i huvudet, men suddar ut den och sträcker fram handen mot järnhandtaget.

Det rör sig. Dörren går att öppna.

Men just då klickar det till borta i källargången bakom honom. Det är hissdörren. Jan släpper snabbt handtaget och går tillbaka.

Leo har skickats ner igen genom slussen. Han håller på att trycka upp den tunga dörren men klarar det inte riktigt, Jan hjälper honom.

”Har du haft det bra, Leo?”

Leo nickar tyst, och Jan tar honom i handen och börjar gå tillbaka mot Gläntan.

”Jag tror att vi har sångstund snart ... Gillar du det, Leo?”

”M-m.”

Jan kanske inbillar sig, men Leo verkar lite mer lågmäld efter sjukhusbesöket. Annars ser han ut som före besöket hos sin far. Inga blödande rivsår i ansiktet eller trasiga kläder. Naturligtvis inte – varför skulle han ha det?

De är framme vid trappan till förskolan nu. Jan tar fram magnetkortet, men sneglar på Leo en sista gång och tar risken att ställa en fråga:

”Var det kul att träffa pappa i dag?”

”M-m.”

”Så vad gjorde ni?”

”Pratade”, säger Leo. Det blir tyst, innan han fortsätter: ”Pappa pratar jättemycket. Hela tiden.”

”Jaså?”

Leo nickar och börjar gå uppför trappan.

”Han säger att alla hatar honom.”

9

Den första veckan arbetar Jan på Gläntan från åtta till fem varje dag. Och varje kväll kommer han hem till sin mörka lägenhet. Han är van, han har alltid kommit hem till tysta lägenheter, men den här är inte ens hans egen. Den känns inte som *hemma*.

Ibland på kvällen sätter han sig vid ritbordet och fortsätter på Den Skygges kamp mot De fyras gäng, men är han trött hamnar han bara framför teven och blir kvar där.

På dagarna lär han sig namnen på barnen, ett efter ett. Leo, Matilda, Mira, Fanny, Katinka och så vidare. Han lär sig vilka som är pratsamma och vilka som är mer tysta, vilka som blir arga när de ramlar och vilka som börjar gråta när någon råkar knuffa till dem. Vilka som frågar och vilka som lyssnar.

Barnen har så mycket energi. När de inte tvingas sitta still på samlingarna är de alltid i rörelse, alltid på väg någonstans. De kryper, de springer, de hoppar. Ute på gården gräver de i sandlådan, klättrar och gungar och vill vara med på allt.

”Jag med! Jag med!”

Barnen kämpar om plats och uppmärksamhet. Men Jan ser ingen bli utesluten ur leken, ingen som knuffas ut ur gruppen och går bort för sig själv, som han själv ofta gjorde.

Gläntans barngrupp känns harmonisk, och det är lätt att glömma bort närheten till Sankta Psyko – ända tills larmklockan ringer i köket och någon ska lämnas eller hämtas vid hissen under sjukhuset. Men turerna ner i källargången blir faktiskt också en rutin – även om Jan håller lite extra koll på Leo, som verkar ha en paranoid pappa.

På onsdag förmiddag gör alla barn en liten utflykt i skogen som höjer sig bakom sjukhusområdet. Då tar de på sig gula reflexvästar över jackorna och går ut på lång rad genom grinden. På många förskolor får barnen hålla i öglor på ett rep när de går på utflykt, men här gäller den gamla metoden: de håller varandras händer, två och två.

Skogsutflykter gör alltid Jan lite spänd, men han vandrar upp med kollegorna Marie-Louise och Andreas mellan slokande ormbunkar bakom förskolan. Här på den lilla stigen är de som närmast Sankta Patricia – stängslet ligger bara ett tiotal meter bort.

Marie-Louise lutar sig mot honom:

”Vi får se till att barnen inte springer för nära inhägnaden.”

”Jaså? Varför då?”

Hans chef ser besvärad ut.

”De kan utlösa ett rymningslarm … Sankta Patricia har grävt ner en massa elektronik vid stängslet.”

”Elektronik?”

”Ja … någon sorts rörelsesensorer.”

Jan nickar och tittar bort mot stängslet. Mot ”inhägnaden”. Han ser inga sensorer, bara att täta granar har planterats innanför stängslet, kanske för att skydda från insyn. Bakom träden skymtar han grusgångar och ett par låga hus inne på området – gula paviljonger som ser nybyggda ut. Inget rör sig där borta.

Han minns plötsligt den svartklädda kvinnan som han såg vid stängslet i måndags. Hennes mörka blick fick honom att tänka på Alice Rami, men Rami är ju i hans egen ålder och kvinnan i svart hade sett dubbelt så gammal ut.

Förskolebarnen verkar inte det minsta nyfikna på stängslet, de lunkar fram i sina tjocka höstkläder, hand i hand med varandra, och bryr sig bara om det som finns att se rakt framför dem på stigen; myror, trädrötter, småskräp och nedfallna löv.

Ett dovt brusande kommer mot dem. Det är en bred bäck, fylld med forsande svart vatten. Den rinner som en vallgrav längs sjukhusområdets baksida, svänger söderut och försvinner bort längs långsidan av stängslet. Jan undrar om de intagna på sjukhuset lugnas av vattnets ljud.

Framför dem finns en liten träbro med räcken, en bro som raden av förskolebarn travar över. Sedan går de uppåt, och in i skogen.

”Oj, titta!”

Det är lilla Fanny, tre år gammal och sist av alla barn, som har släppt sin kamrats hand och stannat upp för att stirra på marken bredvid stigen. Hon tittar på något som växer där. Jan stannar också, och tittar närmare.

Bland löven under de höga träden syns något som liknar små rosa fingrar som pressar sig upp ur jorden.

”Ja, titta ...”, säger Jan. ”Jag tror att det är någon sorts svamp. Fingersvamp.”

”Fingrar?” säger Fanny.

”Nej, det är inte riktiga fingrar.”

Fanny sträcker försiktigt ut sin lilla hand mot de smala rosa svamparna, men Jan stoppar henne.

”Låt den vara, Fanny. De vill nog växa ifred ... och ibland kan de vara giftiga.”

Flickan nickar tyst och glömmer snabbt svampen, hon sätter fart och springer ikapp de andra.

Jan tittar efter henne, ända tills hon är framme hos de andra.

Han andas ut och tänker på barnen på Lodjurets daghem, trots att han inte vill det. Att tappa bort ett barn går så fort – det räcker med att stigen leder in mellan ett par stora granar för att sikten helt ska skymmas.

Men den här dagen är det ingen fara. Gläntans barngrupp håller tätt ihop, ekar och björkar är mindre täta än en granskog och dessutom har ju barnen sina västar som lyser klargula bland träden.

Marie-Louise håller ihop gruppen genom att prata till barnen. Hon pekar ut olika löv och buskar och berättar vad de heter, och ställer frågor till varje barn. Men till slut klappar hon i händerna.

”Nu är det fri lek! Men håll er inom synhåll.”

Barnen sprider sig snabbt. Felix och Teodor jagar varandra, Mattias följer efter dem, snubblar på en rot och rullar runt men kommer snabbt upp på fötter.

Jan cirklar runt bland träden, ser sig om och räknar hela tiden de gula västarna så att ingen ska saknas. Han är med, han håller koll.

När han går ännu längre bort hör han skratt genom skogen och skymtar gula reflexer bland träden. Sedan ser han att Natalie, Josefine, Leo och lille Hugo står samlade i en liten fyrkant och tittar ner på stigen. Josefine och Leo har pinnar i händerna som de petar med i marken. När de får syn på Jan stelnar de till och ler förläget. Sedan möter Josefine Leos blick och de börjar fnittra åt varann. De släpper plötsligt pinnarna och springer iväg med gälla rop och skratt, rakt ut i riset.

Jan går fram för att se vad de har lekt med.

Något litet. Det liknar ett gråbrunt knyte av tyg på stigen. Men det är en skogsmus.

Den ligger med öppen mun bland löven, den kämpar för att kunna andas och är döende. Den silkeslena pälsen är blodfläckad. Jan förstår att de fyra barnen har petat hål på den när de lekte.

Nej, ingen lek. En sadistisk ritual, för att känna makt över liv och död.

Jan är ensam, han måste göra något. Han skyfflar försiktigt bort den mjuka kroppen med sin högersko från stigen, och letar reda på en stor och trubbig sten. Han tar upp den, lyfter den med båda händerna och siktar.

Du skall inte döda, tänker han, men kastar ändå stenen, hårt. Den faller som en meteor mot musens kropp.

Klart.

Han lämnar kvar stenen i riset och går tillbaka till barngruppen. Alla är där, och han ser att Leo fortfarande ler och ser nöjd ut.

Efter nästan en timme i skogen går gruppen hem igen, tillbaka på bron över forsen och ner längs stängslet.

När alla barnen har kommit in i förskolan och tagit av sig ytterkläderna får de tvätta händerna, sedan är det dags för Jan att ta med Katinka till hissen. Hon åker själv upp till sin mamma.

Och efter det en sagostund. Han väljer att läsa om Pippi Långstrumps äventyr, och hennes tankar om att den som är riktigt stor också måste vara riktigt snäll.

Efteråt ber han Natalie, Josefine, Leo och Hugo stanna kvar i lekrummet. Han får dem att sätta sig på golvet framför honom.

"Jag såg att ni lekte i skogen i dag", säger han till dem.

Barnen ler blygt mot honom.

"Och ni lämnade kvar något på stigen ... En liten mus."

Då verkar de plötsligt förstå vad han pratar om, vad han vill. Josefine pekar och säger:

"Det var Leo som trampade på den!"

"Den var sjuk!" säger Leo. "Den bara låg på marken."

"Nä, för den rörde sig! Den *kröp*."

Jan låter dem käbbla en stund, innan han säger:

"Men nu är musen död. Den kryper inte mer nu."

Barnen tystnar och tittar på honom. Han fortsätter sakta:

"Hur tror ni att musen mådde, innan den dog?"

Barnen svarar inte. Jan ser dem i ögonen, en efter en.

"Var det någon som tyckte synd om musen?"

Han får inget svar. Leo stirrar på honom med trots i blicken, de andra tittar ner i golvet.

"Ni petade med era pinnar på skogsmusen tills den blödde", säger Jan lågt. "Var det någon som tyckte synd om musen då?"

Till slut nickar den minste av dem, mycket försiktigt.

"Okej, Hugo, det är bra ... Någon mer?"

Natalie och Josefine nickar också till slut, efter varandra. Bara Leo vägrar möta Jans blick. Han tittar ner i golvet och mumlar något, om "pappa" och "mamma".

Jan lutar sig fram.

"Vad sa du, Leo?"

Men Leo svarar inte. Jan skulle kunna pressa honom mer, kanske få honom att börja gråta.

Pappa gjorde så med mamma.

Sa Leo verkligen det? Jan tror att han hörde fel, och han vill fråga pojken igen. Men allt han säger är:

"Bra att vi pratade om det här."

Barnen inser att de är fria, de hoppar upp från golvet och springer ut.

Han tittar efter dem – har de förstått något? Själv minns han fortfarande utskällningen han fick av sin lärare när han var åtta år och lekte nazister med kompisen Hans och de andra killarna i klassen. De hade travat runt på rakt led över skolgården och ropat ”Heil Hitler” och känt sig tuffa och mäktiga – *de marscherade i takt!* – innan en lärare kommit fram och stoppat dem. Sedan hade han nämnt ett namn som de aldrig hade hört talas om.

”Auschwitz!” hade han ropat. ”Vet ni vad som hände där? Vet ni vad nazisterna gjorde med vuxna och barn i Auschwitz?”

Ingen av killarna visste, så läraren hade tagit sats och berättat om godstågen och ugnarna och bergen av skor och kläder. Sedan var det slut med nazistlekarna.

Jan går efter barnen, det är snart dags för sångstund. Rutiner – han antar att det är lika många rutiner borta på Sankta Patricias avdelningar. Dag efter dag, samma sak. Fasta tider, uppkörda spår.

Barnen var inte onda när de plågade musen. Jan vägrar tro att barn är onda, även om han själv ibland i skolan hade känt sig som en liten mus när han mötte äldre killar i korridoren – han hade aldrig väntat sig någon nåd, och hade inte fått det heller.

LODJURET

Veckan efter att Jan hade hittat bunkern i skogen började han städa och inreda den.

Han var mycket försiktig, och väntade alltid tills solen hade gått ner innan han lämnade lägenheten och vandrade upp till branten i skogen där bunkern låg. Under två veckor gick han dit tre gånger med en grov borste och sopsäckar gömda i en väska. Han klättrade uppför branten, kröp in i skyddsrummet och sopade ren betongen. Allt skulle ut: damm, spindelväv, löv, ölburkar, tidningar.

Till slut fanns bara tomma ytor kvar därinne. Då vädrade han ut genom att låta plåtdörren stå vidöppen, och till slut tog han med ett par doftblock som han la i de två innersta hörnen; de spred en konstgjord doft av rosor i rummet.

Det var oktober nu, och för varje gång Jan kom till branten låg fler döda löv på marken. Sakta men säkert täckte de bunkerns kantiga hörn och fick betongen att se ut som en del av berget. När de gamla järnreglarna på dörren hade stängts var bunkern svår att upptäcka.

Det knepigaste var att få dit den nya inredningen utan att någon såg det, men precis som med städningen gjorde han det i mörkret, sent på kvällen. Han hade lärt sig vägen till berget mellan granarna nästan utantill nu, och behövde inget ljus.

Madrassen hade han hittat i en sopcontainer, men den luktade inte illa och när han hade fått upp den i skogen bankade han noga ur allt damm. Filtarna och kuddarna kom från ett möbelvaruhus utanför staden; han hade köpt dem, rivit bort alla lappar och sedan tvättat dem två gånger innan han la in dem på madrassen i bunkern.

De halvdussin leksaker som han bar upp i en ryggsäck kom från ett par andra stora varuhus. Sakerna var av den anonyma sort som var tillverkade i asiatiska fabriker och borde finnas tiotusentals av: ett par bilar, ett mjukt lejon i tyg, några bilderböcker.

Den sista saken han skaffade var stor och ganska tung: ROBOMAN stod det på förpackningen som tronade på översta hyllan bland brandbilar, rymdskepp och strålpistoler. *Remote-controlled! Voice-activated! Record your own messages and watch ROBOMAN move and talk!*

Det var en plastrobot, styrd av en fjärrkontroll, som kunde röra armarna och stå stadigt på betongen. Jan tittade på den och försökte tänka sig bakåt femton år i tiden, när han själv var fem år – visst skulle han ha tyckt att Roboman var det häftigaste han sett? Bättre än ett gosedjur, nästan bättre än en levande katt eller hund?

Han stal Roboman. En fräck stöld; men det var tomt i gången och han plockade snabbt ut roboten och fjärrkontrollen ur förpackningen och stoppade ner dem i en stor plastpåse från en annan butik. Sedan gick han rakt ut genom en av kassorna. Kassörskan tittade inte ens på honom, ingen vakt stoppade honom.

Roboten kostade nästan sexhundra kronor, men det var inte priset som fick honom att stjäla den. Det var risken för att kassörskan skulle minnas det lite ovanliga köpet om hon blev utfrågad av polisen.

Robotmannen? Jo, det var en ung man som köpte den. Såg trevlig och trygg ut, lite som en lärare. Jo, jag tror att jag kan peka ut honom ...

10

IBLAND ÄR FÖRSKOLAN SOM ett zoo, tycker Jan.

Det börjar alltid sent på dagen, när alla är trötta, med att något av barnen drar med sig de andra. Det är oftast en av pojkarna som får ett maniskt utbrott, som plötsligt blir hyperaktiv och börjar springa runt i lekrummet och kanske välta någons klossbygge eller trampa sönder någons legohus.

Så är det på Gläntan på fredagseftermiddagen, när Leo plötsligt får för sig att slänga en kudde i ansiktet på Felix. Felix slänger tillbaka den och vrålar rakt ut, med tårarna rinnande. Leo vrålar också, och plötsligt fylls hela gruppen med ny energi; de andra pojkarna börjar brottas eller slåss med kuddar, flickorna börjar skrika eller gråta hysteriskt.

”Lugn!” ropar Jan.

Det hjälper inte. Allt blir en enda suddig röra av rastlösa barn som hoppar runt och får lekrummet att verka som en trång bur.

Jan är ensam vuxen därinne, och känner en våg av panik börja resa sig i magen. Men han stoppar den; han andas in och ställer sig mitt på golvet. Sedan höjer han rösten som en predikande pastor:

”Lugn nu! Lugna er, *nu*!”

De flesta barnen hejdar sig när de hör honom, men lille Leo fortsätter bråka. Hans ögon är uppspärrade och han slår vilt omkring sig med sin kudde; Jan får kliva fram och fånga in honom, han känner sig som en djurtämjare.

”Lugn, Leo. Lugn!”

Den lilla kroppen kämpar i hans armar; Jan håller fast den tills Leo lugnar ner sig. Djuret har tyglats, men efteråt är han helt slut.

”Jag är lite orolig för Leo”, säger han till Marie-Louise när de står i köket och plockar in porslin.
”Jaså?”
”Han har så mycket ilska i sig.”
Marie-Louise ler.
”Det är energi … Han har energi så det räcker och blir över.”
”Vet du något om hans föräldrar?” frågar Jan. ”Lever båda? Jag tror att hans pappa …”
Men Marie-Louise skakar på huvudet och torkar händerna på en diskhandduk.
”Sånt pratar vi inte om, Jan … Det vet du ju.”

På kvällen efter jobbet sitter Jan hemma i den gamla tevesoffan och försöker koppla av. Men det är svårt. Hans granne på andra sidan väggen hyllar helgens ankomst med en tidig fest; Jan hör ljudet av musik och klirrande glas.
Den första arbetsveckan på Gläntan är över. Han borde fira att den är avklarad, men det känns inte som så mycket att fira. Det har gått fort och lätt, nästan hela tiden. Han har skött sig och tagit sitt ansvar, och både barnen och kollegorna verkar tycka om honom.
Jan har monterat upp sin egen stereo nu, så han sätter in Ramis skiva och vrider upp volymen för att dränka festljuden. Just nu spelar hon en gammal favorit, det är balladen ”Din hemliga kärlek” där Rami sjunger med viskande röst:

Älta dina minnen
tills du ser dem
Cirkla runt på vinden
tills du hör dem

Älska eller bara lek
– sakna ska du alltid
din hemligaste kärlek
som en vilsen själ i öknen

Sången verkar i alla fall handla om omöjlig kärlek. Om de någonsin träffas igen ska han fråga Rami om det stämmer.

Om de ska träffas – då måste han ta sig in på Sankta Psyko, kanske genom källaren. Det finns alltid en väg in i ett hus, för den som vågar.

Han vänder ryggen mot det trånga rummet och ser ut genom fönstret.

Parkeringen på hyreshusets baksida är folktom, men fylld av bilar. Han räknar till elva Volvo inklusive sin egen, sju Saab, två Toyota och en enda Mercedes. Folk har kommit hem från jobbet och gått in till sina familjer. Kanske sitter de just nu samlade i köket eller framför teven. Kanske sitter de och stickar eller pysslar med sin frimärkssamling.

Men Jan är ensam.

Sådär – han har tänkt det farliga ordet, han har erkänt sitt underläge. Han är *ensam*, han känner sig *ensam*.

Han har inga vänner här i Valla. Det är kalla fakta. Han har inget att göra.

Egentligen vill han bara sitta här och lyssna på Rami. Men han har fortfarande flyttlådor kvar att packa upp, och när han gör det den här kvällen hittar han en gammal bok med anteckningar och tidningsurklipp. Det är hans egen dagbok från tonåren, som han skrivit i då och då. Ibland har det gått flera månader mellan inläggen.

Han öppnar dagboken, tar en penna och skriver ur sig allt som har hänt de senaste veckorna: Flytten till Valla, ensamheten, det nya jobbet och drömmen om att det ska leda honom till Rami.

På framsidan av boken har han tejpat fast ett gammalt foto. Det är en gammal polaroidbild; den har bleknat lite, men fortfarande syns en blond pojke som förvånat tittar upp ur en sjukhussäng med vita lakan. Det är han själv, som fjortonåring.

11

På lördag efter lunch går Jan för första gången ner i hyreshusets gemensamma tvättstuga, och möter en gammal man. En vithårig granne med lika vitt skägg som kommer gående från rummet med tvättmaskinerna.

Efteråt inser Jan att han borde ha tilltalat honom, inte bara nickat när mannen gick förbi.

Mannen har en gammal tvättpåse över axeln, och när Jan kastar en blick på tygpåsen ser han att det finns tryckta bokstäver på påsen: det står NKTA ICIAS ÄTTERI. Det finns fler bokstäver men de är skymda av vecken i påsen, och Jan fortsätter in till tvättmaskinerna. Men plötsligt formar hans hjärna tre fullständiga ord:

Sankta Patricias tvätteri.

Kan det ha stått det? Det är för sent att se efter – vid det laget är den gamle mannen redan ute ur källaren, dörren har stängts och Jan är ensam med sin egen tvätt.

När alla kläder är rena och torra går han upp till lägenheten och försöker få mer plats där; få undan kartongerna, städa och ställa ihop hyresvärdens möbler. Sedan äter han ännu en ensam middag vid köksbordet, medan mörkret faller utanför.

Och efter det? Han går ut i vardagsrummet och slår på den gamla teven. Han ser delfiner simma fram under vattenytan; det verkar vara en dokumentärfilm om dem. Jan sätter sig och får veta att delfiner inte alls är så snälla och fridsamma som många människor tror.

Delfiner jagar i flock och dödar ofta sälar och andra djur, säger speakerrösten.

Jan stänger av teven efter en halvtimme. Det blir tyst – men inte knäpptyst. Någonstans i huset har någon fest igen. Det hörs dunkande musik, en hård smäll i en ytterdörr, höga skratt och röster.

Jan funderar på att teckna vidare på serien om Den Skygge, för att nå slutet. Snart måste hans hjälte besegra De fyras gäng. Utplåna dem.

Grannfesten fortsätter, skratten blir högre. Till slut sätter Jan på stereon för att slippa höra, och ser ut genom fönstret.

Jag borde skaffa en hobby, tänker han. *Eller gå en kvällskurs.*

Men vad vill han göra? Lära sig franska? Spela ukulele?

Nej. Till slut stänger han av stereon, tar på sig en svart kavaj för att se vuxen ut, och går ut.

Han kommer ut i kylan och ser att gatlyktorna har tänts nu. Klockan är kvart över åtta. Det hörs mer musik härute, ekande mellan husen. Festkvällen har börjat, för alla som har vänner.

Kom ner till Bills Bar, hade Lilian sagt. *Jag hänger där jämt.*

Han går ut på trottoaren och börjar vandra ner mot centrum. Han vill upptäcka sin nya hemstad, men vad finns det att se? Valla är en medelstor svensk stad, utan större överraskningar. Han går förbi en pizzeria, en pingstkyrka, ett möbelvaruhus. På pizzerian ser han några planlösa tonåringar sitta vid ett bord, annars är alla lokaler stängda och släckta.

En gångbro sträcker sig över motorvägen och efter den är Jan nästan nere vid hamnen. Han skulle gärna gå ner till kajen och känna kvällsbrisen från den svarta oceanen, men hamnområdet är avspärrat med grindar och ett stängsel som är nästan lika högt som muren runt Sankta Psyko.

Nej, inte Sankta Psyko. *Sankta Patricia.*

Jan måste sluta använda öknamnet på sjukhuset, annars kommer han förr eller senare att råka säga det högt.

Bortom stängslet finns några smågator som man skulle kunna kalla stadens hamnkvarter, men det finns inget äventyrligt eller romantiskt över dem. Det är bara låga industrilokaler omgivna av sprucken asfalt.

Men framför ett av trähusen närmast staden står flera bilar, och där välkomnar en lysande röd skylt ovanför ingången, med texten BILLS BAR.

Jan stannar framför skylten. Barbesök är ingen hobby. Men även de ensammaste varelser är välkomna på en bar så länge de sköter sig, så till slut drar han upp den tunga trädörren och går in.

Det är mörkt och hett innanför dörren; med dunkande rockmusik och dova röster. Skuggor som rör sig runt varandra, en känsla av att allt kan tippa över. Barer är en sorts lekrum, men bara för vuxna.

Alla snälla barn sover nu.

Jan knäpper upp kavajen och ser sig om. Han tänker på en rad ur en låt av Roxy Music: *Loneliness is a crowded room.* Han minns inte när han senast gick in ensam på en bar, för känslan av utanförskap är alltid total i ett rum fullt av främlingar som står och pratar och skrattar ihop. Bills Bar är likadan. Det är inte så att Jan tror att alla andra därinne är bästa vänner med varandra, men det *verkar* så.

Han får bana sig fram till bardisken mellan tunga kroppar som inte vill flytta sig. Många har samlats framför en liten scen längst in i baren, där ett lokalt rockband spelar.

Jan räcker fram en sedel vid baren.

"En lättöl, tack!"

Det klassiska tricket för en ensam själ är att prata med bartendern, men den här har redan trollat bort Jans pengar och rusat vidare.

Jan dricker ett par klunkar öl och känner sig lite mindre ensam. Han har ju sällskap nu, av glaset. Drinkarens bästa vän. Men han har nästan aldrig druckit alkohol, aldrig varit berusad – ska han bli det i kväll, för att se vad som händer?

Ingenting. Inget kommer att hända mer än att han vinglar hem ensam och mår dåligt nästa morgon. På ett sätt får man beundra folk som bara super ner sig och struntar i följderna – Jan har aldrig kunnat göra det. Han behåller kontrollen och slutar aldrig medvetslös i en swimmingpool, som en rockstjärna. Eller på psyket, som Rami.

Tanken på henne får honom att se sig runt i lokalen, och fundera på alla människor. Jan minns vad Lilian hade lagt till om Bills Bar: *Det brukar vara folk från Sankta Patricia där, också.* Vakter och skötare, antar han.

Jan dricker mer lättöl. Han känner parfymdoft i luften och märker plötsligt att han står mellan två kvinnor i tjugofemårsåldern.

Långa och vackra, ser han. Det är nu han ska visa sig vuxen, men han känner sig som en pojke.

Hon till höger luktar rosenbladsparfym. Hon har svart tröja och långt brunt hår och dricker någon sorts citrongul drink. Deras blickar möts, men hon tittar snabbt bort.

Hon till vänster har stänkt på sig mandarinparfym och är klädd i ett gult linne och blank guldfärgad kavaj. En guldflicka. Hon har gröna ögon och dricker päroncider – Jan sneglar på henne och hon småler faktiskt tillbaka mot honom. Varför gör hon det?

Hon tittar inte bort, så han lutar sig mot henne och ropar genom musiken:

”Det här är min första kväll här!”

”Va?” ropar hon.

Jan lutar sig lite närmare.

”Min första kväll!”

”Här på Bills?” svarar hon. ”Eller här i stan?”

”Både och. Jag kom hit för några dar sen! Jag känner ingen här…”

”Det ändrar sig snart!” ropar hon tillbaka. ”Du kommer få det jättespännande här. Massor av överraskningar!”

”Tror du det?”

”Visst, jag känner på mig sånt… Lycka till!”

Sedan vänder hon snabbt om och försvinner i trängseln, som ett rådjur i skogen.

Det var det. Ett kort samtal och Jan hade som vanligt svårt att småprata med okända, men han mår bättre nu. Folk är vänliga här på Bills Bar.

Fortsätt ta kontakt, manar en inre röst. Han beställer en öl till och går längre in i lokalen, bort från musiken.

De flesta bord är välfyllda. Det finns ingen plats för honom.

Han sätter sig vid ett tomt bord, dricker ölen och stirrar framför sig.

Grattis, ditt nya liv börjar nu. Men han har förstås tänkt så förr. Man kan byta jobb och flytta till en ny stad, men ingenting förändras. Man är fast i samma kropp, samma slagg i blodet, samma minnen som mal i huvudet.

"Hallå, Jan!"

En kvinna står framför honom – han tittar upp, men det tar några sekunder innan han känner igen henne. Det är Lilian från Gläntan, med en ölflaska i handen.

På förskolan har hon sett trött och sliten ut de senaste dagarna, nu har hon ny energi. Hon är klädd i en svart urringad jumper och har en blank eller kanske glittrande blick i de sminkade ögonen – den där flaskan är nog inte hennes första för kvällen.

"Gillar du min helgtatuering?" säger hon och pekar på sin kind.

Jan tittar närmare och ser att Lilian har ritat något där: en lång svart orm som ringlar upp mot ögat.

"Visst."

"Det är ingen fara… Den är inte giftig!"

Lilian skrattar lite hest och sätter sig oombedd vid bordet.

"Så du har hittat stans bästa träffpunkt?" Hon tar en djup klunk öl. "Det var snabbt jobbat."

"Du tipsade ju", säger Jan. "Är du ensam här?"

Lilian skakar på huvudet.

"Jag var här med några kompisar… men de gick hem när The Bohemos började spela." Hon nickar bort mot rockbandet bredvid baren. "De har känsliga öron."

"Jobbarkompisar?" säger Jan.

"Jobbarkompisar… vilka skulle det vara?" Lilian fnyser och dricker sin öl. "Marie-Louise, eller?"

"Går hon aldrig hit?"

"Nej, inte Marie-Louise, hon stannar hemma."

"Har hon barn?"

"Nej, bara man och hund. Men hon är väl allas extramamma, eller hur? Hon är alla barnens mamma, och vår mamma. Mycket präktig… Jag tror inte att hon har tänkt en enda elak tanke i hela sitt liv."

Jan vill inte fundera över vad folk tänker.

"Andreas, då?" säger han. "Går han ut?"

”Andreas? Inte så ofta. Han har hus och trädgård att ta hand om, och en liten fru. De är som ett gammalt par.”

”Okej”, säger Jan. ”Men Hanna går ju hit?”

”Ibland.” Lilian tittar ner i bordet. ”Hanna... Hon är den jag kommer bäst överens med på jobbet, hon är min kompis, kan man säga.”

Det blir tyst. Musiken har också tystnat – The Bohemos verkar ha packat ihop för kvällen.

”Så Hanna är en bra person då?” frågar Jan.

”Visst”, säger Lilian snabbt. ”Hon är snäll. Hon är bara tjugosex... ung och lite galen.”

”Hurdå lite galen?”

”Ja, på olika sätt”, säger Lilian. ”Hanna kan verka tyst och tillbakadragen, men hon har ett spännande privatliv.”

”Med olika killar, menar du?”

Lilian pressar ihop läpparna.

”Jag skvallrar inte.”

”Men hon är här ibland”, säger Jan, ”på Bills Bar?”

”Ibland, hon går hit med mig... men hon gillar Medina Palace mer.”

”Medina Palace?”

”Det är Vallas stora nattklubb. Nästan lika lyxigt som Sankta Patricia.”

”Tycker du Patricia är lyxigt?”

”Absolut, det är ett lyxhotell.”

Jan tittar tomt på henne, utan att förstå. Lilian fortsätter snabbt:

”Lyssna här... Varje rum på Sankta Psyko kostar fyratusen per natt. Fyratusen spänn! Inte för de som bor där förstås, men för oss skattebetalare. Läkare, vakter, kameror, mediciner... alltihop kostar! Patienterna vet inte hur bra de har det.”

”Och du och jag jobbar där... bredvid lyxhotellet.”

”Det gör vi”, säger Lilian och dricker, ”skål för det.”

Jan fortsätter prata med henne i någon kvart, innan han sträcker på sig och fejkar en liten gäspning.

”Jag ska gå hem nu.”

”En sista öl?” säger Lilian och blinkar långsamt.

Jan skakar sakta på huvudet.
”Inte i kväll.”
Att börja festa hårt nu vore helt fel, han ska ju få ökat ansvar nästa vecka. På onsdag börjar ett schemalagt kvällspass på förskolan – för första gången kommer han att vara helt ensam med barnen.

12

”Hur mår du, Jan?” frågar Marie-Louise. ”Vill du berätta lite om det?”

”Javisst... men det är inte så mycket att säga egentligen. Jag mår bra.”

”Bara det? Inga problem med att komma in i arbetsgruppen?”

”Nej.” Jan tittar runt bordet, på Andreas, Hanna och Lilian. ”Inga problem alls.”

”Det är vi glada för, Jan.”

Måndagens må bra-möte hålls för personalen på förskolan, innan barnen börjar anlända.

Det är Jans första. Alla tittar på honom, ny som han är, men han har svårt att slappna av och prata samtidigt.

”Jag har ett viktigt arbete här”, säger han. ”Det känner jag.”

Då slutar de stirra, och bara några minuter senare är må bra-mötet slut. Tack och lov.

Innan sagostunden börjar den dagen hittar Jan ett livstecken från Alice Rami. Om det nu är det.

Det är lilla Josefine som hjälper honom. Hon var en av dem som plågade musen i skogen, men Jan försöker glömma den händelsen, liksom lille Leos oroande prat om sin pappa. Och den här dagen är Josefine som vilken liten flicka som helst – hon leker med en docka i kuddrummet när Jan kommer ut för att hämta en bok.

”Hej, Josefine”, säger han, ”har du någon bra saga du vill höra i dag?”

Hon tittar upp och nickar, flera gånger.

”Läs om djurskaparen!”

Jan tittar på henne.
"Vad hette den?"
"Djurskaparen!"
Han har aldrig hört talas om den boken, men Josefine går raka vägen fram till de två boklådorna, bläddrar och drar upp en tunn vit bok, stor som en lp-skiva. Det stämmer; Jan läser titeln *Djurskaparen*.
"Okej. Den blir nog bra."
Boken liknar alla de andra i lådan, men det finns inget författarnamn och bilden under titeln syns knappt – den är bara en tunn blyertsteckning som visar en liten ö med ett smalt fyrtorn. Den verkar vara handgjord; när Jan tittar närmare ser han att någon har klippt och klistrat ihop sidorna med vanlig tejp.
Han bläddrar i den. Texten är skriven på högersidorna. På vänstersidorna finns blyertsteckningar, och precis som på omslaget är de så vaga att de knappt syns.
Jan blir nyfiken, han vill själv läsa *Djurskaparen*.
"Samling!" ropar han. "Sagostund!"
Barnen slår sig till ro bland kuddarna. Jan sätter sig på stolen framför dem och håller upp boken.
"I dag ska vi läsa om en djurskapare."
"Vad är det?" frågar Matilda.
Jan tittar på Josefine för att få hjälp, men hon är tyst.
"Ja... vi får se."
Så viker han upp första sidan och börjar läsa:

Det var en gång en djurskapare som hette Maria Blanker. Maria var mycket ensam. Hon hade nämligen flyttat till en liten ö långt ute i havet, med en fyr som aldrig lyste. Nu bodde hon där, i en stuga gjord av drivved.
I fyren bodde också någon, tydligen. Det stod Herr ZYLIZYLON DEN STORE på en brevlåda. Maria hörde tunga steg eka i fyren varje kväll. Det var någon som klampade upp och ned i trappan med stora fötter.
Maria ville vara artig och hade knackat på fyren när hon kom till ön, men hon var faktiskt glad att dörren inte öppnades.

Jan tystnar, och tycker att han känner igen namnet Maria Blanker. Men varifrån?

Och ordet Zylizylon låter medicinskt. Det kanske är en medicin?

Han tittar på blyertsteckningen. Den visar en liten stuga med en hög fyr i bakgrunden. Huset är ljusgrått, som solblekt drivved. Fyren är smal som en tändsticka.

"Läs mer!" ropar Josefine.

Så Jan fortsätter:

Att fyren inte lyste berodde på att inga båtar behövde den längre. Överallt på havet fanns nämligen räls utlagd numera, så båtarna drev aldrig ur kurs. Men ingen räls löpte förbi fyren. Maria såg aldrig några båtar, och kände sig ännu mer ensam.

Inga djur fanns på ön. Maria tyckte inte om att skapa dem längre.

Nästa bild visar insidan av huset; ett kalt rum med bara en stol och ett bord. Där sitter en smal kvinna med spretigt hår och en så bred mun att de hängande mungiporna sticker ut som svarta kvistar i hennes ansikte.

I stället odlade Maria potatis och morötter bakom huset. Hon drack taminal-te och letade fina stenar på stranden. Hon kände sig lite ensam, men knackade ändå aldrig på dörren till fyren någon mer gång. Hon ville inte träffa Herr Zylizylon, för hans steg ekade tyngre och tyngre inne i trappan för varje dag.

Den tredje teckningen visar hur djurskaparen står som en tunn grå gestalt framför en stängd järnport i fyren. Flickan är så suddigt tecknad att hennes ansikte inte går att tyda. Är hon ledsen, eller kanske rädd?

På nätterna drömde Maria om alla djur som hon brukade skapa, när hon var ung och glad. Folk tyckte om att se på när hon gjorde dem, de applåderade alla djur som kom fram ur hennes kläder.

Men djuren hade blivit större och större, konstigare och konstigare. Djurskaparen hade inte kunnat styra dem. Till slut hade hon inte vågat skapa dem längre.

Den fjärde teckningen är mörk. Djurskaparen ligger och sover som en grå skugga i en smal säng. Ovanför henne finns andra skuggor som krälar och vrider sig runt varandra, på väg ut ur en kolsvart tunnel i väggen.

Det finns en hotfull stämning i den bilden och Jan bläddrar och läser vidare:

Så en dag hände något som aldrig har hänt förut. När Maria samlade stenar nere vid stranden såg hon plötsligt en båt vid horisonten. Den verkade komma närmare, knuffad mot ön av vågorna. Maria förstod att det hade varit en båturspårning.

När den nästan var framme såg djurskaparen att det var en färja full av barn. Alla barnen bar blå hjälmar på huvudet, och stora kuddar på magen och ryggen.

”Det vill jag också ha”, ropar Vidar, ”en kudde på magen!”

”Vad är horisonten?” frågar Matilda.

”Det är där jorden slutar”, säger Jan. Han vänder på boken – den här sidan är ofarlig – och visar dem det smala strecket som ritats bakom färjan. Han pekar: ”Så här ser horisonten ut. Fast det är egentligen bara en synvilla att jorden slutar, för den är ju rund som en badboll. Det vet ni väl? Så jorden slutar aldrig, den bara fortsätter tills den kommer tillbaka bakom er rygg...”

Barnen tittar tyst på honom. Jan känner att han har vecklat in sig, och fortsätter:

Till slut gick färjan på grund vid ön. Det gnisslade när den gled upp på stenarna. Barnen hoppade i land, men Maria vågade inte visa sig. Hon hade gått in i sin stuga och låst om sig och kokat riktigt starkt taminal-te. Hon hörde glada rop utanför, men drack sitt te och öppnade inte dörren.

Den här bilden visar hur djurskaparen Maria hukar bakom fördragna gardiner med ett fyrkantigt mönster som får Jan att tänka på klinikens gallerfönster. Hon häller upp rykande te som bubblar och ångar och rinner ner i en stor kopp i regnbågens alla färger. Men vad är taminal-te?

”Hallå”, ropade en flickas ljusa röst. Maria tittade försiktigt ut, men det var inte vid hennes dörr som flickan stod och ropade.

Det var vid fyren.

Och fyrdörren var öppen.

För första gången sedan Maria kom till ön hade Herr Zylizylon den Store öppnat porten till sitt stora torn!

"Hallå därinne? Jag heter Amelia... Är det någon hemma?"

Teckningen till den här texten visar vad Maria såg genom fönstret: En liten flicka i en tunn klänning som står framför den svarta porten i fyren. Men en sak skiljer flickan från de andra barnen, ser Jan. Hon hade ingen hjälm på huvudet, och inga kuddar på kroppen.

Barnen har tystnat framför honom. Det är en tät och förväntansfull stämning i kuddrummet.

Jan viker upp nästa sida.

Genom fönstret såg Maria hur lilla Amelia klev upp på trappsteget till fyrens dörr.

"Hallå? sa hon igen.

Så tog hon ett steg till, och nu var hon nästan inne i fyren.

Då gjorde Maria något som hon inte hann tänka igenom först. Hon lyfte handen mot fönstret, blundade och skapade snabbt ett skyddsdjur.

Jan har väntat sig frågor om vad ett skyddsdjur är av barnen – han vet ju inte heller – men de sitter fortfarande tysta. Han viker upp nästa sida och fortsätter:

Maria kunde ge vem som helst ett eget skyddsdjur, men man kunde tyvärr aldrig veta hur de skulle se ut. Så när Maria öppnade ögonen såg hon att Amelia hade omfamnats av något som såg ut som en stor groda. En gul groda med långa håriga ben.

"Vännen!" ropade grodan, "det var inte igår!"

Skyddsdjuret kramade om Amelia och drog snabbt bort henne från fyrdörren.

Maria andades ut. Hon gick fram och öppnade sin stugdörr, samtidigt som klampande steg hördes inifrån tornet.

"Kom in!" ropade hon och drog in Amelia i sin stuga. Skyddsdjuret blev kvar utanför.

Jan viker upp nästa sida, redo att börja läsa. Han ser att den första meningen lyder:

Så hördes ett högt vrål, och så kom Zylizylon den Store ut ur fyren till slut...

…men innan han hinner läsa den högt ser han blyertsteckningen på vänstersidan och stänger munnen.

Den här teckningen är tydligare än de andra, med långa hårda blyertsstreck. Den visar hur Zylizylon den Store har klivit ut i dagsljuset.

Zylizylon är ett monster. Han är bred och hårig, och har ett koppel runt sin tjocka hals. Det är gjort av avhuggna människohänder. Monstret har höjt armarna på bilden och öppnat den breda munnen för att kasta sig över skyddsdjuret, som kryper ihop av skräck på marken.

Barnen väntar på att han ska fortsätta läsa.

Jan öppnar munnen.

”Sen…” Han försöker tänka, ”… sedan gick djurskaparen Maria och hennes nya vän Amelia ner till färjan igen, och alla barnen for iväg från ön. Och djurskaparen fick lugn och ro igen.”

Han tystnar och slår igen boken.

”Slut på sagan!”

Men Josefine sätter sig upp.

”Den slutar inte så!” ropar hon. ”Den slutar med att monstret äter upp…”

”I dag slutade den så”, avbryter Jan. ”Och nu är det fruktstund.”

Barnen börjar resa sig, men Josefine ser besviken ut. Själv håller Jan *Djurskaparen* hårt under vänstra armen, han delar ut bananer med höger hand och när alla sitter och äter går han snabbt ut till kapprummet och stoppar ner boken i sin väska.

Han vill läsa slutet på egen hand. Det är ett lån, ingen stöld.

På kvällen när han har kommit hem bläddrar han i *Djurskaparen* och tittar på orden Zylizylon och taminal. Sedan slår han på datorn och söker efter dem på nätet. Jo, båda finns och de är mediciner. Ångestdämpande droger.

Sedan tänker han på namnet Maria Blanker. Var har han hört det? Han tar fram Ramis enda skivalbum, *Rami och August*, och läser igenom texten på omslagen. Jo, han mindes rätt om namnet. Efter informationen om vilka musiker som spelat och vem som producerat skivan står en extra rad:

TACK TILL MIN MORMOR, KARIN BLANKER.

Plötsligt känns *Djurskaparen* som en bok han måste läsa om och om igen, tills han lär sig historien utantill. Han lägger den framför sig på köksbordet och bara stirrar på framsidan. Sedan sneglar han på pennstället.

Kanske inte bara läsa den? Han sträcker ut handen och tar upp en Faber Castell. En mjuk blyertspenna. Och så börjar han fylla i de spindeltunna linjerna i boken och göra skuggorna mörkare. Det känns så bra att han fortsätter med svart tusch. Långsamt blir teckningarna alltmer tydliga och detaljerade. Det enda Jan låter bli är ansiktena, som får fortsätta vara vaga och suddiga.

Arbetet tar hela kvällen. När tuschet torkat kan han inte hejda sig; han hämtar sina akvarellpennor och börjar försiktigt färglägga också. Himlen över ön blir svagt blå, havet blir mörkblått, Marias klänning blir vit och hennes groda blir svagt gul. Herr Zylizylon får vara fortsatt gråsvart.

Vid midnatt är Jan klar med tolv teckningar. Han rätar ut fingrarna och sträcker på ryggen, ett bra arbete. *Djurskaparen* har börjat likna en riktig bilderbok.

Sakta har han blivit helt övertygad om att det är Rami som har suttit i sitt rum bakom betongmuren och drömt fram berättelsen om Maria och Zylizylon den Store. Hon kanske inte vill det, men nu hjälper han henne göra klart den.

LODJURET

Skyddsrummet var inrett nu, men det fanns fler saker att förbereda.

I mitten av oktober hade Jan varit på daghemmet i nästan fyra månader, och lärt känna personalen både på Lodjuret och på Brunbjörnen. Alla var kvinnor och en av dem var Sigrid Jansson. Han visste att Sigrid var en rolig och spontan barnskötare, som tyvärr ibland hade lite svårt att hålla koll på barnen. Sigrid var glad och snäll, men hennes tankar var ofta på annat håll. När Jan stod och samtalade med henne ute på gården var hon alltid pratsam, men tittade sällan på barnen.

På veckoplaneringsmötet, när matlistorna och städschemat på dagiset hade gåtts igenom, räckte han upp handen och föreslog en liten utflykt upp i granskogen, en gemensam tur för barnen på Lodjuret och Brunbjörnen. Han nämnde ett datum också: onsdag nästa vecka, när han visste att han och Sigrid skulle arbeta. Han tittade på henne med förväntansfull blick över bordet.

”Ska vi ta hand om den, Sigrid … du och jag? Göra matsäck och vara ute med barnen ett par timmar?”

Hon log mot honom.

”Visst, jättekul!”

Han hade räknat med att hon skulle vara positiv. Och föreståndaren Nina nickade åt förslaget.

”Vi får se till att de klär på sig ordentligt”, sa hon och skrev upp utflykten i nästa veckas schema.

Jan log också. Bunkern var städad och inredd – nästan allt var förberett, det var bara provianten som fattades.

Men dagen efter såg han Williams mamma komma till Brunbjörnen och hämta sin son, och då darrade något till inom honom. Mamman tittade inte på honom, men hon såg stressad och trött ut, tyckte Jan. Problem på jobbet?

Men tröttheten gjorde henne mer mänsklig, och för första gången kändes det här inte som en tankelek längre. För första gången tvekade Jan.

Han riskerade sitt jobb på Lodjuret – men det var å andra sidan inte mycket till jobb att förlora. Det var ett vikariat, och han hade inte ens två månader kvar.

Värre för Jan var tanken på att han kunde skada en liten pojke, och det grubblade han mycket över de sista dagarna före utflykten. Det var då han gjorde de slutliga förberedelserna uppe i skogen: öppnade plåtdörren i bunkern och järngrinden i ravinen på vid gavel och satte upp pilar av rött tyg som en snitslad bana längs berget.

Bunkern skulle kännas som ett hotellrum – ren och ombonad, och full av mat och dryck och leksaker. Och massor av godis.

13

”JAN! JAN!” ROPAR BARNEN med glada röster. ”Kom, Jan!”

Jan tycker jättemycket om barnen på Gläntan, och de har i sin tur accepterat honom totalt. Allt känns bra.

Hans första kvällspass startar klockan ett och slutar vid tio på onsdagskvällen. Det känns nästan som en förövning till den kommande nattjouren, när han ska vara helt ensam på förskolan med de tre barn som just nu bor där dygnet runt: Leo, Matilda och Mira.

Andreas och barnen är ute på gården när Jan kommer dit. Det är bara sex plusgrader den här dagen, och Andreas har en tjock blå yllehalsduk virad runt halsen.

”Hallå, Jan!”

Han står med händerna nedkörda i jeansen, stadig som en klippa i höstvinden.

”Allt lugnt?” säger Jan.

”Hur lugnt som helst”, säger Andreas. ”Vi har mest varit ute.”

De låter barnen leka någon kvart till, sedan går de in i värmen och tar fram lunchlådorna som lagats till i Sankta Patricias sjukhuskök.

Andreas stannar en extra halvtimme på förskolan, men Jan vill inte fråga varför. Är det på order av Marie-Louise, som vill hålla ett öga på Jan?

Till slut går Andreas, när solen hänger lågt vid horisonten. Efter det är Jan ensam ansvarig för Gläntan.

Men det kommer att gå bra, han ska ta god hand om barnen.

Han börjar med att samla dem i lekrummet.

”Vad vill ni göra?”

”Vi vill leka!” säger Mira.

”Leka vadå?”

”Djurpark!” ropar Matilda och pekar. ”Som där borta.”

Jan förstår inte först, ända tills han inser att hon pekar mot fönstret. Mot stängslet som höjer sig därute.

”Det är ingen djurpark”, säger han.

”Joho!” säger Matilda bestämt.

Hon verkar inte koppla ihop sina besök på sjukhuset med stängslet, och Jan berättar inte att de faktiskt hör ihop.

De viktigaste plikterna på kvällspasset är att servera kvällsmat, se till att barnen borstar tänderna och att natta dem. Så Jan brer ostsmörgåsar till Matilda, Leo och Mira, tar fram deras pyjamasar och ber dem byta om. Det är kolmörkt ute nu, klockan är halv åtta. Alla tre barnen är ganska trötta vid det laget, och de kryper ner i varsin liten säng i kuddrummet utan protester. Så läser han en sista saga för dem, om en flodhäst som byter plats med en pappa och tvingas bli far till en liten flicka, och så reser han sig.

”God natt… Ses imorgon.”

Låga fnissanden hörs från kuddrummet när Jan har släckt ljuset. Han står kvar och funderar om han ska säga till dem, men ljuden tystnar snart.

En av kvällens andra plikter är att vädra ut förskolan. Så klockan åtta stänger han försiktigt dörren till barnens sovrum och öppnar de andra fönstren på vid gavel. Han låter den kalla kvällsluften svepa in.

Jan hör musik från mörkret utanför, men det är inte ljuden av dunkande diskotrummor från någon fest, utan lugna och lite vemodiga toner av en gammal svensk schlager. Den kommer genom fönstren på baksidan av förskolan, och när han tittar ut ser han en glödande punkt i skuggorna nedanför Sankta Patricia. Punkten rör sig upp och ner – det är någon som står och lyssnar på radio och röker på sjukhusets uteplats.

Patienterna är inga vrålande galningar, hade doktor Högsmed sagt. *Ofta är de lugna och kontaktbara.*

Är rökaren en patient eller vårdare? Det syns inte i mörkret.

Jan stänger fönstren. Vad kan han göra nu? Han går in i lekrummet för att undersöka boklådorna. Josefine hade plockat upp *Djurskaparen* från mitten av den vänstra lådan, och nu ställer sig Jan på knä vid den.

Djurskaparen har gett honom jobb. I dag tecknade han färdigt tre sidor till i boken. När den är klar ska han lägga tillbaka den i lådan – men han undrar om det finns andra handgjorda böcker därnere.

Långsamt bläddrar han genom lådorna, förbi Pippi Långstrump och bröderna Grimms folksagor.

Jo, längre bak i lådan finns fler tunna böcker som känns handgjorda och saknar författarnamn. Jan plockar upp tre stycken och läser titlarna: *Prinsessans hundra händer*, *Häxsjukan* och *Viveca i stenhuset*.

Han bläddrar sakta igenom dem, en efter en, och ser att de också är skrivna för hand och här och där illustrerade med skisser i blyerts. Alla tre verkar precis som *Djurskaparen* vara sorgsna sagor om ensamma människor. *Prinsessans hundra händer* handlar om prinsessan Blanka, vars slott har sjunkit ner i en mosse. Blanka har räddat sig upp i ett torn men allt hon kan styra över nu är andra människors händer – hon får dem att göra saker för henne.

Huvudpersonen i *Häxsjukan* är en sjuk häxa som sitter i sin stuga långt inne i skogen och inte kan trolla längre.

Och *Viveca i stenhuset* handlar om en gammal kvinna som vaknar upp ensam i ett stort och dammigt hus, utan att minnas hur hon kom dit.

Jan slår igen böckerna och stoppar ner dem i sin ryggsäck.

En timme senare kommer Marie-Louise in genom ytterdörren.

”Hej Jan!” Hon är klädd i yllemössa och halsduk. Hennes kinder är friskt röda. ”Jag fick ta fram min vintermössa i kväll! Det blir bistert ute, när solen är borta.”

Marie-Louise har med sig en liten ryggsäck, och när hon kommit ut i personalrummet drar hon upp en stickning och en bok med titeln *Utveckla din kreativitet*. Så nickar hon glatt mot honom.

”Då tar jag över här. Du får gå hem och lägga dig.”

Han ser henne dra upp ett svart ögonskydd av sammet ur ryggsäcken, och frågar:

”Så du ska sova här?”

”O ja”, säger Marie-Louise snabbt. ”Självklart får man sova på nattjouren, det är ingen fara... man får bara inte ha öronproppar. Man måste kunna vakna om något händer.”

Jan är tyst och funderar på *vad* som kan hända, men hon fortsätter: ”Barnen kan vakna ibland och behöva lite tröst, om de har drömt något otäckt. Värre än så brukar det aldrig vara – och inte ens det händer så ofta.”

”Okej... Hur länge brukar de sova, då?”

”En del kan vara sömntutor ibland... men jag brukar gå upp vid halvsju när jag har nattjour, och få upp dem ur sängarna en halvtimme senare. Så får de frukost, och sen är nattpasset slut.”

Jan lämnar Marie-Louise och de sovande barnen. Han går ut på gatan och kastar en blick mot höger. Sankta Patricia ligger där borta, som en stor mörk flyghangar bakom muren.

Han stannar plötsligt; framför honom på gatan står någon och väntar. Det är en mörk och lång gestalt; en man klädd i en svart rock, som står helt stilla under en av ekarna mellan diket och trottoaren. Ljuset från gatlyktorna når honom knappt och Jan ser bara ett suddigt blekt ansikte.

De stirrar på varandra. Så rör sig mannen till slut, han lyfter något slags tunt rep som han håller i handen.

Det är ett hundkoppel, ser Jan.

Strax därefter trippar själva hunden fram bakom ekens stam. En vit pudel. Mannen böjer sig ner, tar upp en liten plastpåse och plockar noga upp det som pudeln har lämnat efter sig på marken. Så går husse och hund vidare på sin promenad.

Jan andas sakta ut.

Skärp dig, tänker han och börjar också gå. Det finns inga galningar här på gatorna, bara hundägare.

Bussarna har slutat att gå mot centrum nu, men nattluften är frisk och han går gärna. Det är bara en kvarts promenad bort till hans bostadsområde.

När han kommer hem till hyreshuset är det släckt i de flesta av fönstren.

Mitt hem, tänker han, men riktigt så känns det förstås inte. Det tar lång tid.

Så ser han att någon står och röker pipa på balkongen två våningar nedanför hans egen. Det är den vithårige mannen från tvättstugan, han som (kanske) gick omkring med en sliten tygpåse från Sankta Psykos tvätteri i källaren.

Mannen suger på pipan, blåser ut stora vita moln i mörkret och verkar försjunken i tankar. Jan stannar till och lyfter handen.

”Gokväll.”

Mannen nickar och hostar ut ett moln av rök.

”Jodå”, säger han bara.

Jan fortsätter in i porten, stannar till på andra våningen och ser att det står V LEGÉN på den högra dörren.

Jaha. Då vet han ju åtminstone piprökarens namn, och vilken lägenhet han bor i.

Jan går vidare uppför trappan till sin egen mörka våning, men stannar inte kvar där. Han ställer snabbt in ryggsäcken med bilderböckerna i hallen, byter om till kavaj och kliver ut i natten igen.

Han ska bara gå ner på Bills Bar, en kort stund. Kanske ska han försöka bli stamgäst där – det är något Jan aldrig har varit, någonstans.

14

"SKÅL PÅ ER!" ROPAR Lilian och höjer sitt glas.

"Skål", säger Jan lågt.

"Skål", säger Hanna, ännu lägre.

Lilian dricker mest, hon tömmer halva glaset.

"Gillar du Bills Bar, Jan?" frågar hon.

"Jodå."

"Vad gillar du här?"

"Tja… musiken."

De pratar högt, nästan som till barnen på förskolan, för att kunna överrösta husbandet på baren, The Bohemos. Bohemos består av fyra halvunga män i spruckna skinnvästar på en upphöjd liten scenflotte. Sångaren har håret bakåtdraget i en blond hästsvans och sjunger rocklåtar med raspig baryton. Det är trångt på scen, men bandet lyckas ta några korta danssteg ibland med gitarrerna, utan att knocka varandra. Även om bargästerna pratar sig genom det mesta av musiken är den ändå generös nog att ge Bohemos en kort applåd när varje låt är slut.

Jan föredrar Ramis viskande sånger om ensamhet och längtan, men applåderar artigt.

Han höjer sitt glas. Det är alkohol i ölen i kväll och den har gått rakt upp som en raket till hans huvud. Tankarna glider fritt.

Just nu vore det häftigt att vara stamgäst här, men Jan har ingen större talang för att skaffa krogvänner. Det insåg han tidigare under kvällen när han trängde sig fram till baren och inte såg en enda person i ögonen. Han har svårt att slappna av med vuxna personer, det går mycket lättare med barn.

Han fick i alla fall en vänskaplig nick av bartendern när han gick och beställde den andra ölflaskan – och nu har alltså hans jobbarkompisar slagit sig ner vid hans bord. De bara dök upp och satte sig hos honom: Hanna med sina blå ögon, Lilian med sitt röda hår.

Lilian tömmer sitt tredje glas och lutar sig fram över bordet.

"Kom du hit ensam, Jan?"

Han nickar och funderar på att citera Rami, *Jag är en vilsen själ i en öken av is*, men ler bara. Hemlighetsfullt, hoppas han.

"Hoppsan, jag har tomt igen." Lilian nickar mot baren. "Håll min plats, jag ska bara köpa mer dricka."

Jans och Hannas ölglas är fortfarande halvfulla, men när hon kommer tillbaka har Lilian köpt öl till dem också.

"Ni får ta nästa runda!"

Jan vill inte dricka en droppe mer, men tar ändå emot glaset.

Och så sitter de vid bordet, och fortsätter prata. Först om The Bohemos, som enligt Lilian är stadens absolut bästa band, även om knappt någon utanför Bills bar har hört talas om dem.

"De spelar bara på Bills som en hobby", berättar hon. "De har andra jobb ..."

"De jobbar uppe på Patricia", säger Hanna. "Ett par av dem."

Lilian tittar snabbt på henne, som om hon sagt för mycket.

"Gör de?" Jan tittar bort mot bandet med nytt intresse. "På Patricia?"

"Vi känner dem inte", säger Lilian.

Jan mår bra nu; han köper nästa runda till dem. Och sedan köper Hanna tre flaskor till. Ölen flödar! Det är okej med Jan. Han kan ju sova ut i morgon, innan han går till nattpasset på förskolan.

Men Lilian dricker mer än han och Hanna tillsammans, och hennes huvud hänger längre och längre ner över bordet. Men plötsligt rätar hon på sig.

"Jan ... snygge Jan", säger hon och blinkar trött. "Fråga mig om jag tror på kärleken."

"Förlåt?"

Lilian skakar långsamt på huvudet.

"Jag tror inte på kärleken." Hon håller upp tre fingrar. "Här är mina karlar ... Den förste tog två år från mig, den andre tog fyra, och den tredje gifte jag mig med. Och det tog slut förra året. Så nu har jag bara min bror. En enda bror. Jag hade två, men nu har jag bara en ..."

Hanna lutar sig över bordet.

"Ska vi gå hem, Lilian?"

Lilian svarar inte, hon tömmer sitt ölglas, sätter ner det och suckar.

"Okej ... Nu går vi hem", säger hon.

Jan inser att Bills Bar är på gång att stänga. Musiken har tystnat, The Bohemos har lämnat scenen. Borden töms omkring dem.

"Bra", säger Jan och nickar. "Vi går."

Han nickar och nickar – nu är han för första gången riktigt berusad, det känner han, och fötterna glider iväg av sig själva när han reser sig.

"*Jag är en vilsen själ i en öken av is*", säger han, men varken Lilian eller Hanna verkar höra.

Luften känns kylskåpskall när de kommer ut på gatan, och därute slår fyllan till som en hammare mot Jans huvud. Han vinglar till och tittar på klockan, den är nästan två nu. Sent, jättesent. Men han är ju ledig fram till klockan nio i morgon kväll. Han kan sova och sova.

Lilian ser sig om och upptäcker en taxi på andra sidan gatan.

"Den är min!" ropar hon gällt. "Vi ses!"

Hon vinglar iväg mot taxin, kliver in och är borta.

Hanna står kvar.

"Lilian bor ganska långt bort ... Var bor du, Jan?"

"Ganska nära." Han lyfter sin vänsterarm mot öster. "Där, på andra sidan järnvägen."

"Då går vi dit", säger hon.

"Hem till mig?"

Hon skakar på huvudet.

"Bara till järnvägen. Jag följer med dig ... Vi ska åt samma håll."

"Bra", säger Jan, och försöker nyktra till.

De går iväg på trottoaren, sida vid sida, och efter en kvart är de framme vid rälsen som löper förbi centrum.

"Ja ... Här skiljs vi åt."

Rymden ovanför dem är svart, järnvägen är tom.

Jan sänker blicken och ser på Hanna. Hennes blanka blå ögon, det blonda håret och svala ansiktet. Hon är vacker, men han vet att han inte är intresserad av henne – inte på det sättet. Men han stirrar och stirrar i tystnaden.

”Vad är det värsta du nånsin har gjort?”

Det är Hanna som frågar *honom*.

”Det värsta?” Jan tittar på henne. Han vet ju svaret. ”Jag måste fundera … vad är det värsta *du* har gjort?”

”Många saker”, säger Hanna.

”Visst. Men nämn en.”

Hon rycker på axlarna.

”Otrohet och svek mot kompisar … Det brukar det väl vara?”

”Jaså?”

”Jo”, säger Hanna. ”När jag var tjugo var jag otrogen med min bästa väns fästman, i en sjöbod. Hon fick veta det, och bröt förlovningen … men vi är vänner igen, typ.”

”Typ?” säger Jan.

”Vi skickar julkort.” Hon suckar. ”Men det är mitt problem.”

”Vadå?”

”Att jag sviker folk.” Hon blinkar och ser på honom. ”Att jag räknar med att bli sviken, så därför sviker jag först.”

”Okej … Tack för varningen.”

Han ler, men inte hon. Det blir tyst igen vid tågrälsen. Hanna är vacker, men Jan vill bara sova nu. Han vrider på nacken och tittar bort mot höghusen där han bor. Alla sover säkert, alla goda människor. Som djuren, som träden …

”Och du då, Jan?”

”Va?”

Hanna ser på honom.

”Minns du det värsta du har gjort, nånsin?”

”Ja, kanske …”

Vad var det han gjorde, den gången på Lodjuret? Jan försöker tänka efter. Men husen kantrar omkring honom och berusningen verkar bara bli värre, och plötsligt kommer orden av sig själva:

”Jag gjorde en dum sak en gång… på ett dagis i min hemstad. I Nordbro.”

”Vadå? Vad gjorde du?”

”Jag jobbade som barnskötare där, på mitt första vikariat, och jag klantade mig… Jag tappade bort ett barn.”

Jan tittar ner i marken, och plattar till en ojämnhet i gruset.

”Tappade bort?”

”Jo. Jag tog ut en grupp barn i skogen, jag och en kollega… en alldeles för stor grupp. Och när vi gick hem hade vi för få barn med oss hem. En pojke blev kvar i skogen, och det var… Det var delvis mitt fel.”

”När hände det?”

Jan fortsätter titta mot marken. *Lodjuret.* Han minns ju alltihop. Han minns luften i granskogen, lika kall som den här kvällen.

”Nio år sen… nästan exakt nio år sen. Det var i oktober.”

Säg inte mer nu, tänker han, men Hannas blåa ögon ser intensivt på honom.

”Vad hette pojken?”

Jan tvekar.

”Minns inte”, säger han till slut.

”Hur gick det då?” frågar Hanna. ”Hur slutade det?”

”Han blev… Det gick bra. Till slut.” Jan suckar och tillägger: ”Men föräldrarna var helt förstörda, de bröt ihop.”

Hanna suckar.

”Idioter… Det var ju deras unge som stack iväg. De lämnar bort sina ögonstenar och så kräver de att vi ska ta allt ansvar. Eller hur?”

Jan nickar, men ångrar redan den här bekännelsen. Varför har han stått och berättat om Lodjuret? Han är full, ett fyllo.

”Du säger inget om det här, va?”

Hanna tittar på honom.

”Till nån chef, menar du?”

”Ja, eller till…”

”Nej då, Jan. Det är lugnt.”

Hon gäspar och tittar på klockan.

”Jag måste hem … ska upp och jobba imorgon. Tidigt.” Hon ställer sig på tårna och ger honom en kort kram. Lite värme i natten.

”Sov gott, Jan. Vi ses på Gläntan.”

”Okej.”

Han ser henne gå ut på gatan igen och försvinna in mot centrum, som en blond drömfigur. Alice Rami är också som en dröm för Jan – hon är lika vag och suddig som en dikt eller en visa. Alla flickor är drömfigurer …

Varför berättade han för Hanna om Lodjuret?

Jan börjar sakta klarna till i skallen, och med klarheten kommer ångern.

Han ruskar på huvudet och låser upp dörren.

Det är dags att sova, och sedan jobba. Han har skött sig som en lydig hund i två veckor och nu ska han få sin belöning: Ett eget nattpass uppe på förskolan.

15

"Här är larmtelefonen", säger Marie-Louise och pekar på en grå lur på väggen i personalrummet, bredvid Jans klädskåp. "Allt du gör är att lyfta luren och vänta, så ringer den upp automatiskt."

"Vart då?"

"Till centralvakten vid sjukhusentrén. De har jour dygnet runt där borta, så det ska alltid finnas någon att prata med." Hon ler lite generat mot Jan och tillägger: "Det kan ju vara skönt att veta att någon annan finns i närheten på natten ... även om du klarar dig själv här, eller hur?"

"Visst."

Jan nickar och rätar på ryggen för att se skärpt ut, och Marie-Louise stryker sig lite nervöst över halsen.

"Du ska självklart ringa dem om något händer, men det har vi inte behövt göra hittills ..." Hon vänder sig snabbt bort från larmtelefonen, som om hon vill glömma bort den. "Jaha, har du några frågor?"

Jan skakar på huvudet. Hans chef har gått igenom alla rutiner två gånger, så han är väl förberedd. Och spik nykter. Han var darrig när han vaknade i morse efter natten på Bills Bar, men nu mår han bra.

Det är fredag kväll den andra veckan på förskolan, och hans första nattpass – det här är hans första nattarbete någonsin, faktiskt. Arbetsschemat är från halv tio på kvällen till åtta på lördagsmorgonen, men Jan har fått veta att han inte behöver vara vaken under tiden. En bäddsoffa väntar i personalrummet och han kan sova hela natten, så länge han vaknar om något av de tre barnen behöver hjälp eller tröst.

"Allt verkar klart nu", säger han.

”Bra”, säger Marie-Louise. ”Tog du med dig egna lakan?”
”Jodå. Egen tandborste också.”
Marie-Louise ler och verkar nöjd. Hon har redan tagit på sig kappan och yllemössan, och öppnar ytterdörren mot mörkret utanför.
”Då får du ha en lugn och god natt, Jan. Hanna kommer och tar över efter dig i morgon bitti ... och vi två ses ju i morgon kväll.”
Dörren stängs. Jan låser den efter henne, och tittar på klockan.
Tjugo över tio nu. Allt är tyst inne på förskolan.
Han går in i personalrummet och gör i ordning den smala bäddsoffan, sedan äter han en smörgås i köket och efter det borstar han tänderna.
Men det här är bara kvällsrutiner som han *ska* göra – problemet är att han inte är det minsta trött.
Vad mer kan han göra? Vad *vill* han göra?
Titta till barnen.
Han skjuter tyst upp dörren till barnens mörka sovrum, och lyssnar på deras susande andetag. Matilda, Leo och Mira sover djupt i varsin säng. Djupt och lugnt, till och med Leo ligger helt stilla. Enligt Marie-Louise brukar inget av barnen normalt sett vakna innan de ska väckas vid halv sju på morgonen.
Normalt sett. Men när är allt *normalt*?
Jan lämnar dörren på glänt och går bort till matsalen på baksidan av förskolan. Han ställer sig vid fönstret och tittar ut, utan att tända takljuset.
Sankta Psyko är också nedsläckt. Det finns strålkastare som lyser upp stängslet, men området innanför är fyllt av skuggor.
Grå skuggor på gräset, svarta skuggor under granarna. Ingen står och röker i kväll.
Själva sjukhuset höjer sig med den östra kortsidan fyrtio eller femtio meter bort, och på stenfasaden däruppe lyser bara fyra av alla de höga fönstren. Det ser ut som att ljuset kommer från vita lysrör som hänger i en korridor – precis som lysrören nere i källaren.
Källaren. Vägen in till sjukhuset – fast så är det ju inte, det finns låsta dörrar även därnere. Och dörren till källaren är ju också låst.
Jan funderar en stund på den dörren. Och källargången, och slussen.

Sedan går han tillbaka ut till köket och öppnar en av kökslådorna. Där ligger de, magnetkorten. Han tar upp ett av dem.

Minns han koden? Självklart, Marie-Louises födelsedatum. Han har hämtat och lämnat ett dussin barn och slagit in den minst tjugo gånger sedan han kom till förskolan. Nu knappar han in den igen. Sedan sticker han in magnetkortet, och låset klickar till.

Öppet. Det fungerade alltså även på natten.

Den branta trappan liknar ett stup, eller en grottöppning som leder rakt ner i underjorden. Det är mörkt därnere, men inte helt svart. Ett svagt ljus syns längre bort i korridoren.

Ljuset från hissen upp till sjukhuset.

Jan tvekar och ser sig snabbt om. Kapprummet är förstås tom – han låste ju ytterdörren när Marie-Louise gick hem.

Han lutar sig fram, sträcker in handen och slår på ljusknappen. Lysrören blinkar igång nere i källargången. Nu syns de branta trappstegen tydligt, och nedanför dem golvmattan som sträcker sig bort som en välkomsthälsning mot hissen. Själva hissdörren syns inte – men om Jan bara skulle kliva fyra eller fem steg nedför trappan skulle han nog se den där långt borta.

Rami, är du där?

Han tar två tysta steg nedåt, och stannar med handen runt ledstången. Han lyssnar. Inte ett ljud hörs, varken framför eller bakom honom.

Han tar ännu ett steg, och så tre snabba steg till.

Nu ser han hissdörren. Att det lyser i det lilla fönstret betyder att hissen är nere i källaren. Den står och väntar på honom.

Jan tar ännu ett steg.

Men benen får svårare och svårare att röra sig. Det är en mental spärr. Han tänker för mycket på barnen, på Leo, Matilda och Mira – de ligger och sover i förskolan och han har ansvaret för dem, precis som han hade ansvaret för William nio år tidigare.

Det här går inte. Han kastar en sista blick bort mot slussen till sjukhuset, och vänder om uppför trappan.

När han är tillbaka på markplanet stänger han dörren bakom sig och kollar att den är låst. Sedan släcker han alla ljus, utom en nattlampa i hallen, och lägger sig. Han sluter ögonen i mörkret och andas ut.

Men det är svårt att somna. Omöjligt. Nu när det är mörkt tycker Jan att förskolan är full av ljud. Knäppanden, tassanden, viskningar … Någon ligger och längtar borta på sjukhuset, någon som vill att han ska komma.

Alice Rami.

Jan blundar, men hon ser på honom med lysande ögon.

Kom hit, Jan. Jag vill titta på dig.

Han märker inte att han har somnat förrän väckarklockan börjar surra bredvid honom. Siffrorna visar 06:15. Det är fortfarande mörkt ute, men morgon. Han ser kala väggar omkring sig och inser att han ligger i förskolans lilla personalrum.

Dags att väcka Leo, Matilda och Mira.

Hans första nattpass på Gläntan är över, men många fler väntar – och när Jan kliver upp ur sängen får han plötsligt en idé om hur han kan gå ner i källaren på natten, utan att oroa sig för barnen.

Köpa barnvakter.

LODJURET

Det var onsdag eftermiddag, och dags för utflykten från daghemmet. När Jan och Sigrid gick iväg med sjutton av barnen var klockan fem i halv två. Vid det laget var det minst fyra timmar kvar tills solnedgången, så de hade god marginal. Gruppen skulle vara tillbaka senast vid fyra.

Utomhus var det elva plusgrader den här dagen, mulet men vindstilla. Det var nio barn från Brunbjörnen ihop med Sigrid, såg Jan när de samlades utanför grinden. Lille William var med i gruppen, han var klädd i en mörkblå höstjacka med vita reflexränder, och en lysande gul yllemössa.

Jan själv hade med sig åtta barn från Lodjuret. Det var nio pojkar och åtta flickor i gruppen och tillsammans var de svåra att räkna; barnen blev som vanligt uppspelta utanför staketet och när de lämnade gångbanan och gick in bland granarna blev det ännu stökigare. Gruppen böljade hela tiden fram och tillbaka mellan träden, barnen skrek och hoppade och klängde på varandra. Det kändes som om de när som helst kunde rusa iväg åt alla håll.

Barnen borde ha gått på rad, hand i hand – men Sigrid gick och knappade på sin mobil nu och verkade inte märka hur rörig gruppen var. Jan såg att hon hade fått ett meddelande med många utropstecken, kanske från en kompis.

Han försökte inte heller få ordning på gruppen.

”Kom nu allihop!” ropade han bara och drog upp takten.

Barnen hängde med i tempot och på bara en kvart tog de sig uppför slänten och kom långt in i skogen. Granarna rörde sig närmare, stigen smalnade.

”Vet du var vi är, Jan?”

Sigrid hade knäppt av sin mobil och verkade se sig om i skogen för första gången.

”Visst.” Han log mot henne. ”Jag hittar rätt bra här. Om vi fortsätter så kommer det en glänta snart ... Där kan vi stanna och fika.”

Och det stämde, granarna försvann och de klev ut i en stor rund glänta. Ljuset återvände och gruppen lugnade ner sig.

Den medhavda matsäcken bestod av kanelbullar och jordgubbssaft. Barnen var ganska trötta vid det laget, det var lätt att få dem att sitta ner på lång rad och äta ihop. Men när saften var slut fick de ny energi. De ställde sig upp i riset igen, knuffades och ropade åt varandra.

Jan tittade på klockan, den var tjugo över tre. Han mötte Sigrids blick och kände hur hjärtat bultade fortare när han frågade, helt oskyldigt:

”Ska vi leka en kort stund till, innan vi går hem igen?”

Sigrid var fortfarande pigg.

”Visst!”

”Vi kan ju dela upp oss då”, sa Jan. ”Du leker med flickorna, så tar jag killarna.”

Hon nickade, och Jan höjde rösten mot pojkarna.

”Lekdags!”

Han samlade ihop dem – William Halevi och de åtta andra.

”Nu går vi!”

Som en sergeant i marinkåren tog han kommandot och drog iväg med pojkarna längs stigen, längre upp i skogen.

16

DE ÄR SMÅ, BYGGDA i vit hårdplast och liknar mest billiga walkie-talkies. *Babywatchers*, eller elektroniska babymonitorer. Det finns många olika märken, men den sort som Jan håller i kallas *Angelguards*. Änglavakter.

"Den här modellen säljer vi faktiskt mest av", säger försäljaren. "Angelguard är otroligt pålitlig, niovoltsbatteriet räcker flera veckor och den sänder på en helt annan frekvens än mobiler och radioapparater. Och så har den inbyggd nattbelysning, som även kan användas som ficklampa."

"Så bra", säger Jan.

Han står i en affär full av barnsaker; kläder, böcker och barnvagnar. Det säljs alla möjliga skydd och spärrar och lås och larm för de små i butiken – ergonomiska skedar och självlysande haklappar och små rör som ska suga ut snoret ur en babys näsa – men Jan är bara intresserad av en sak: babyvakterna.

"Hur lång är räckvidden?"

"Minst trehundra meter", säger försäljaren, "i alla förhållanden."

"Genom stål och betong också?"

"Absolut... Väggar är inga problem."

Jan köper änglavakterna. Den unge försäljaren tror nog att han är ännu en orolig pappa, för han blinkar mot honom med ena ögat och säger:

"Änglarna är envägsriktade också... Så ni hör barnet, men barnet kan inte höra er."

"Toppen", säger Jan.

"Är det pojke eller flicka?" frågar försäljaren.

”Åh, det är både och … i olika åldrar”, svarar Jan snabbt. ”Jag har tre stycken.”

”Och sömnen är lite orolig?”

”Nej, det brukar vara lugnt och tyst… men man vill ju vara säker.”

”Självklart.” Försäljaren lägger Änglarna i en plastpåse. ”Då blir det trehundrafyrtionio kronor.”

På kvällen tar Jan cykeln upp till förskolan med Änglarna i ryggsäcken. Han funderar på om han ska visa apparaterna för Marie-Louise – kanske hålla upp dem med samma entusiasm som försäljaren – men hon skulle nog gilla dem lika lite som ett par teveskärmar. Så när han kommer till jobbet exakt halv tio säger han ingenting, han hänger bara in ryggsäcken i skåpet och tar över ansvaret.

Matilda, Leo och Mira sover lugnt den här kvällen också, och Marie-Louise stannar inte kvar så länge. Kanske börjar hon lita på Jan nu.

”Har du varit trött i dag?” frågar hon.

”Lite dåsig.”

”Men du sov gott här i natt?”

”Jajamän. Barnen också.”

Marie-Louise går till bussen kvart i tio, och Jan låser dörren om henne.

Källardörren är också låst, ser han.

Nu är han ensam igen, ensam med barnen.

Det lyser i exakt samma fyra gardinlösa fönster uppe på Sankta Patricias höga kortsida som i går – han är säker på att det är korridorer däruppe med ljus som hålls tända hela natten, precis som nattlampan på förskolan.

Jan slutar stirra upp mot sjukhuset, det finns mycket annat att göra i kväll. Han plockar i ordning bland stövlarna i kapprummet, han lyssnar på radions sportsändningar (lågt, för att inte väcka barnen) och så tar han en sen kvällsmacka med en kopp te i köket.

Men hela tiden tänker han på dagens stora inköp: Änglarna.

När klockan har passerat elva plockar han upp dem från ryggsäcken i skåpet och öppnar dörren till barnens sovrum.

Det är släckt därinne. Barnen ligger orörliga under sina små täcken och Jan går in i rummet med försiktiga steg. Han står stilla i mörkret någon minut, och lyssnar till barnens svaga andetag. Rogivande ljud.

Så knäpper han på den ena Ängeln, sändaren, och hänger den på en väggkrok mellan Leos och Matildas sängar.

Leo rör sig lite i sängen och mumlar något lågt, men fortsätter sova.

Jan smyger tyst ut ur rummet. Därute slår han på den andra vakten, mottagaren. Högtalaren på framsidan är liten och rund, och helt tyst. När Jan sätter den mot örat hör han bara ett svagt brus. Det stiger och sjunker i styrka, som små nattvågor som försiktigt slår in mot en böljande sandstrand. Förmodligen är det barnens andetag han hör – han hoppas det.

Med Ängeln i bältet går han runt i huset, bäddar sängen och borstar tänderna.

Han kan förstås alltid försöka intala sig själv att Änglavakterna är till för att han ska ha koll på barnen när han sover, men klockan kvart i tolv hämtar han ett magnetkort i köket och öppnar dörren till källaren.

Han tänder ljuset vid trappan, tittar ner och minns plötsligt några rader av Rami:

Väntar och längtar,
klockan klämtar,
en blick, ett svar, en dans,
du finns där någonstans…

Jan tar ett steg nedför trappan. Han ska bara gå ner och titta lite.

Han lyssnar. Allt är tyst – Ängelns lilla högtalare också.

Lugnt och försiktigt går han nedför trappan och kommer ner i gången.

Inga kameror här. Marie-Louise har ju sagt att det inte fanns övervakning nere i källaren. Han litar på henne.

Han är osynlig.

Jans skugga glider fram under lysrören, men själv syns han inte.

De färgglada djurtavlorna hänger kvar längs väggen, men den med råttorna har hamnat lite snett. Han rättar snabbt till ramen.

Hissen väntar nere i källarplanet, som om någon har tryckt ner den för hans skull. Jan ställer sig framför hissdörren och funderar. Tänk att kliva in där, trycka på knappen och föras uppåt, rakt upp till Sankta Psykos korridorer.

Har de en kamera vid hissdörren däruppe? Kanske, kanske inte. Om inte, så är det bara att åka upp och kliva ut, se vad som händer. Låtsas att han har åkt fel. Eller att han är en av patienterna...

Men Jan öppnar inte dörren. Han lyssnar på Ängeln, vrider till och med upp volymen, men den förblir tyst. Han vill viska ett svagt ”Hallå?” i högtalaren.

Ni hör barnet, har försäljaren sagt, *men barnet hör inte er. Ni kan göra vad ni vill.*

Jan går förbi hissdörren och fortsätter framåt i gången. Han viker runt hörnet och är framme vid den andra ståldörren, den bredare. Den som går till skyddsrummet.

Han sträcker ut handen, vrider på det tunga handtaget – och det rör sig. Han tar tag med båda händerna och drar ännu hårdare, och något klickar till. Den tunga dörren är öppen, och han kan röra den. Det går trögt, men långsamt svänger den upp på vid gavel.

Skyddsrummet innanför är helt svart. Inga fönster.

Jan sträcker försiktigt in en arm och trevar längs den kalla betongväggen. Han tar ett steg in i rummet, fortsätter treva med handen och hittar ljusknappen till slut. Lysrören blinkar igång i taket. Han står i ena änden av ett lågt och avlångt rum, som en bred korridor – det sträcker sig tolv eller femton meter bort. Här ska patienterna sitta, om kriget kommer.

Jan tar ett steg framåt.

Men sekunden efter ekar en hög röst mellan betongväggarna:

”Mamma-a?”

Jan rycker till. Det burkiga ropet kommer från högtalaren i hans bälte – det låter som en flickas ljusa röst. Kanske Matilda.

Han håller andan och lyssnar. Det hörs inga fler rop, bara ett lågt skrapande ljud, men om barnen håller på att vakna kan han inte stanna härnere.

Nerverna sviker, men Jan kastar en sista nyfiken blick inåt skyddsrummet. Det är nästan helt tomt, med en blå heltäckningsmatta och vitmålade väggar, men det finns en madrass på golvet med några kuddar.

Och till vänster borta i andra änden av rummet ser Jan ytterligare en bred dörr. Den är också av stål, och tillsluten.

Är den dörren olåst? Det går inte att se.

Vem väntar bakom den? Alice Rami? Mördaren Ivan Rössel?

"Mamma-a?"

Matilda ropar på honom igen, och Jan vänder om.

Han drar snabbt igen dörren till skyddsrummet och går tillbaka genom källargången, med snabba steg. Just nu känns det fel att ha gått ner hit över huvud taget.

Två minuter senare låser han tyst dörren till Sankta Patricias källare och går direkt bort till barnens sovrum.

Han öppnar dörren till mörkret och lyssnar. Nu är allt tyst igen.

Jan smyger in i mitten av rummet och väntar i flera minuter, men ingen av barnen rör sig. Nu sover de djupt. Han lyssnar på deras andetag och försöker lugna ner sig och andas lika långsamt som de, men det är svårt.

Han borde göra som barnen, och sova.

Klockan är tio över tolv nu.

Han *ska* sova. Risken är annars att han stannar uppe senare och senare, och börjar vända på dygnet.

Men han vill egentligen inte lägga sig eller somna. Han grubblar.

Det är en tankelek, precis som det började med William i granskogen. Det Jan funderar på är hur han, osedd och utan att barnen drabbas, ska ta sig in på Sankta Psyko.

17

Timmen är sen och trög som sirap på Bills Bar, men jourpassen på förskolan har gjort Jan till en nattuggla. På lediga dagar har han sovit till tio och varit vaken till långt efter midnatt den här veckan. En ny social stil för honom, men trots att han inte dricker en droppe sprit är han ständigt trött.

The Bohemos har just slutat spela efter en hel timmes jammande, och Jans alkoholfria öl är nästan slut. Vid bordet bredvid honom sitter två killar och diskuterar självförsvar, med energiska röster:

”Kniv, då?” säger den ena.

”Kniv är nåt annat”, säger den andre. ”Du kan inte försvara dig om han har kniv.”

”Nä jag vet, men …”

”Jag menar, sträcker du fram din näve så hugger han ju sönder den.”

Den förste killen skrattar:

”Jag får ha ett svärd, då.”

Jan lägger sig inte i samtalet, han dricker bara ur sin öl. Ingen han känner igen har synts till den här kvällen; inte Lilian, inte Hanna. Ingen. Han har inga vänner och är redo att gå hem ensam. Och sova, ensam.

En skugga faller plötsligt över bordet.

”Hallå.”

Jan tittar upp. En man i hans egen ålder har stannat vid hans bord, mittemot honom. En total främling med svarta ögonbryn och blond hästsvans.

Nej, Jan känner faktiskt igen honom – det är en medlem i The Bohemos. Sångaren. Han har hängt av sig läderjackan som han bar på scen, och nu är han bara klädd i en vit bomullströja med en handduk runt nacken. Efter en lång kväll i strålkastarna är den lika blöt av svett som tröjan.

"Läget?" säger han.

Jan blir nästan svarslös, men öppnar munnen.

"Bra."

Sångaren sätter sig vid bordet. Hans röst är lite hes efter konserten, men varm och vänlig. Han torkar sig i pannan med handduken.

"Vi känner inte varann", säger han. "Jag vet det … men det är lugnt."

"Visst", säger Jan osäkert.

"Men jag har sett dig", fortsätter sångaren. "Har du sett mig?"

"Nej … eller, hur menar du?"

"Jag har sett dig på andra sidan stängslet, när jag är på mitt andra jobb. Du har börjat cykla till förskolan nu, eller hur?"

Jan sätter ner sin öl, han börjar långsamt förstå och sänker automatiskt rösten.

"Så du jobbar på Sankta … på sjukhuset?"

Mannen nickar.

"På natt-säk", säger han.

"Vad är det?"

"Säkerhetsavdelningen, nattetid."

Jan känner en ilning längs ryggen, han känner pulsen öka. Han tänker på källargången och skyddsrummet och anar att han har blivit filmad därnere. Filmad, eller iakttagen. Han väntar på att ett drev av vakter ska rusa fram och dra ner honom, ta tag i hans armar, visitera och förhöra …

Men sångaren i Bohemos sitter stilla och fortsätter att le, helt obekymrat.

"Jag vet att du heter Jan", säger han. "Jan Hauger."

Jan nickar.

"Och vad heter du?"

"Rettig heter jag … Lars Rettig."

"Jaha. Det var ju märkligt, att vi träffas här."

Rettig skakar på huvudet.

”Jag vet ju vem du är. Jag ville träffas.”

”Varför då?”

”För att vi behöver hjälp.”

”Med vad?”

”Hjälp med att hjälpa de vilsna.”

”De vilsna?”

”Patienterna på Sankta Psyko … Vill du hjälpa dem må bättre?”

Jan är tyst. Egentligen borde han inte sitta här och prata med en sjukhusvakt om deras arbetsplats – vad hände med tystnadsplikten? Men han har börjat slappna av nu. Lars Rettig verkar inte vara ute efter honom.

”Kanske”, säger han. ”Men vad handlar det om?”

Rettig är tyst några sekunder, som om han planerar ett anförande. Men han ser sig om, lutar sig fram och sänker rösten.

”*Förbud.* Att vi är trötta på alla förbud.”

”Vilka är ’vi’?” frågar Jan.

Men Rettig svarar inte, han reser sig bara från bordet.

”Vi kan prata mer en annan dag. Jag hör av mig.” Han nickar uppmuntrande, men tillägger: ”Du hjälper oss, Jan, det vet jag. Jag ser det i dina ögon.”

”Vad ser du?”

Rettig ler.

”Att du värnar om de svaga.”

18

ALLA FÖRSKOLEBARN GÅR OMKRING med djur i famnen. Det är gosedjursdag på Gläntan, och de som inte har ett eget tygdjur får låna ett ur korgen. Personalen också. Så det är teddybjörnar och tigrar och giraffer med sladdriga ben i varje rum. Mira bär omkring på en rödvitrandig pytonorm och Josefine har en rosa älg.

Skyddsdjur, tänker Jan.

Själv har han ett gyllengult lodjur. Han har hittat det i korgen, och när alla andra valt färdigt plockade han upp det. Det är ett ganska tilltufsat lodjur, men det luktar i alla fall inte.

”Vad heter den?” frågar Matilda.

”Det här är … Lofty. Han är ett lodjur, och han kommer från skogen … en skog långt härifrån.”

”Varför är han inte kvar där?” frågar Matilda.

”För att … han tycker om er barn”, säger Jan. ”Han ville se hur ni har det … Han ville leka med er.”

Leo håller i en enögd katt, som han har kramat så hårt att kroppen är avlång och bucklig.

”Vad heter ditt djur, Leo?”

”Freddie.”

”Vad är det för sort?”

”Vet inte … men kolla här.”

Han sträcker fram en liten näve, och öppnar den. Jan ser kattens andra öga i handflatan – Leo har pillat bort det.

Han ser in i Leos ansikte och undrar om det är oskuld eller olycka som finns där. Jan vet inte. Han vet bara att i andra delar av världen är det inte gosedjur som barnen går och bär på, utan gevär och kulsprutor.

Hur ska han hjälpa barnen? Hur ska han hjälpa ett enda, som Leo? *Du värnar om de svaga*, hade sångaren i The Bohemos sagt. Det kanske är sant, men det är inte mycket Jan kan göra.

Även den här måndagen är det flera hämtningar och lämningar av barn på sjukhuset. Jan har börjat lära sig hur barnen reagerar på de här avbrotten i förskolans rutiner. Vissa, som Mira och Matilda, blir glada och fnittriga av att få träffa sin förälder, och deras korta ben trippar snabbt nedför källartrappan. Andra, som Fanny och Mattias, är alltid lugna och går tysta iväg till hissen.

Men det finns också barn som blir spända när Jan hämtar dem.

Allra mest orolig är nog Josefine, femåringen som hittade boken om Djurskaparen. Hon ser alltid lite skrämd ut när han hämtar henne.

”Bra”, säger hon lågt när han frågar hur hon mår.

Han tror inte på henne. Inte helt.

Den här måndagen ska Josefine lämnas i besöksrummet klockan två, och när Jan som vanligt kommer och hämtar henne i lekrummet fem minuter innan, sitter hon och bygger ett hus av legobitar.

”Hej, Josefine… nu ska vi åka hiss!”

Hon svarar inte, bygger bara vidare på huset.

”Josefine”, säger han igen. ”Kom nu!”

Hon tittar fortfarande inte på honom, men lyfter tyst sitt ena ben under klänningen, sedan det andra. Utan protester följer hon med honom mot trappan.

Hon bär sin rosa älg under armen – på morgonsamlingen berättade hon för alla att den heter Ziggy.

Jan tittar på Josefine och älgen, och tänker på nytt på skyddsdjuren. När de kommer ner i källargången öppnar han munnen och frågar:

”Den där boken om Djurskaparen, Josefine… Minns du den?”

Hon nickar.

”Men hur visste du att den fanns där i boklådan?”

”Jag la den där”, säger hon.

”Jaha… så du fick den av någon?”

Hon nickar igen.
”Jag fick flera.”
”Av vem då?”
”En tant”, säger hon.
Nu är de framme vid hissen, och Jan stannar.
”Ska jag åka med upp, Josefine?”
Hon nickar tyst, och de kliver in i hissen.
”Är du inte glad?” säger han när de åker uppåt.
Josefine skakar på huvudet.
”Vem ska du träffa?” frågar han.
”En tant”, säger Josefine lågt.
En tant? Jan minns att Josefine har lämnats och hämtats på förskolan av flera olika personer. Ibland av en kvinna, ibland av en äldre man. Han får förstås inte fråga något om vilka Josefines anhöriga är, men lutar sig ändå fram:
”Du träffar din mamma, eller hur?”
Josefine nickar. Och så stannar hissen.
Det är faktiskt första gången Jan har åkt med ett barn upp till besöksrummet. Han kikar försiktigt ut, och ser ett ljust och rent rum med en stor tygsoffa, torra krukpalmer och ett bord med några barnböcker. Men där finns inga övervakningskameror, vad Jan kan se.
Rummet är tomt men det finns en stängd dörr på andra sidan, låst med ännu en kodlåda.
”Kom nu, Josefine.”
När Jan håller upp dörren tar hon ett försiktigt steg ut i rummet, sedan vrider hon sig om och frågar lågt:
”Kan du stanna?”
Han skakar på huvudet.
”Jag får inte göra det, Josefine… Tyvärr. Du får träffa mamma utan mig.”
Josefine skakar på huvudet, och Jan vet inte vad han ska säga. Besöksrummet är fortfarande tomt, men han håller kvar handen på hissdörren. Han vill inte lämna Josefine ensam.
Det surrar metalliskt borta i dörren på andra sidan rummet – den dras upp och en man i ljusröd skötardräkt visar sig. Det är inte Lars

Rettig, den här mannen är yngre än Rettig. Kortare och kraftigare också, med snaggat svart hår. Han ser bekant ut.

En vakt från dag-säk? Han påminner i alla fall Jan om en kamphund som är redo att hoppa fram och bita tag om ett gummidäck – eller i en hals.

I ett tjockt midjebälte hänger hans nycklar fastkedjade, och små snaror av vit plast. Bredvid dem sitter en behållare som liknar en liten ståltermos. Är det handfängsel och tårgas?

Vakten tar tre långa steg bort från dörren och Jan spänner sig som inför en attack, han ryggar nästan tillbaka. Men vakten stannar mitt i rummet. Han stirrar på Jan.

"Tack du", säger han bara.

Jan nickar, men rör sig inte. Borta i dörröppningen ser han en skugga. Någon annan väntar några meter bakom tröskeln – någon som inte vill kliva fram och visa sig. En patient från Sankta Psyko, inser Jan. Josefines mamma?

"Tack", säger vakten igen. "Vi tar över nu, det är lugnt."

Hans röst låter mekanisk, utan känslor.

"Bra."

Men Jan tycker inte att det är lugnt. Hans hjärta bultar, fingrarna darrar. Vakter och poliser gör honom nervös.

Han är nästan övertygad om att det är Rami som är Josefines mor. Att Rami står i korridoren bakom vakten, mindre än tio meter ifrån honom. Om han bara väntar lite till kommer han att få se henne, kunna prata med henne.

Men vakten tar ett till långt steg in i rummet, fortfarande med blicken mot hissen, och Jan kan inte stanna kvar. Han tittar mot Josefine en sista gång, ler lugnande mot henne och höjer rösten:

"Vi ses snart, Josefine! Jag kommer tillbaka och hämtar dig. Minns du vad jag heter?"

Josefine blinkar.

"Jan."

"Just det... Jan Hauger."

Han har sagt sitt namn så högt och tydligt nu att Josefines mamma också måste höra honom. Det känns viktigt. Sedan stänger han hissdörren och åker tillbaka ner till förskolan.

Hans ben darrar efter mötet med vakten, men han tänker hela tiden på Rami.

Jan känner att han var så nära däruppe – så nära att till slut få kontakt med henne och förklara varför det gick som det gick med lille William, i djupet av granskogen.

LODJURET

”Ska vi leka kurragömma?” frågade Jan.

Det var tid för det förslaget nu; han och de nio pojkarna på stigen var utom synhåll från Sigrids grupp. Frågan lät mest som en befallning, och pojkarna framför honom protesterade inte.

”Du letar, Jan!” ropade Max.

Jan nickade mot honom, självklart skulle han leta. Men han pekade med handen mot dem och fortsatte med samma befallande röst:

”Spring iväg en i taget. Jag ska bestämma vart ni ska springa. Sen ska ni gömma er. Ni ska vänta där tills jag hittar er eller ropar att ni ska komma fram. Okej?”

Pojkarna nickade, så han började peka. ”Max, du springer ditåt.” Han pekade mot några stenbumlingar, tjugo meter bort, och Max vände om och satte fart.

”Inte för långt!” ropade Jan bakom honom, och pekade på näste man. ”Paul, du springer ditåt ...”

En efter en skickade han iväg dem mellan granarna, men hela tiden åt nästan samma håll.

Till sist var bara lille William kvar.

Jan klev fram till honom. Så här nära hade han aldrig varit pojken, och han satte sig på huk så att de såg varandra i ögonen.

”Vad heter du?” frågade han, som om han inte visste.

”William.” Pojken svarade lågt och tittade blygt åt sidan – det här var första gången Jan pratade med honom. För William var han bara ännu en vuxen.

”Okej, William ...” Jan pekade. ”Du kan gå åt det hållet, nedför stigen. Ser du den röda pilen?”

William tittade, och verkade få syn på den nästan meterlånga tygpilen som Jan hade satt fast nere på berghällen kvällen innan. Han nickade tyst.

”Följ alla pilar du ser därnere, William ... och göm dig där de slutar. Det finns nog ett jättebra gömställe därnere. Förstår du?”

William nickade och Jan la handen på hans huvud.

”Den där behöver du inte”, sa han och drog av honom den gula mössan. ”Vi stoppar ner den i din jacka.”

Jan öppnade jackfickan och låtsades knöla ner Williams lilla mössa i den – men det var bara ett trolleritrick. I själva verket gömde han den i sin knutna hand.

”Spring nu!”

William vände om. Han satte fart med sina korta ben genom skogen, precis som de andra pojkarna, men åt ett helt annat håll.

Jan reste sig upp, och såg efter honom. William var framme vid den första tygpilen och fortsatte in i ravinen, utan att tveka.

Allt var tyst i skogen – och ändå var det som att stå i ett orkanöga för Jan. Han kände hur mycket som skulle kunna gå snett – ett kaos av risker och felbedömningar virvlade omkring honom.

Lugn, sa en inre röst. *Följ bara planen.*

Han hörde ljudet av trummor. De trummade i hans huvud, trummade och trummade.

Han vände sig om och drog efter andan.

”Håll er gömda!” ropade han mot granarna. ”Nu kommer jag!”

Det var inte sant. Jan gick inte iväg för att leta efter de sex pojkarna som gömt sig, han vände om och satte iväg genom riset mot ravinen, där den sjunde hade försvunnit.

William.

Han ökade farten.

19

PORTEN TILL JANS TRAPPUPPGÅNG låser sig automatiskt klockan åtta varje kväll; efter det krävs nyckel eller portkod för att komma in.

Han har varit hemma från Gläntan i ett par timmar vid det laget, han har ätit middag och sedan satt sig i köket med bilderböckerna från Gläntan framför sig på bordet. Den första boken *Djurskaparen* är färdigtecknad nu, illustrerad och färglagd. Han undrar vad Rami skulle tycka om resultatet.

Nu har han börjat med nästa bok: *Viveca i stenhuset*. Han funderar på hur han ska fylla i de vaga blyertsskisserna, och läser samtidigt texten:

"Det var en gång en gammal gumma som vaknade en morgon. Va? Va? Va? tänkte hon, för hon låg nämligen i en träkista. Hon var svag men lyckades lyfta på locket och kika ut. Rummet utanför var stort, med stenväggar och stengolv.

Hon ropade Hallå? i tystnaden, men fick inget svar.

Hon visste bara en sak: Viveca. Hon hette Viveca."

Jan läser texten på sidan två gånger, och börjar sedan fylla i skissen med tusch. Viveca är en tunn kvinna med stora ögon. Hennes huvud sticker upp ur en kista.

"Det tog flera dagar innan Viveca kände sig stark nog att ta sig ut. Åh. Åh. Åhej! När hon till slut knuffat bort kistlocket och rest sig upp såg hon en sliten hundkorg bredvid sig.

På korgen fanns en skylt som det stod BLANKER *på, och på botten av den låg en hög av grått damm med ett tomt hundkoppel. Dammet var format som en utsträckt hund."*

Namnet Blanker finns med i den här boken, inser Jan, precis som i *Djurskaparen.*

Han läser vidare, fångad av historien, och fyller samtidigt i de tunna blyertslinjerna:

”Till slut kunde Viveca lämna sovrummet och gå ut i en stor sal. Alla möbler därute var vackra, men gamla och mycket dammiga. På väggen vid trappan hängde en vit träklocka, men när hon tittade närmare på den såg hon att det var fel på visarna. Tick, tack. De gick baklänges.

Viveca fortsatte till en hall med en ytterdörr. Den gick inte att öppna. I ett annat sovrum på nedervåningen hittade hon två andra kistor. De stod bredvid varann som om ett gift par hade lagt sig i dem. En man och en kvinna? Nej-nej-nej – Viveca ville inte lyfta på locken och titta efter.

Bredvid sovrummet fanns en stängd dörr, och när Viveca öppnade den ledde en brant trappa ned i mörkret. Viveca gick försiktigt nedför den, och kom ned i källaren. Där på jordgolvet låg en hög med gula ben. Benen från ett monster. Usch. Hon gick fort tillbaka till sitt rum igen.

Dagarna gick.

Viveca väntade. Väntade och sov. Varje morgon när hon vaknade var hon piggare. Hon kände sig starkare och såg yngre ut i spegeln. Och väggklockans visare fortsatte ticka bakåt, och till slut anade Viveca vad som hände i stenhuset:

Tiden gick baklänges!

Viveca förstod plötsligt att hon bara skulle bli yngre och yngre, och om hon bara väntade tillräckligt länge skulle hennes föräldrar också vakna till liv igen, och hunden Blanker. Hon skulle inte vara ensam mer.

Men samma sak skulle förstås hända med de stora benen i källaren. Vad det än var därnere, så skulle det också vakna till liv.

Tick, tack, tick. Klockan tickade bakåt.

En vacker dag vaknade Viveca och tittade på sina händer, och såg att de hade blivit små och släta. Hon var full av energi och hoppade ur sängen. Nu, nu, nu. Hon hade blivit en liten flicka igen! Hundskall hördes från golvet framför sängen, och plötsligt hoppade en gyllengul collie upp i sängen och slickade henne i ansiktet. Det var Blanker som hade vaknat.

Hennes Blanker!

Viveca blev ja-ja-ja! Så lycklig. Hon var inte ensam i stenhuset längre, och höll Blanker så hårt hon kunde.

Men till slut lyfte hon på huvudet och lyssnade. Det hördes ljud från nedervåningen. Ben som klickade.

Blanker morrade. Han sprang bort till dörren och skällde. Inte bra! För Viveca hörde ljud av något stort och tungt som hade börjat röra sig därnere..."

När Jan har kommit så långt i bilderboken ringer det plötsligt på ytterdörren, med ett högt och glatt klingande.

Han rycker till och tittar bort mot hallen. *Vem där?* Jan har umgåtts åtta timmar med förskolebarn, han vill vara ifred.

Ringandet fortsätter. Han gömmer snabbt bilderböckerna i en av kökslådorna, sedan går han ut i hallen och öppnar.

"Tjena, Jan!"

En blond och småleende man står ute i trapphuset Det är Lars Rettig från Bills Bar, klädd i sin läderjacka.

"Stör jag?"

Jan känner sig ertappad, men skakar på huvudet.

"Nej ... det är ingen fara."

"Kan jag komma in?"

"Visst. En stund."

Kvällskylan från gatan hänger kvar i Rettigs jacka och sprids i hallen när han drar av sig skorna och fortsätter in i vardagsrummet. I ena handen håller han en plastpåse.

"Ursäkta min snabba entré ... Jag ville inte schavottera ute i trapphuset."

Han ser sig om bland möblerna och kartongerna längs väggarna.

"Oj, du har gott om skräp."

"Det är inte mitt", säger Jan snabbt. "Jag hyr i andrahand."

"Okej." Rettig sätter sig i soffan och fortsätter se sig om. "Du har trummor också ... Spelar du?"

"Lite."

"Kul." Rettigs ögon blinkar till, han har fått en idé: "Då kan vi ju jamma ihop någon gång. Vår trummis i Bohemos har just blivit farsa, så han kan inte alltid vara med när vi repar."

"Okej", säger Jan, utan att tänka efter. Han känner en ilning av förväntan, men håller masken: "Jag kanske kan vara med och hjälpa till med takten, om ni vill ... men jag är inte särskilt bra."

Rettig skrattar till.

"Eller blygsam. Men vi kan väl testa, eller hur?"

Han tar upp något ur påsen. Det är en ångande varm kebab med bröd, inslagen i folie. Han ser hungrigt på den, innan han tittar på Jan.

"Du kanske vill ha?"

"Nej, det är bra ... men ät du."

Jan stänger ytterdörren och ställer sig på tröskeln till rummet.

"Hur visste du var jag bor?"

"Jag kollade sjukhusdatorn ... Där finns alla anställdas adresser." Rettig tar en tugga av maten. "Hur är det på dagiset?"

"Det är bra ... men det är en förskola."

"Okej då, förskola."

Jan är tyst några sekunder, innan han frågar:

"Så du jobbar verkligen på Sankta Patricia?"

"Jajamän. Fyra nätter i veckan, med mycket ledighet emellan. Det är då jag spelar med Bohemos."

"Och du är vakt där?"

Rettig skakar på huvudet.

"Vi gillar ordet vårdare bättre än vakt. Jag jobbar *med* patienterna ... inte *mot* dem. De flesta är hur fridsamma som helst."

"Och du träffar dem ofta?"

"Varje dag", säger Rettig. "Eller natt, snarare."

"Och du vet vad de heter?"

"De flesta", säger Rettig, och tar en tugga av maten. "Men det kommer ju nya ansikten, med jämna mellanrum. Vissa släpps ut, andra tas in."

"Men du vet namnen på dem ... de som har varit där länge. Eller hur?"

Rettig håller upp handen.

”Vi tar en sak i taget… Vi kan småprata om våra gäster, men först får du säga om du har bestämt dig.”

”Om vadå?”

”Om du vill hjälpa dem.”

Jan tar ett par steg in i rummet:

”Du får gärna berätta lite mer… På Bills Bar sa du något om att det är för många förbud på sjukhuset.”

Rettig nickar.

”Det är det alltihop handlar om. Det finns för mycket byråkrati och bestämmelser på Patricia… speciellt på de slutna avdelningarna. Dag-säk styr allt däruppe.”

”Dag-säk, det är dina kollegor på dagen?”

”Japp.” Rettig suckar dystert vid tanken på dem, och ser upp mot taket. ”Patienterna får inte skriva brev till vem de vill, och deras post granskas. De får knappt se på teve eller lyssna på radio, de visiteras hela tiden…”

Jan nickar, han minns hur han hade fått öppna sin väska vid entrén.

”Man tröttnar på övervakningen, helt enkelt”, säger Rettig. ”Vi är några kollegor på kliniken som har pratat en del om det här, och vi tycker att skötsamma patienter borde få ha lite mer kontakt med omvärlden.”

”Jaha?”

”Genom brev, till exempel”, säger Rettig. ”Folk skriver brev till patienterna. Det är deras föräldrar, deras vänner, deras syskon som skriver… Men dag-säk stoppar breven. Eller också öppnar de kuverten, och snokar… Så vi vill försöka smuggla in breven.”

Jan ser på honom.

”Hur skulle det gå till? Ingen från förskolan får komma upp till sjukhuset.”

”Jo”, säger Rettig snabbt. ”Du får det, Jan… Du och dina barn.”

Jan är tyst, så Rettig fortsätter:

”Ni får gå upp till besöksrummet, obevakade… Där finns inga kameror, inga kontroller. Och på natten står det rummet helt tomt. Vem som helst kan gå upp dit och deponera en bunt brev där… brev som sen kan hämtas av mig och tas in i sjukhuset.”

Jan ser sig snabbt om, som om doktor Högsmed står bakom honom i lägenheten.

"Och breven", säger han, "var kommer de ifrån?"

Rettig rycker på axlarna.

"Från brevskrivare. Folk skickar allt möjligt till sjukhuset, men det mesta stoppas ju. Så jag har skaffat en kompis på postsorteringen här i stan … Han har börjat lägga undan alla handskrivna brev som är adresserade till folk på Sankta Patricia. Sen ger han dem till mig."

Rettig ser nöjd ut, men Jan ler inte.

"Då är det okända brev? Ni vet inte vad det är i dem?"

"Jo, det vet vi", säger Rettig. "Det är papper, papper med ord … Bara vanliga brev."

Jan ser på honom med tveksam blick.

"Jag smugglar inte knark."

"Det är inte knark", säger Rettig. "Ingenting olagligt."

"Men ni bryter mot reglerna."

"Jo." Rettig nickar. "Men det gjorde Mahatma Gandhi också. För en god sak."

Det blir tyst. Jan harklar sig:

"Kan du berätta lite om patienterna nu?"

"Vilken av dem?"

Jan vill inte nämna Ramis namn, inte än.

"Jag har sett en gammal kvinna där uppe", säger han. "Gråhårig, klädd i svart kappa. Hon går omkring och samlar löv innanför stängslet … Jag undrar bara om hon jobbar på Patricia, eller är det en patient?"

Rettig har slutat småle.

"En patient", säger han lågt. "Hon är intagen, hon heter Margit. Men hon är inte så gammal som man kan tro."

"Jaha? Jag har sett henne vid stängslet. Hon står och tittar på barnen."

"Det har hon gjort sen förskolan öppnades", säger Rettig. "När hon släpps ut på gården går hon alltid bort och ställer sig vid stängslet."

"Gillar hon barn?"

Rettig är tyst igen.

"Margit hade tre egna barn", säger han sedan. "Hon var gift med en potatisodlare i Blekinge... Det här var för tjugofem år sen. Hennes man brukade lämna gården på fredagar och åka in till stan för att träffa kunder. Men en dag fick Margit reda på av en grannfru att han hade ett rum på stadshotellet, ett rum för en flickvän... kanske flera. Så hon gick bort till vapenskåpet och hämtade hans hagelgevär."

Jan tittar på honom.

"Åkte hon in till hotellet och sköt honom?"

Rettig skakar på huvudet.

"Hon tog ut barnen i lagården och sköt *dem*. Först de två äldsta med varsitt skott, sen laddade hon om geväret och sköt minstingen..." Rettig suckar. "Hon har varit inlåst däruppe sen dess."

Det blir tyst i rummet. Rettig har slutat äta. Han ruskar på sig, som om han vill glömma allt han berättat, och fortsätter:

"Men Margit hålls borta från dina förskolebarn, du behöver inte vara orolig... Hon skyddas från alla barn."

Jan öppnar långsamt munnen.

"Jag tror inte jag ville veta det där."

"Nu vet du det", säger Rettig lågt. "Det är mycket man inte vill veta om folk i ens närhet... Jag själv vet alldeles för mycket."

"Om patienterna?"

"Om alla."

Jan nickar sakta. Han tänker på barnböckerna han gömde ute i köket. Han har egna hemligheter.

"Och det som ska tas in", säger han, "det är bara brev. Inget annat?"

"Inga droger, inga vapen, bara brev", säger Rettig, och tillägger: "Vad tror du, Jan? Jag jobbar ju själv därinne. Tror du jag vill att folk som Ivan Rössel ska få tag på knark eller knivar?"

Jan ser på honom.

"Sitter Ivan Rössel därinne?"

Han känner ju igen namnet från teve och tidningar. Taxichauffören hade också nämnt det.

"Visst."

"Mördaren Rössel?"

"Ivan Rössel, ja'", säger Rettig med dov röst. "Vi har en hel del kändisar som gäster på vårt pensionat... Du skulle bara veta."

Alice Rami, tänker Jan. Men högt frågar han bara:
"När vill du ha svar om breven?"
"Helst nu."
"Jag måste fundera lite."
Rettig lutar sig framåt.
"Det finns ett ställe nere i hamnen. Vi har ett rum där som replokal. Vi kan träffas och jamma med Bohemos där … så kan vi prata lite efteråt. Vill du det?"
Jan är tveksam, men nickar.
"Kom dit imorron, vid sju. Det blir groove då, som de säger."

När Rettig har gått och Jan har låst ytterdörren ångrar han sig direkt. Varför gick han med på att spela med Bohemos? Han har hört dem, de är för bra för honom.

Han sneglar mot sitt trumset och vill genast sätta sig ner och öva, men det är för sent på kvällen. I stället går han ut i köket och tar fram de fyra gömda böckerna.

Djurskaparen, *Prinsessans hundra händer*, *Häxsjukan*, *Viveca i stenhuset*. Han kan historierna nästan utantill vid det här laget. Han vet att Prinsessan ropar "Jag är inte olycklig, jag tycker bara om *olyckor*!" när hon först dyker upp i byn, och vet att det första symtomet på häxsjukan är att håret smälter.

Så varför fortsätter han att läsa böckerna, om och om igen? Kanske letar han efter något slags dolt budskap. Om det är Ramis böcker måste hon ju ha haft någon baktanke när hon bad Josefine att gömma dem på förskolan.

Och kanske hittar han ett till slut, för när han bläddrar igenom *Djurskaparen* för kanske femtionde gången ser han plötsligt en liten bläckfläck nederst på förstasidan, bredvid texten. Det är inget konstigt med den – men det finns en liknande bläckfläck på nästa uppslag också, lika stor och placerad på nästan exakt samma ställe. Och en till fläck på nästa uppslag.

Jan tittar närmare, han har tittat för mycket på bildsidorna och inte sett den här fläcken i marginalen förut.

Den liknar ett litet djur. En ekorre?

Han bläddrar framåt, och då börjar ekorren röra sig. Det är en illusion skapad av hans bläddrande; ekorren skuttar fram över sidorna, genom hela boken.

Han bläddrar genom böckerna gång på gång, och till slut har han fått dem i rätt ordning. Bläckfläckarna på de knappt hundra sidorna i böckerna bildar en tecknad kortfilm: Jan ser hur den svarta ekorren dyker upp i nedre hörnet på första sidan av *Djurskaparen*, sedan skuttar snett uppåt över sidorna i *Prinsessans hundra händer* och *Viveca i stenhuset*, innan den försvinner ut i tomheten överst på den sista sidan av *Häxsjukan*.

Jan stirrar på ekorrens flykt.

Ett tecken. Det känns så, som ett tecken till honom.

20

REPLOKALEN DÄR BOHEMOS HÅLLER till luktar av svett och drömmar och ligger nära hamnen, några kvarter från Bills Bar. Rummet är kalt som en nedsliten fritidsgård – bortsett från äggkartongerna. Hundratals tomma kartonger har limmats fast på väggarna för att dämpa ekot.

Jan sitter bakom trummorna den här kvällen och både styr och sveps med av takten. The Bohemos började med klassikern *Sweet Home Alabama*, med en stadig fyrtakt som Jan följde med i utan problem. Sedan var de uppvärmda, och nu har de spelat gamla rocklåtar i nästan en timme.

Då och då har Rettig vänt sig om från mikrofonen och nickat mot Jan; han verkar nöjd.

”Lite mjukare på virveln, Jan!”

Jan nickar och lyder. Efter alla år när han har suttit ensam hemma och kompat låtar på stereon är det en märklig känsla att spela med levande musiker. Skakigt först, sedan bättre och bättre.

Trumsetet han har fått låna är ett gammalt Tama som faktiskt är lite sämre än hans eget, skinnen på baskaggen och virvelkaggen är slitna och nästan sönderslagna. Men det gör honom själv mindre försiktig i kompet.

”Bra”, säger Rettig. ”Tajtare och tajtare.”

Två andra Bohemos-medlemmar är med. Basisten heter Anders och kompgitarristen Rasmus. Båda är i Rettigs ålder, och spelar utan att prata. Jan har ingen aning om vad de tycker om att han tagit över från trummisen Carl – de har inte sagt ett ord till honom på hela kvällen, bara kastat snabba blickar mot trummorna.

Jan undrar om Carl, Anders eller Rasmus också är vakter på sjukhuset.

Kvart över åtta lägger de av och börjar packa ihop. De två andra bandmedlemmarna drar fort iväg med varsin gitarr i ett fodral, medan Rettig dröjer kvar. Jan stannar också; han vet att Rettig väntar på ett svar.

”Du spelar bra”, säger Rettig. ”Lite afrikanskt.”

”Tackar”, säger Jan och reser sig från trumsetet. ”Det var kul.”

”Du har spelat i band förut, eller hur?”

”Visst”, ljuger Jan.

Det blir tyst bland alla äggkartonger. Rettig går bort och hämtar sin svarta fodral vid ingången. Han ser på Jan.

”Har du bestämt dig? Om det vi pratade om i går?”

Jan nickar.

”Det är internationella barndagen i dag, fjärde oktober”, säger han. ”Visste du det, Lars?”

Rettig skakar på huvudet och börjar montera ner mikrofonstativet.

”Är det inte kanelbullens dag?”

”Det också”, säger Jan.

Så blir det tyst igen, tills han frågar:

”Har du barn, Lars?”

”Hurså?”

”Man blir klokare av att umgås med barn.”

”Jo. Men jag har inga barn, tyvärr”, säger Rettig. ”Jag har flickvän, men inga barn. Har du några?”

”Nej. Inga egna.”

”Som sagt … Har du bestämt dig?”

”Jag har en sista fråga”, säger Jan. ”Vad tjänar ni på det här?”

Rettig gör en liten paus före svaret:

”Ingenting, direkt.”

Jan tittar på honom.

”Indirekt, då?”

Rettig rycker på axlarna.

”Inte mycket”, säger han. ”Vi tar ut en liten avgift … en portokostnad för utbärningen. Fyrtio kronor per brev. Men det är inget vi blir rika på."

"Och det är bara brev?"

Jan har förstås frågat samma sak flera gånger, men Rettig är tålmodig.

"Visst, Jan, bara vanliga brev."

Jan nickar.

"Okej, jag gör det. Jag kan testa."

"Fint", säger Rettig. Han lutar sig snabbt fram. "Så här gör vi, kompis: Du får ett paket av mig, och nästa gång du jobbar natt så tar du in det genom slussen till sjukhuset. På natten, så nära midnatt som möjligt." Han tar fram ett papper ur väskan. "Men bara vissa nätter... Här är schemat, det är då någon av oss jobbar."

"Någon av er... Du och vem mer?"

Rettig sänker rösten:

"Carl, vår trummis. Han är också vakt." Han fortsätter: "Okej, runt tio eller elva på kvällen kan du ta hissen upp till besöksrummet. Kolla att ingen är där innan du öppnar... men ingen kommer vara där. Gå ut i rummet och stoppa in kuvertet under sittkuddarna på soffan. Sen åker du ner till barnen igen. De sover väl då?"

Jan nickar, och tänker på de båda elektroniska Änglarna han har köpt.

"Något du undrar över?"

"Inte om leveranserna... Men jag vill gärna veta mer om patienterna, som sagt."

Rettig ler trött och lägger ner sin gitarr i fodralet.

"Vårdarna ska inte prata om de vårdade. Det vet du väl?"

"Vad gör de däruppe?"

"Inte mycket... De väntar, precis som vi andra. Alla bara väntar."

Jan är tyst några sekunder, innan han till slut frågar:

"Jag undrar en sak... Finns det någon däruppe som heter Alice Rami?"

Rettig skakar på huvudet, han verkar inte ens tänka efter.

"Nä", säger han. "Anna och Alide finns det kvinnor som heter, men ingen Alice."

”Någon Blanker, då?”
Rettig funderar lite, och nickar.
”Det finns en Blanker ... Maria Blanker.”
Jan lutar sig framåt.
”Hur gammal är hon?”
”Inte så gammal.”
”Trettio år?” frågar Jan.
”Kanske, mellan tretti och trettifem ... Men hon är skygg. Hon sitter på en av kvinnoavdelningarna, och håller sig inne.”
Kvinnoavdelningarna, tänker Jan. Det finns alltså flera.
”Har hon barn på förskolan?”
Rettig dröjer längre och längre med svaren:
”Kanske. Jag tror hon får besök ibland.”
”Av något barn?”
Rettig nickar.
”En flicka.”
”Vet du vad hon heter?”
Rettig skakar på huvudet och tittar på klockan.
”Jag måste hem snart”, säger han och lyfter upp sin portfölj på bordet. ”Vi tar det här med breven nu, Jan ... När är ditt nästa nattpass?”
”I morgon.”
”Perfekt.”
Rettig stoppar ner handen och drar upp ett vitt kuvert ur portföljen, stort och flera centimeter tjockt. Det är märkt med två tuschbokstäver: **S. P.**
”Kan du lämna det här då?”
Jan tar emot kuvertet och ser att det är noga igentejpat. Han försöker inte öppna det, men väger det i händerna.
Det är mjukt. En bunt brev – bara det? Det verkar så; Jan känner inga hårda föremål eller små påsar med pulver.
”Visst.”
Han nickar mot Rettig och försöker känna sig övertygad om att det här är en bra idé.

21

DET ÄR HANNA ARONSSON som jobbar på förskolan kvällen efter spelningen med The Bohemos, och när Jan kliver in i kapprummet kommer hon just ur barnens rum. Hon ser ganska matt ut, och sätter snabbt upp pekfingret framför läpparna när hon ser honom.

Schh...

Han förstår att barnen just har somnat. Så han nickar bara till henne och går ut i personalrummet för att snabbt stoppa in sin ryggsäck i skåpet. Ryggsäcken med kuvertet, hans hemliga uppdrag som brevbärare.

Sedan fortsätter han ut i köket till Hanna, som står böjd över diskmaskinen, och frågar:

”Sover de gott?”

”Hoppas det.” Hon suckar. ”De har varit jävligt stökiga i kväll. Sura och bråkiga.”

”Jaså? Hur många är de i dag?”

”Tre... Leo, Matilda och Mira, som vanligt.”

Det blir tyst, som alltid när Jan är ensam med Hanna på jobbet. De andra på Gläntan går lätt att prata med, fast Hanna säger inget i onödan. Fast han har förstås en sak han vill prata om med henne, och till slut drar han in andan:

”Hanna, det där jag berättade för dig förra veckan, när vi var ute ihop...”

”Vadå?”

”Att jag jobbade på ett dagis... och tappade bort en pojke i skogen en gång.”

Hon nickar, han ser att hon minns.

”Har du … har du pratat med någon om det?”

Hannas ansikte är tomt och blankt, som vanligt.

”Ingen.”

”Bra”, säger Jan.

Det ser ut som om Hanna vill säga något mer, eller fråga något, men till slut plockar hon in den sista disken och stänger köksluckorna.

”Då slutar jag nu.”

”Gör det. Har du några planer i kväll?”

”Jag vet inte … Gå och träna, kanske.”

Jan kunde nästan ha gissat att Hanna går på gym. Hon är smal men ser vältränad ut. Inte mager som Rami.

Tio minuter senare har hon gått hem, och Jan har låst ytterdörren. Nu är han ensam på förskolan, och han har förstås ingen teve eller stereo – bara ekon i huvudet av alla rocklåtar som han spelade med The Bohemos kvällen innan. Det var kul; han undrar om Lars Rettig kommer att bjuda in honom i bandet igen.

Kanske, om han klarar av att vara brevkurir den här kvällen.

Barnen sover djupt nu, det finns inget för Jan att göra. Det blir en lång väntan på att klockan ska bli elva. Han sitter med en bok i köket, men tittar ofta ut mot mörkret, mot sjukhuset.

När klockan till slut är kvart i elva går han ut och hämtar det tjocka kuvertet och de båda Änglarna ur skåpet.

Det känns lite löjligt, men han tar ändå på sig cykelhandskarna och torkar av hela kuvertet med en torr trasa för att inte lämna några fingeravtryck eller hårstrån. Om doktor Högsmed skulle hitta det.

Fem i elva hänger han in en påslagen Änglavakt i barnens släckta sovrum och öppnar sedan källardörren med magnetkortet. Han har kuvertet i vänsterhanden och den andra Ängeln i bältet när han går ner i källaren, förbi djurteckningarna.

Hissen väntar på honom, han kliver in och trycker på knappen. Stålkammaren darrar till och börjar röra sig uppåt.

Det är ovant för Jan att åka upp till sjukhuset utan något barn, och ännu märkligare att göra det mitt i natten.

Hissen stannar med ett ryck. Jan lutar sig fram mot fönstret och ser att det är släckt ute i besöksrummet. Ingen rör sig i mörkret.

Sakta och försiktigt drar han upp dörren någon decimeter.

Han väntar, han lyssnar, men inget hörs. Till sist kliver han ut på heltäckningsmattan. Som alltid när han är på Sankta Patricia finns en sugande nyfikenhet, en pockande längtan efter att få veta mer.

Möblerna i rummet är kantiga skuggor, men lite ljus kommer från hissen bakom honom och från glasrutan i dörren som släpper ut patienterna från sjukhuset. Jan kikar in och ser att en lång korridor börjar på andra sidan. Den är tom. Och dörren är förstås låst – han kommer inte vidare den här vägen.

Allt han kan göra är att gå fram till soffan och lyfta den vänstra sittkudden. Sedan stoppar han kuvertet så långt in som möjligt. Han fäller ner den och rättar till sitsarna. Sådär.

Jan tittar en sista gång mot soffan, och så går han tillbaka in i hissen och åker ner i källaren igen. Han går långsamt tillbaka upp till förskolan och börjar bädda sängen i personalrummet för att lägga sig. Men han har svårt att somna, som vanligt.

Nu är han inblandad. Han har bara jobbat drygt tre veckor på Patricia, men är redan del av någon sorts smuggelkedja.

Det är Ramis fel. Om det nu är hon som är Josefines mamma, med nya namnet Maria Blanker.

Han ligger vaken i mörkret och ångrar att han inte öppnade kuvertet från Rettig. Var något av breven till henne?

LODJURET

Klockan tickade. Jan kunde förstås inte höra ljudet när han skyndade fram genom skogen. Men han kände sekunderna susa förbi – tiden gick fort. Det var så mycket han måste hinna med nu, på kort tid.

Ravinens klippväggar höjde sig omkring honom, och här satt den andra röda tygpilen som han hade hängt upp kvällen innan. Det fanns inga tydliga spår i riset som visade att lille William hade gått här – å andra sidan kunde han inte ha tagit vägen någon annanstans.

Jan fortsatte genom den öppna järngrinden, och saktade ner farten. Han var ute ur ravinen nu och kikade fram.

Den sista röda pilen hade han placerat under ett par tunga stenar på marken, kanske tjugo meter bortom ravinen. Den pekade uppför slänten, mot den öppna plåtdörren i betongbunkern.

Lille William syntes inte till någonstans.

Jan kände blodet bulta i öronen som en bastrumma när han tog sig uppför branten. De sista två metrarna nedanför plåtdörren var han en katt; han försökte glida fram och undvika att prassla i riset.

Han var framme vid ingången till bunkern, böjde på huvudet och lyssnade.

Jo, någon fanns därinne. Ett barn snörvlade till mellan betongväggarna. Det var inte gråt, hoppades Jan – bara en liten pojke som hade fått rinnande näsa i den kalla skogen.

Tyst sträckte han ut handen och drog sakta igen plåtdörren. Sakta, sakta… och när den var helt stängd drog han till de båda reglarna.

Kvällen innan hade han gömt fjärrkontrollen i en plastpåse under en sten vid bunkern. Nu tog han fram den och tryckte igång roboten.

Han kunde förstås inte se den, men han hörde sin egen förvrängda röst eka metalliskt i bunkern, genom fönstergluggen.

”Vänta här, William”, sa robotens högtalare. *”Allt är väl, vänta här.”*

Jan stoppade tillbaka fjärrkontrollen och vände om. Han klev ner på plan mark, satte fart tillbaka mot ravinen och slet med sig den röda pilen, som han vek ihop till ett knyte och körde ner i jackfickan. Pil nummer två också. Sedan drog han igen järngrinden i ett enda ryck, kom ut ur ravinen igen och ryckte bort den sista tygpilen.

Han var andfådd nu, men saktade inte farten. Fort uppför slänten. Trummorna dunkade.

När han var tillbaka vid platsen där kurragömmaleken hade startat tittade han på sin klocka. Fem över halv fyra. Det kändes längre, men han och pojkarna hade bara lekt i tio minuter.

Plötsligt såg han en ljusgrön jacka mellan granarna. En liten pojke som böjde sig ner i riset och försökte gömma sig. Sedan såg han en pojke till en bit bort, och en till.

Han hade koll på pojkarna nu, han visste exakt var de fanns. William var också på plats. Planen fungerade, Jan måste slappna av nu.

Han log, och formade händerna som en tratt framför munnen.

”Hallå allihop! Jag ser er!”

22

Innan han går till sitt nattpass på fredagen hämtar Jan en tom kaffekopp och lämnar lägenheten. Han ska inte gå ut den här kvällen, bara två trappor ner till grannen med skylten V LEGÉN.

Det hörs inga ljud genom Legéns lägenhetsdörr, och Jan har ringt på den två gånger tidigare utan att någon har öppnat. Nu gör han det igen.

Han får svar, det rasslar till i dörren. Legén har låst den om sig, men nu öppnar han någon decimeter.

”Hej”, säger han och visar fram sin kopp.

Grannen säger inget.

”Jag heter Jan Hauger… jag bor här ovanför”, fortsätter Jan. ”Jag skulle kolla om du har lite socker. Till en kaka?”

Legén stirrar på honom som en sliten boxare som möter sin ärkefiende. Han är inte på bra humör den här dagen. Men han tar emot koppen och vänder om i hallen. Jan kan tyst kliva fram och sticka in huvudet.

Det är mörkt, det är stökigt, det luktar tobak. Tygpåsen som han senast såg nere i källaren ligger slängd på golvet, bredvid skohyllan. Nu syns texten tydligt: SANKTA PATRICIAS TVÄTTERI.

Han hade rätt.

Jan ler nöjt när Legén kommer tillbaka, med koppen halvfylld av vitt socker.

”Perfekt. Stort tack.”

Han är på gång att fortsätta, att peka mot tygpåsen och börja prata om att han själv faktiskt jobbar på Sankta Patricia – men Legén nickar bara och stänger snabbt dörren. Det klickar när låset vrids om igen.

Jan går upp till sitt kök och häller ut sockret i soppåsen.

Han cyklar till förskolan vid niotiden på kvällen, och hela vägen dit tänker han på kuvertet som han lämnade uppe i besöksrummet kvällen innan. Det borde ha hämtats av Rettig nu och påverkat patienterna på något sätt, även om han är osäker på hur.

Men absolut inget har ändrat sig. Betongmuren står stadigt kvar runt sjukhuset, strålkastarna lyser och allt är precis som vanligt när han kommer till förskolan. Det är Lilian som väntar på honom den här kvällen, och hon har redan nattat barnen.

"Hallå, Lilian."

"Hej på dig, Jan!"

Lilian ser trött ut, men rösten är hög och hurtig. Ibland känns det som om barnen är lite rädda för henne, trots att hon gärna leker med dem. Hon har något både spänt och bräckligt över sig, tycker Jan.

"Redo för helgen?" frågar han.

"Japp."

"Du ska ut och roa dig?"

"Säkert."

Men det finns ingen förväntan i rösten. Lilian tar snabbt på sig jackan, men hon frågar inte vad Jan ska göra och önskar inte trevlig helg. Hon kastar en snabb blick på honom och går hem.

Jan är ensam igen, och gör sig i ordning för natten.

Han tittar till de sovande barnen i deras sovrum. Han utför de vanliga kvällsrutinerna, klär av sig och lägger sig redan klockan elva, men har som vanligt svårt att sova. Det är för varmt och kvavt på förskolan, bäddsoffan känns smal och obekväm – och borta i köket ligger ett magnetkort och längtar efter honom. Själv längtar han ännu mer.

Jan suckar tyst i mörkret. Men han *ska* ligga kvar. Han ska inte gå ner i källaren. Det finns ändå ingen väg in i sjukhuset, han vet det nu.

Vägen ut ur besöksrummet är låst. Men Rettig måste ha nyckel dit, om han kan gå in och hämta kuvertet som Jan gömde under soffan.

Har patienterna fått sina brev än? Förmodligen. Lars Rettig smyger kanske just nu runt i korridorerna och delar ut dem.

Jan vänder sig om på sidan i sängen och leker vidare med tanken på att hitta en hemlig väg in till sjukhuset.

Kanske skyddsrummet i källaren? Det har två utgångar, och han vet inte vart den andra leder. Han vet inte om den ens går att öppna. Den kan leda rakt in i sjukhuset eller in i en igenmurad vägg – men om han inte går ner och testar den dörren kommer han aldrig att få veta.

Klockan är kvart i tolv, ser han. Barnen sover, men magnetkortet till källaren väntar på honom.

Sankta Psyko finns därute, som ett stort berg som lockar till bestigning bara genom att finnas där. Som Mount Everest. Men det är många klättrare som har dött på Everest...

Nej, det är bättre att tänka på sjukhuset som en grotta att utforska. Jan har aldrig hört talas om någon som har dött i en grotta, även om det förstås kan ha hänt.

Han bestämmer sig. Viker täcket åt sidan och sätter sig upp i mörkret.

Bara en snabb titt i skyddsrummet, så kan han sova sedan.

Tio minuter senare är han nere i källargången. Han har Ängeln påslagen i bältet, han har tänt ljuset och klivit nedför trappan. Hissfönstret är svart – hissen är uppe på markplanet men han trycker inte på knappen för att få ner den. Han fortsätter bara framåt i gången, runt hörnet och ända fram till ståldörren.

Den är stängd och skylten finns förstås kvar (*Denna dörr skall hållas låst!*), men Jan tar tag i det stora handtaget och öppnar den. Han minns var lysknappen sitter nu och tänder takljuset.

Skyddsrummet ser ut som när han kikade in här förra gången. En heltäckningsmatta, några få kuddar och möbler. Ingen har varit här. Eller? Madrassen ligger på golvet nu, men stod den inte mot väggen när han var här senast? Och det ligger en urdrucken vinflaska bredvid madrassen – låg den där tidigare? Han minns inte.

Allt är i alla fall tyst. Försiktigt kliver Jan in i rummet. Han lämnar ståldörren öppen och går bort till andra änden av rummet. Där är utgången som kanske leder vidare in i sjukhuset; ännu en stängd ståldörr med ett långt handtag.

Jan tar tag i det och trycker nedåt. Handtaget vickar till någon centimeter, sedan tar det tvärstopp. Han ställer sig på tå, spänner armarna och lägger all kraft på att rubba järnstången, men det går inte.

Sjukhuset släpper inte in honom.

Han andas ut, tittar åt sidan – och sedan lyssnar han.

Ett ljud. En svag vibration i golvet.

Ett vinande har börjat höras i källaren. Det kommer genom betongväggarna och Jan förstår först inte vad det är, men sedan känner han igen det. En motor.

Den viner och viner, och ökar i styrka.

Det är ljudet av hissmotorn, inser Jan. Hissen har börjat röra sig ner från besöksrummet, den är på väg till källaren.

Jan släpper dörrhandtaget. Han lyssnar.

Hissen stannar med ett klickande ljud i källaren. Allt är tyst ett par sekunder – sedan hör Jan tydligt hur ståldörren trycks upp. Någon kliver ut i källargången.

23

JAN STÅR KVAR MELLAN skyddsrummets tjocka väggar. Han rör sig inte.

Bestäm dig, tänker han.

Allt han gjorde när hissen öppnades var att sträcka fram handen och släcka ljuset i skyddsrummet, för att inte avslöja sig. Men efter det har han frusit fast på stengolvet.

Han står helt stilla och bara lyssnar, utan att veta vad han ska göra. Alla ljud han hör nu kommer utifrån källaren; de studsar runt de skarpa hörnen och ekar mellan stenväggarna.

Han hör tydligt hur dörren till hissen slår igen, och tycker sig höra steg över betongen ute i gången. Tysta smygande steg som avlägsnar sig.

Någon går lugnt iväg från hissen, fram genom källargången.

Någon är på väg mot trappan upp till Gläntan.

På väg upp till de sovande barnen; Leo, Mira och Matilda.

Jan *måste* röra sig nu, och till slut gör han det. Han vänder sig om och tar ett steg tillbaka mot källargången. Hans skugga rör sig över väggen. Två steg, och ett tredje.

Men då slocknar plötsligt ljuset framför honom. Skuggan försvinner, källargången blir helt svart.

Jan förstår vad som har hänt: Personen som kom ut från hissen har klivit uppför hela trappan nu, och slagit av ljusknappen.

Dörren till förskolan rasslar till när den öppnas, och slår sedan igen. Besökaren från Sankta Psyko måste ha haft ett nyckelkort med sig.

Nu är besökaren inne i förskolan. Och Jan, som har ansvaret för barnen däruppe, är utestängd.

Han har kvar sitt eget kort och kan ta sig ut, men det räcker inte.

Han behöver ett vapen. Något att försvara sig själv och barnen med, vad som helst. Han trevar sig runt i skyddsrummets mörker, känner den tomma vinflaskan på golvet och plockar upp den.

En sorts klubba. Han kan hålla flaskan i halsen och höja den framför sig.

Ute i källargången är det nästan helt kolmörkt – det lyser bara ett tunt gult ljus från hissfönstret – och han rör sig försiktigt fram längs väggen, bort mot trappan.

Han har nästan glömt Ängeln i sitt bälte – men plötsligt hör han låga burkiga ljud från den lilla lådan.

Skrapande ljud, och sedan något som låter som andetag. Det är ljudet från någon som har smugit in i barnens sovrum.

En besökare hos barnen.

Jans hjärta börjar bulta, han ökar stegen.

De flesta patienterna på sjukhuset är ofarliga, det har doktor Högsmed lovat honom. Ändå tänker han just nu bara på de farliga. Han tänker på Ivan Rössel, mördaren. Och på Margit, den gamla kvinnan med sitt rykande hagelgevär …

Fan också. Jan tar sig framåt med korta snabba steg genom källargången, han trevar sig fram längs väggen. Betongen känns som fint sandpapper under fingrarna.

En duns hörs – hans hand har rivit ner en av barntavlorna, men han stannar inte.

Plötsligt stöter hans skor emot något hårt. Betongtrappan. Då lyfter han på fötterna och klättrar försiktigt uppåt, steg för steg, ända tills hans händer nuddar vid källardörren. Men den är låst.

Jan måste låsa upp – men plötsligt minns han inte koden. Det är helt blankt. Marie-Louises födelsedag, men exakt när var den?

När?

Han skruvar upp babyvakten och hör ljudet av skrapande steg, hur någon rör sig inne bland de sovande barnen. En besökare från Sankta Psyko.

Koden, vad är koden?

Jan måste tänka efter. Han slappnar av och manar sakta fram siffrorna. Och de dyker upp i hans huvud, en efter en. Tre, ett, noll, sju. Han trevar i mörkret och trycker in knapparna, drar kortet genom magnetläsaren och hör låset klicka till.

Försiktigt öppnar han dörren, med flaskan höjd framför sig.

Det är tyst ute i förskolans små rum nu.

Han tar två steg ut i kapprummet, vänder sig om och ser att dörren till barnens rum står vidöppen. Den var igendragen när han gick.

Jans hand som håller flaskan är svettig.

Tre barn sover därinne, Leo, Matilda och Mira – han har övergivit dem. Han håller andan och rör sig så tyst han kan mot dörröppningen.

Ett mörkt rum.

Han kikar in och väntar sig att se en stor svart skugga huka sig över sängarna, men ser ingenting.

Inget rör sig därinne. De tre barnen ligger under sina täcken, och andas jämnt och stilla. Jan smyger in och lyssnar, men rummet är litet och ingen kan gömma sig någonstans.

Det är tomt. Så vart tog besökaren från sjukhuset vägen?

Jan lämnar rummet, stänger dörren och tänder takljuset ute i hallen. Sedan går han från rum till rum på förskolan och undersöker varje vrå, men hittar ingen besökare.

Till slut kommer han ut i hallen. Ytterdörren är stängd, men när han trycker ner handtaget märker han att den är olåst. Någon har låst upp den och gått ut.

Jan öppnar dörren och tittar ut på gården, men ser inga människor.

”Hallå?” ropar han mot natten, mest för att höra sin egen röst.

Inget svar. Gården är tom, gatan utanför är öde.

Han stänger dörren mot kylan, låser den och andas ut. Han ser på klockan, den är kvart över tolv nu.

Jan måste göra en sista sak innan han lägger sig: gå tillbaka ner i källaren, sätta upp barntavlan på väggen igen och släcka ljuset i skyddsrummet. Och förstås lägga tillbaka flaskan – en tom flaska vin skulle vara svår att förklara om Marie-Louise hittade den på förskolan.

Det sista han gör är att kila fast en stol under handtaget på källardörren, så att ingen ska kunna öppna den inifrån – inte ens om man har ett magnetkort.

Klockan åtta morgonen efter går Jan hem. Resten av natten var lugn, när han äntligen lyckades somna. Hans hjärta bultade i sängen, men han kände sig mer ensam än rädd.

Vår verksamhet är säker, hade doktor Högsmed sagt. *Allas trygghet är vår främsta prioritering.*

Jan har inte hittat en väg in till Rami, inte än. Men han vet en sak nu: Någon använder förskolan som en sluss. Som en väg ut från sjukhuset.

Han hoppas att det inte är en patient.

24

Det andra kuvertet från Rettig levereras till Jan tidigt på söndagsmorgonen. Hans hjärna har sjunkit till ro i en lugn och varm dröm om kärlek – men den väcks tvärt. Varför vet han inte först, sedan inser han att brevinkastet i dörren har smällt till.

Han minns inte längre drömmen, han måste gå upp. När han kikar ut på hallgolvet ligger där ett brev som han känner igen. Det här är ljusgult, det är enda skillnaden. Men det är lika tjockt som det förra, och bokstäverna **S. P.** står textade på framsidan.

Den här gången gör Jan något med kuvertet som han inte vågade första gången; han öppnar det.

Han tar ut det i köket, lägger det på köksbordet och studerar förseglingen. Det är vanlig genomskinlig tejp – sådan som går att köpa i vilken matbutik som helst – och det är det som får honom att börja klippa sönder och lirka bort den från baksidan av kuvertet.

Han tvekar, en kort stund. Är det förbjudet att öppna ett brev som i sig är förbjudet att dela ut? Jan skjuter undan den frågan.

När han har fått loss tejpen är det ganska lätt att sticka in en vass kökskniv och försiktigt lirka bort fliken på kuvertet. Sedan är det öppet.

Han sticker in handen och drar ut innehållet.

Rettig har inte lurat honom: Det är brev, bara brev. Han räknar till trettiofyra stycken, i alla slags färger och storlekar. På framsidan finns namn skrivna i olika handstilar med bläck eller blyerts, alla med samma adress: *Sankta Patricias sjukhus.*

Jan tittar långsamt igenom adressaternas namn, och ser ett av dem återkomma flera gånger: Ivan Rössel.

Mördaren Rössel har fått nio stycken brev, sammanlagt.

Det är det enda namnet Jan känner igen på kuverten. Det finns inga brev till Alice Rami, och inga till Maria Blanker.

Jan gnuggar sig i ögonen och funderar. Om han själv inte kan ta sig in till Rami, så kan han kanske få in ett brev till henne? Vad har han att förlora?

Borta i kökslådorna har han ett brevset. Hans mor gav honom det när han flyttade hemifrån, med handgjorda kuvert och tjocka papper, men under tio års tid har han knappt använt ett enda.

Nu tar han en bläckpenna, stirrar några sekunder på det tomma vita papperet och vill fylla det med ord. Det finns så mycket att säga. Men till slut skriver han bara en enda fråga:

KÄRA EKORRE – VILL DU TA DIG ÖVER STÄNGSLET?

Jan skriver under med sitt eget förnamn. Han funderar på att lägga till sin egen adress också, innan han kommer på att Lars Rettig eller någon annan vårdare nästan säkert kommer att se svarskuvertet från Rami. Om hon svarar. Så han skriver namnet *Jan Larsson*, och sin gamla adress i Göteborg.

Sedan adresserar han kuvertet till sjukhuset och adressaten *Maria Blanker*, klistrar igen det och lägger in det mitt bland de andra.

Jan har leveransen till Patricias patienter med sig i ryggsäcken när han kommer tillbaka till Gläntan dagen efter. Det är ett kvällspass som väntar den här måndagen. Han blir ensam kung med barnen i tre timmar, och har gott om tid att ta en kort tur upp till Sankta Psyko när de somnat. Till barnens besöksrum, som numera också är postrum.

Allt verkar lugnt på förskolan – men när han stiger in i personalrummet sitter Marie-Louise med en främmande man vid kaffebordet.

Jan stannar på tröskeln och blir först helt kall. Plötsligt minns han tydligt vad som hände kvällen innan; den okände besökaren som kom ut från hissen och gick ut i natten genom förskolan.

Men när han tittar på mannen känner han plötsligt igen glasögonen och det tjocka bruna håret. Och munnen som sällan ler.

”Hej, Jan. Hur mår du?”

Det är överläkare Högsmed som är på besök. Jan väntar sig nästan att se en grupp mössor ligga framför honom på bordet, redo att plockas upp – men där finns bara en halvtom kaffekopp.

Han drar snabbt upp munnen i ett småleende, och går fram för att skaka hand.

”Bara bra, doktorn.”

”*Patrik,* Jan.”

Jan nickar snabbt. Han kommer förstås aldrig att tänka på Högsmed som något annat än *doktorn*, men han får låtsas.

Högsmed studerar på honom.

”Jaha, har du kommit in i alla rutinerna?”

Doktorn väntar på ett svar.

”Jajamän”, säger Jan. ”Allt är toppen här.”

”Det låter bra.”

Jans leende blir alltmer krampaktigt. Han tänker på brevet ute i ryggsäcken. Den är förstås stängd, men misstänker Högsmed något? Är Lars Rettig avslöjad?

Till slut tittar läkaren bort, på Jans chef.

”Sköter han sig?”

Högsmed låter obekymrad, och Marie-Louise nickar ivrigt.

”O ja, vi är jättenöjda! Och Jan har blivit en riktig favorit hos barnen, en riktig *lekkamrat*.”

Jan hör berömmet, men kan ändå inte andas ut. Helst vill han bara dra sig undan, ut ur rummet och bort från doktor Högsmed. När Marie-Louise frågar om han vill ha kaffe skakar han på huvudet.

”Tack, men jag drack just en kopp … precis innan jag kom hit. Jag blir skakig om jag får i mig för mycket”, säger han, och tillägger: ”Koffein, alltså.”

Så vänder han om och går ut till barnen i lekrummet. Bakom honom lutar sig Högsmed fram och säger något lågt till Marie-Louise – men barnen skriker och skrattar och Jan kan inte tjuvlyssna.

”Kom, Jan!”

”Kom, vi ska bygga!”

Natalie och Matilda drar med honom i leken, men han har svårt att prata och skämta som vanligt den här dagen. Han ser sig om mot dörren hela tiden, och väntar bara på att få känna en hand på axeln och en sträng röst som ber honom att komma med för ett litet samtal. Ett förhör med dag-säk uppe på sjukhuset.

Men det händer inte. När han tittar in på personalrummet en stund senare är bordet tomt. Högsmed har gått.

Då kan Jan slappna av, eller försöka. Han borde inte gå upp och lämna brevet den här kvällen – tänk om doktorn tittar in på nytt till förskolan? Men han vill inte ha kvar det i skåpet heller.

Klockan går sakta, men till slut är det kväll. Barnen hämtas, personalen går hem. Jan värmer dillkött och potatis till de barn som är kvar och läser för dem, och till slut får han dem att somna.

Vid det laget är klockan kvart i nio. Rettig har rått honom att gå upp till sjukhuset senare än så, men Jan är för otålig. Han har en dryg timme på sig innan Andreas kommer för att byta av honom, det är gott om tid.

Han väntar en stund, tittar till de sovande barnen en sista gång och går sedan ner i källaren med Ängeln i bältet och kuvertet gömt under tröjan.

Fort, en brevbärare måste jobba fort.

Hissen väntar på honom i källaren. Han drar in andan och åker upp till besöksrummet. Allt är tyst, det är tomt och släckt.

Jan smyger snabbt ut till soffan, lyfter på kudden och hejdar sig – det ligger redan ett kuvert där.

Men det här är inte samma kuvert som han lämnade för några dagar sedan. Det här är större och tjockare, och på framsidan står två ord skrivna med spretiga bokstäver:

ÖPPNA! POSTA!

Ett svar från Sankta Psyko. Jan stirrar på kuvertet. Sedan plockar han snabbt upp det, gömmer det under tröjan och lägger det stora gula kuvertet under soffkudden.

När Jan kommer tillbaka till förskolan är allt fortfarande knäpptyst.

Trettio minuter senare dras ytterdörren upp. Jan rycker till, men det är bara hans kollega Andreas som kliver in, lika lugn och glad som vanligt. Andreas är stabil, till synes helt utan bekymmer.

”Hallå, Jan? Allt väl?”

”Japp, det är lugnt… Alla våra små vänner sover.”

Jan småler och tar på sig jackan, och låser upp skåpet med väskan där han har gömt kuvertet. Han är förväntansfull, nästan som på julafton.

”Lycka till, Andreas… Vi ses i morgon.”

När Jan kommer hem tänker han fortfarande på doktor Högsmed. Han låser dörren om sig och drar ner persiennerna ute i köket. Sedan tar han upp kuvertet ur ryggsäcken och öppnar det.

Fyrtiosju stycken svarsbrev från sjukhuset ramlar ut – nästan en hel kortlek av små och stora brev, och alla är prydligt frankerade och adresserade till olika personer i Sverige, utom två. Ett ska till Hamburg, och ett annat ända bort till Bahia i Brasilien. Avsändare saknas på allihop.

Jan radar fascinerat upp breven som en sorts patiens framför sig. Han flyttar runt dem på köksbordet, studerar alla handstilar som skrivit adresserna, spretiga eller kontrollerade, och samlar till slut ihop dem.

Han har makt över dem nu. Han skulle kunna slänga dem.

När han lagt sig för att sova en timme senare funderar han på vilka patienter som har skrivit alla breven.

Ivan Rössel, kanske. Han fick många brev förra gången, brukar han svara de som skriver till honom?

Och har Rami skrivit till någon? Uppe i besöksrummet ligger i alla fall ett från honom till henne och väntar…

Jan somnar in och är snabbt tillbaka i samma varma dröm som han besökte natten innan. Nu minns han den tydligt: Han är tillsammans med Alice Rami. Hon och Jan bor ihop ute på landet, på en bondgård som helt saknar staket och stängsel. De går med långa steg på en slingrande grusväg, fria och orädda, med livets alla misstag långt bakom sig. Rami går med en stor brun hund i ett koppel. En Sankt Bernhard, eller en rottweiler. Det är förstås en vakthund, men den är snäll och Rami har total kontroll över den.

LODJURET

Barnskötaren Sigrid kom in på Lodjuret klockan tjugo över fyra; Jan såg henne i ögonvrån. De hade varit tillbaka från skogen i över en halvtimme vid det laget och daghemmet var på väg att stänga.

Allt hade gått bra på vägen hem – bortsett från att de hade varit sexton barn i gruppen, inte sjutton. Men Jan hade inte påpekat det och varken Sigrid eller något av barnen hade märkt att William var borta.

Han själv tänkte knappast på något annat.

Vid halv fem tog han en kort rast, en till synes helt normal paus i arbetet som han hade rätt till – han gick bara ut från dagiset i tio minuter för en promenad bort till den närmaste brevlådan. Den låg tre kvarter från Lodjuret, och på vägen dit stannade han i en mörk portuppgång och tog fram Williams lilla mössa.

Kvällen innan hade han förberett ett frankerat kuvert. Nu stoppade han ner mössan, klistrade igen kuvertet och slängde ner brevet i lådan. Så gick han snabbt tillbaka till jobbet.

När Sigrid klev in på dagiset stod Jan ute i kapprummet och pratade med en kvinna som han just då inte mindes namnet på – men hon var mamma till Max Karlsson och hade kommit för att hämta honom.

Sigrid kom fram och avbröt samtalet med en låg, orolig röst:

”Ursäkta Jan … får jag prata med dig lite?”

”Visst, vad är det?”

Hon drog honom lite åt sidan.

”Har ni ett extra barn i dag på Lodjuret?”

Han tittade på henne och spelade förvånad.

”Nej, vi har bara fyra kvar, resten är hämtade ... Hurså?”

Sigrid såg sig om i kapprummet.

”Det är vår William, lille William Halevi ... Hans pappa står och väntar uppe på Brunbjörnen, han ska hämta William ... men han är inte på avdelningen.”

”Inte?”

Hon skakade på huvudet.

”Kan jag bara titta lite här, i de andra rummen?”

”Visst.”

Jan nickade, och Sigrid försvann in på avdelningen. Under tiden öppnade Jan dörren för Max och hans mamma och vinkade iväg dem; tre minuter senare var Sigrid tillbaka i kapprummet. Nu såg hon ännu mer orolig ut, och skakade på huvudet mot Jan.

”Jag vet inte var han är ...” Hon strök sig över det spretiga håret. ”Jag minns inte om William var med när vi gick hem från skogen ... Han var ju med på vägen upp, det minns jag, men jag kommer inte ihåg att ... Jag minns inte om han var med när vi gick tillbaka. Minns du det?”

Jan skakade på huvudet. Han såg en inre bild av hur William sprang in i ravinen men svarade med låg röst:

”Tyvärr ... Jag har lite dålig koll på Brunbjörnens barn.”

Det blev tyst. De båda barnskötarna såg på varandra. Sigrid skakade på huvudet, som om hon ville vakna.

”Jag måste gå upp till pappan igen. Men jag tror ... vi får ringa polisen. Eller hur?”

”Okej”, sa Jan.

Han kände en stenhård istapp falla ner någonstans mellan lungorna. Den spred kyla långt ner i magen.

Vi får ringa polisen.

Nu hade det börjat. Jan hade ingen kontroll längre.

25

SOM EN BROTTSLING, SOM en spion eller en hemlig kurir... Jan tar inga risker med breven från Sankta Psyko. Han cyklar en lång omväg till jobbet nästa morgon och stoppar snabbt in hela bunten i en postlåda på en folktom gata. *Lycka till.* Fyrtiosju brev från patienterna, på väg ut i världen.

Sedan fortsätter han till jobbet. Det börjar bli frost och fläckar av is på vägarna nu, han får sluta cykla snart om han inte vill halka. Det är livsfarligt.

Små skor kommer springande mot honom i kapprummet när han kommer in på Gläntan. Det är Matilda, och hennes ögon lyser.

”Polisen är här!”

Hon skojar förstås.

”Jaså?” säger Jan lugnt och knäpper upp sin jacka. ”Vad vill de, då? Vill de dricka saft med oss?”

Matilda ser förvirrad ut, ända tills han blinkar mot henne. Förskolebarn kan säga vad som helst; de har svårt att skilja på vad som är sant och falskt, verklighet och fantasi.

Men polisen *är* faktiskt där. Inte på förskolan – de är inne på sjukhusområdet. När Jan en kvart senare tittar ut genom köksfönstret ser han en polisbil stå parkerad borta vid sjukhuset, och plötsligt kommer två uniformerade konstaplar vandrande längs insidan av stängslet. De talar lågt och tittar hela tiden ner på den morgonfuktiga marken, som om de letar efter något.

Först då känner Jan en liten trummande oro i bakhuvudet. Det blir så när han ser poliser, ända sedan Lodjuret.

Marie-Louise kommer ut i köket.

”Vad gör polisen här?” frågar han.

”Jag vet inte ... Det verkar ha hänt något inne på kliniken.”

Hon låter obekymrad, men Jan tittar på henne.

”Är det en rymning?”

”Det ska vi väl inte tro”, säger Marie-Louise. ”Men vi får säkert veta vad det handlar om, när rapporten kommer i morron.”

Det är doktor Högsmeds veckorapport hon pratar om. Den brukar skickas till förskolans dator varje onsdag och skrivas ut av Marie-Louise, men har hittills varit mycket tråkig läsning.

Jan väntar, men ingen knackar hårt och bestämt på dörren till förskolan. När han tittar ut genom fönstret nästa gång är poliserna borta.

Han börjar slappna av och glömmer besöket – ända tills klockan närmar sig tio och det är dags för lille Felix att ledsagas till besöksrummet. Då kommer Marie-Louise fram till honom i lekrummet och säger lågt:

”Det blir inga lämningar i dag, Jan ... De är inställda.”

”Jaså?” Jan sänker också rösten, automatiskt. ”Varför då?”

”Det har varit ett dödsfall uppe på sjukhuset.”

”Ett dödsfall?”

Marie-Louise nickar, och sänker rösten ännu mer:

”En patient dog i natt.”

”Hur då?”

”Vet inte ... men det var tydligen oväntat.”

Jan frågar inte mer, och efteråt fortsätter han leka med barnen. Tafatt och kurragömma. Men tankarna är på annat håll. Han tänker hela tiden på breven som han lämnade i går kväll. Kärleksbrev, men kanske hotbrev också.

Var bor Lars Rettig? Vad har han för telefonnummer? Jan hittar honom inte i katalogen och kommer bara på ett enda sätt att få tag på honom, så på kvällen efter jobbet går han ner på stan. Först tittar han in på Bills Bar, men The Bohemos spelar inte i kväll.

Jan ger inte upp, han fortsätter bort till replokalen. Dörren är stängd, men han hör gitarrer från rummet inifrån. Smattrande trumvirvlar hörs också. Ljuden får Jan att känna sig bortglömd och utanför.

Han knackar på, men inget händer.

Sedan dunkar han med handen – men musiken bara fortsätter. Till slut drar han upp dörren och sticker in huvudet.

Musiken tystnar. Först gitarrerna, sedan trummorna. Fyra huvuden vrids mot honom.

”Hallå, Jan.”

Det är Rettig som hälsar, efter en viss tystnad.

”Hallå, Lars. Skulle vi kunna prata lite?”

”Visst. Kom in.”

”Jag menar … bara du och jag?”

Jan känner sig utstirrad. Musikerna bakom Rettig har stannat i en rörelse, de står med sina instrument redo och stirrar på Jan. Trummisen Carl är ett nytt ansikte, men Jan tycker att han har sett honom förr.

”Okej”, säger Rettig. ”Vänta lite, så kommer jag.”

De fyras gäng, tänker Jan. Kanske är medlemmarna i Bohemos vårdare på Sankta Psyko, allihop.

Jo, han känner igen Carl nu. Vakthunden med de stora käkarna. Det var han som tog emot lilla Josefine utanför hissen, med tårgas i bältet.

Carl stirrar bistert mot dörren. Jan drar sig bakåt, men vakten har säkert redan sett honom.

Rettig kommer fram.

”Jag hinner inte prata så länge, Jan, bara några minuter … Vi går ut.”

De går tio meter bort på den tomma trottoaren innan Rettig stannar.

”Okej, då kan vi prata.”

Jan har svårt för konfrontationer och att ställa folk mot väggen, men han samlar sig:

”Vem var det som dog i natt?”

Rettig bara tittar på honom.

”Vem som *dog*?”

”Vi fick veta det i morse, att någon hade dött på Patricia.”
Rettig verkar tveka, innan han nickar.
”Det var en patient.”
”Kvinna eller man?” frågar Jan.
”Man.”
”En brevskrivare?”
Rettig ser sig om. Sedan lutar han sig framåt.
”Prata inte om det.”
Han ler mot Jan, men det är ett spänt leende.
Jan undrar om Rettig vet om att han smög in ett extra brev i kuvertet, en hälsning till patienten som han tror är Alice Rami. Risken finns.
”Jag vill bara veta vad breven är till för”, säger han. ”Varför de är viktiga för dig. Kan du berätta det?”
Rettig svarar inte först. Sedan sänker han blicken.
”Min bror sitter inne”, säger han. ”Min halvbror, Tomas.”
”Uppe på sjukhuset?”
Rettig skakar på huvudet.
”På kåken. Tomas sitter i Kumlabunkern, åtta år för grovt rån. Och *han* vill gärna ha brev, många brev... men de flesta stoppas. Och jag kan inte ha någon kontakt alls med honom, för då ryker mitt jobb.” Han suckar. ”Så jag gör något i smyg för stackarna uppe på Patricia i stället.”
Jan nickar. Det kanske stämmer.
”Men han som dog... var det en av brevskrivarna?”, säger Jan igen. ”Eller någon som fick brev i natt?”
”Nej.” Rettigs röst låter trött när han svarar: ”Det var en tvångsintagen pedofil, helt utan brevvänner. Han hade bara en enda kompis kvar i livet, och det var ett huvud som satt fastvuxet på hans axel. Han var tyst och trevlig, men hans extrahuvud var inte snällt. Det var förstås bara han själv som kunde se det... men killen sa att det var det huvudet som fick honom att vilja göra saker med småflickor. Han hade ingen kontakt med någon utanför Patricia... inte ens hans advokat orkade besöka honom, så han deppade ihop mer och mer.”
”Vad gjorde han?”

Rettig rycker på axlarna.

”Tja, i morse fick han ny energi … Då lyckades han och hans båda huvuden ta sig in i ett rum utan galler för fönstret. Sen slängde de sig ut och rakt ner på stenaltanen, från femte våningen.”

”I morse?”

Rettig nickar och tar ett steg tillbaka mot replokalen. Han vrider huvudet mot Jan.

”Vi hittade honom vid halvsju, men doktorn trodde att han hade hoppat ut vid fyratiden … Det är då ensamheten är som störst på jorden, eller hur?”

Jan har inget svar på det – han mår dåligt av att höra om självmordet, som om det var hans fel.

”Jag vet inte”, säger han bara. ”Jag sover då.”

26

BETONGMUREN VID FÖRSKOLAN INGER en känsla av hopplöshet. Hopplöshet och brutalitet. De känslorna fyller Jan ibland när han stirrar på muren, så ofta när han är ute på gården med barnen tittar han bort mot förskolans andra grannar. Bort mot radhusen.

Där pågår vardagen – bilar kommer och åker, barn går till skolan, ljus tänds i sovrummen på morgonen och släcks på kvällen. Det finns dagliga rutiner som följs där borta också, precis som på förskolan.

Det är mitten av oktober och mörka moln drar in över kusten. Barnen är ute och leker, men plötsligt börjar iskalla regndroppar smattra ner på gården, så Jan tar snabbt in dem till lekrummet. Det är ändå snart dags för hälsokontroll. Hanna Aronsson, som visar sig vara sjukvårdsutbildad, tar in barnen ett efter ett i personalrummet och går igenom dem som små urverk, hon studerar deras pupiller och mäter deras blodtryck och hjärtslag.

”Friska som små nötter”, säger hon efteråt.

Jan nickar – men heter det inte friska som *nötkärnor*?

Efter det samlas de i kuddrummet, där Marie-Louise leder veckans förslagsrunda. Barnen har alltid många önskemål.

”Jag vill ha ett husdjur”, säger Mira.

”Jag med!” ropar Josefine.

”Varför då?” frågar Marie-Louise. ”Ni har ju era gosedjur.”

”Vi vill ha *riktiga* djur.”

”Djur som rör sig!”

Mira tittar med bedjande blick på Marie-Louise och Jan.

”Snälla ... kan vi inte få ett husdjur?”
”Jag vill ha pinnar!” ropar Leo. ”Vandrande pinnar!”
”En hamster”, säger Hugo.
”Nä, jag vill ha en katt”, säger Matilda.
Barnen är uppspelta, men Marie-Louise ler inte åt önskemålen.
”Man måste ta hand om djur”, säger hon.
”Men vi *ska* ta hand om dem!”
”Man måste ta hand om dem hela tiden. Och hur ska vi göra när ingen är här på Gläntan?”
”Då får de bo här *själva*, i en bur”, säger Matilda och ler. ”Vi låser in dem med en massa mat och vatten!”
Marie-Louise ler inte, hon skakar bara på huvudet.
”Djur ska inte lämnas inlåsta.”

På kvällen är Jan ensam med två av barnen, och båda somnar snabbt. Från och med den här veckan är det bara Mira och Leo som övernattar på förskolan, för Matilda har fått en fosterfamilj som hämtar henne vid femtiden varje dag. Det är en äldre kvinna och en man med grå keps, de verkar lugna och vänliga.

Jan kan bara hoppas att de är det. Men hur ska man veta? Han tänker på vad Rettig hade sagt om patienten som tog livet av sig: *Han var tyst och trevlig, men hans extrahuvud var inte snällt.*

Man måste våga lita på människor. Eller hur? Själv är Jan mycket pålitlig – utom de få minuter på kvällen när han lämnar de sovande barnen ensamma och tar hissen upp till sjukhuset.

Det gör han i kväll, med bultande hjärta. Minnet av hur han hörde någon åka ner med hissen och gå ut genom förskolan finns kvar, men det har varit lugnt efter det och han har nästan lyckats glömma den natten.

I det tomma besöksrummet ökar hans puls, för där under soffan ligger ett nytt stort kuvert med uppmaningen ÖPPNA OCH POSTA!

Jan vill öppna brevet redan nere i personalrummet på förskolan, men han kan inte ta den risken – klockan är tjugo i tio och Hanna kan komma in vilken minut som helst för att avlösa honom.

Och det gör hon, hon kommer in från kylan tio minuter i tio.

"Allt lugnt?"

Hon har röda kinder mellan de blonda hårslingorna som faller ut ur yllemössan, hon verkar ovanligt uppspelt. Jan nickar bara mot henne och drar på sig jackan.

"De somnade vid halvåtta. Det är lugnare på kvällarna, nu när de bara är två."

"Jo", säger Hanna.

Jan har inget mer att säga till henne och lyfter upp sin väska med det gömda kuvertet – men plötsligt känner han att han har kvar ett av magnetkorten till källardörren i bakfickan. Han stängde dörren när han kom tillbaka från besöksrummet, men glömde att lägga tillbaka det i kökslådan.

Idiot.

Han vänder om mot personalrummet.

"Jag tror jag glömde en sak..."

"Vadå?" frågar Hanna.

Men han är redan ute i köket.

"Glömde du kortet?"

Det är Hanna som frågar bakom honom, hon är fortfarande klädd i läderkappa och mössa. Kinderna är mindre röda nu.

"Ja... just det." Jan stänger lådan och rätar på sig. "Efter sista överlämningen, i eftermiddags."

"Det har jag också gjort."

Jan vet inte om hon verkligen tror honom, men vad kan han göra åt det? Ingenting, bara nicka och gå ut genom dörren. Kuvertet från sjukhuset har han i alla fall inte glömt, det ligger gömt i hans väska.

Hans fingrar sliter snabbt upp kuvertet i köket så fort han har kommit hem; de darrar när de bläddrar bland breven på bordet. Det här är inte nervositet, det är förväntan. Han vågar inte tro att han redan kan ha fått svar från Rami, men –

Jo, det finns ett brev utan avsändare, adresserat till Jan på den fejkade adressen. Rettig har släppt igenom det, om han nu över huvud taget upptäckte det.

Jan tar det och lägger det åt sidan. Resten av de tjugotre breven samlar han ihop och lägger ute i hallen, han ska gå ut och posta dem sent i natt. Men först öppnar han brevet till sig själv.

Det är bara ett enda vitt pappersark inuti, och på papperet står tre meningar hårt textade med blyerts, utan underskrift:

EKORREN VILL KLÄTTRA ÖVER STÄNGSLET.

EKORREN VILL LÄMNA HJULET.

VAD VILL DU?

Jan lägger försiktigt brevet framför sig. Så hämtar han ett eget vitt papper och sätter sig för att börja skriva ett svar. Men vad ska han kalla henne? Alice? Maria? Eller Rami? Till slut skriver han bara några korta meningar, så prydligt och läsbart som möjligt:

Jag vill vara fri, jag vill vara en solstråle att hänga rena lakan på. Jag är en mus som gömmer mig i skogen, jag är en fyrvaktare i ett stenhus, jag är en herde som tar hand om vilsna barn.

Jag heter Jan.

Jag var din granne för femton år sedan.

Minns du mig?

Det är allt han skriver just nu – han kan ändå inte skicka något brev till Rami innan det är dags för nästa leverans.

Rami måste minnas *var* de var grannar och *när* de var det. Hon måste minnas tiden på Bangen.

Jan har alltid haft långärmade tröjor och skjortor sedan dess. Nu drar han upp sin högra tröjärm och tittar på det tunna rosa strecket som följer blodådrorna. Hans egen märkning, hans minne från skoltiden.

Han hade lika gärna kunnat dra upp den vänstra ärmen; för rakbladet har lämnat långa ärr längs båda underarmarna.

BANGEN

Det första Jan hörde när han vaknade upp var sorgsen musik.

Långsamma gitarrackord i moll. De lät nära, de kom från andra sidan väggen och bara fortsatte. Någon satt och spelade där, samma enkla ackord om och om igen.

Själv låg han i en säng, en stadig säng med sträva lakan. Han öppnade ögonen och såg breda gavlar av rostfritt stål.

En sjukhussäng.

Väggarna ovanför sängen var höga och vita.

Det var ett sjukrum.

Han lyssnade och lyssnade till gitarrmusiken och kunde inte röra sig; hans ben och armar hade ingen kraft. Magen och huvudet bultade.

Hans hals mindes slangar – mjuka slangar som slingrade sig ner för att suga upp sörjan i tarmarna. En smak av galla, en doft av sur mjölk.

Magpumpning, så funkar det. Det var hemskt. Hans tömda magsäck värkte och kändes som en ballong, den tryckte sig upp mot halsen. Han ville kräkas, men orkade inte.

Han hörde röster närma sig, men han slöt ögonen och försvann bort igen.

När Jan vaknade nästa gång hade gitarrmusiken tystnat. Då blundade han igen, och när han tittade upp stod en lång man med långt hår och brunt skägg lutad över honom.

Han såg ut som Jesus, klädd i en t-tröja med gul smileyfigur på bröstet.

”Hur mår du, Jan?” Hans röst ekade. ”Jag heter Jörgen … Hör du mig?”

”Jörgen”, viskade Jan.

”Just det, Jörgen. Jag är skötare här … Mår du bra?”

Han mådde inte bra, men nickade. *Skötare*, tänkte han. Djurskötare, eller vilken sort?

”Din mamma och pappa har åkt hem”, sa mannen. ”Men de kommer tillbaka … Minns du vad de heter?”

Jan var tyst, han tänkte efter. Det var konstigt. Han mindes mammans och pappans malande röster, men inga namn.

”Inte det?” sa Jörgen. ”Minns du vem du själv är, då? Vad heter du?”

”Jan … Hauger.”

”Bra, Jan. Vill du duscha nu?”

Jan stelnade till i sängen.

Inte duscha. Han skakade på huvudet.

”Okej … Fortsätt sov då, Jan.”

Jörgen gled bakåt, bort från sängen och ut ur det darrande rummet.

Tiden gick. Jan hörde ett klickande ljud. När han lyfte på huvudet såg han att dörren till hans rum stod på glänt. Något rörde sig därute. Ett djur? Nej. Ett ljust ansikte tittade in på honom – en lång och smal flicka i hans egen ålder, med kritvitt hår och bruna ögon. Hon stod där och såg på honom. Inte vänligt, inte elakt.

Jan svalde, hans mun var torr. Han försökte lyfta på huvudet och sa: ”Var är jag?”

”På Bangen”, sa flickan.

”På bunkern?”

Flickan skakade på huvudet.

”Bangen.”

Jan sa inget. Han förstod inte det sista ordet.

Flickan var också tyst och fortsatte titta på honom, innan hon plötsligt sträckte in armarna i dörröppningen och siktade med en liten svart låda mot honom. Det small till – han fick en blixt i ansiktet.

Han blinkade.

”Vad gör du?”

”Vänta lite”, sa hon.

Så drog hon fram en ruta av papper ur kameran, tog två steg till in i rummet och slängde det bredvid kudden på hans säng.

”Här är du”, sa hon lågt.

Jan tittade på pappersarket, plockade upp det och såg plötsligt hur en bild började framträda. Det var en sådan där bild som framkallade sig själv, och nu såg han ett blekt ansikte och en smal kropp som tog form. Det var han själv, ensam och rädd i en sjuksäng.

”Tack”, sa han lågt.

Men när han tittade upp mot dörren var flickan försvunnen.

Det var tyst någon minut, sedan började gitarren spela igen.

Jan mådde lite bättre och satte sig upp. Lampan i taket var släckt och persiennen neddragen, men han kunde se att sängen stod i ett kalt litet rum – nästan en cell – med ett skrivbord och en stol där hans jeans och t-shirt låg hopvikta. Hans skor stod på golvet, men någon hade tagit bort snörena i dem.

Hans armar kliade, han rörde vid dem och kände bomullsbandage. De hade lindats runt underarmarna, som på en mumie.

Någon hade räddat honom och nu hade han vaknat, trots att han ville fortsätta sova. Sova, sova, sova på Bangen.

Bangen?

Det var ett smeknamn, det fick han veta ett par dagar senare. Det långa namnet *Barn- och ungdomspsykiatriska kliniken* hade någon gång i tiden börjat kortas ner för att spara tid.

Vad det än kallades, så var Bangen ett hus för de störda och vilsna.

LODJURET

Jan hade lett den lilla gruppen med poliser och daghemspersonal rakt upp i skogen, men vikt av efter några hundra meter, längre och längre bort från platsen där kurragömmaleken hade startat.

Polisbefälet stod bredbent på stigen och hade hårda ögon, tyckte Jan.

”Var det här han försvann?”

Jan nickade.

”Du är helt säker på det?”

”Ja.”

Befälet var minst en och nittio meter lång och klädd i svarta kängor och mörkblå overall. Med sig hade han fem kollegor som hade anlänt till vägen nedanför skogen i tre radiobilar.

Williams pappa var inte med i skogen – han hade åkt för att hämta sin fru. Jan hade fått en skymt av hans blick utanför dagiset, den var stel och skräckslagen.

Befälet fortsatte titta ner på Jan.

”Så du hade alltså *nio* barn när du började leken här … och *åtta* när du slutade den?”

Jan nickade.

”Just det. Nio pojkar, från början.”

”Såg du inte att en av dem saknades?”

Jan tittade åt sidan och undvek polisens blick. Han behövde inte spela nervös nu – han *var* det.

”Nej, jag såg tyvärr inte att … Det var tyvärr väldigt stökigt i gruppen, både när vi gick upp i skogen och när vi gick hem. Och den här pojken, William, han var inget lodjur.”

”Lodjur? Vad menar du?”

”Min dagisavdelning kallas det, Lodjuret.”

”Men du hade ju ansvar för honom i dag, under utflykten?”

”Jo, det hade jag.” Jan nickade uppgivet. ”Jag och Sigrid.”

Han tittade bort på henne. Sigrid Jansson var också med i skogen och stod bland granarna ett tiotal meter bort, skärrad och rödgråten. När poliserna hade anlänt till daghemmet och börjat ställa frågor hade hon mer eller mindre brutit ihop – så befälet riktade in sig på Jan.

”Och när William skulle gömma sig … Åt vilket håll gick han?”

”Däråt.”

Jan pekade söderut. Även om fågelsjön inte syntes så visste han att den låg åt det hållet – i rakt motsatt riktning mot hur William egentligen hade sprungit.

Polisbefälet rätade på ryggen. Han skickade ner en man för att leta inuti och omkring dagiset, och såg sedan på de andra:

”Okej allihop, då rör vi på oss!”

Gruppen spred ut sig och satte igång, men Jan och alla andra visste att de hade ont om tid för sökandet. Klockan var tio över fem och höstsolen hade gått ner nu – det var grått och dunkelt mellan granarna. Om en halvtimme skulle ljuset försvinna, och om en timme skulle det vara kolmörkt.

Jan gick så rakt som möjligt mellan granarna, och tycktes leta lika noga som alla andra. Han ropade på William och såg sig omkring, men visste förstås att de sökte på helt fel ställe. Han ropade, men hela tiden tänkte han på hur tjocka betongväggarna var i bunkern.

27

DET DRÖJER FYRA DAGAR innan Rettig levererar något nytt kuvert till Jan. Men innan dess får Jan möta den nattliga besökaren på förskolan.

Solen lyser de här dagarna i oktober och livet ser bättre och bättre ut – skuggorna från Bangen och Lodjuret tunnas sakta ut. Jan tycker själv att han är en *totalt* pålitlig arbetskamrat vid det laget, populär både bland barnen och bland kollegorna. Breven som han smugglar in på Sankta Psyko kan faktiskt inte ändra det faktum att han är en duktig förskollärare.

Han *gillar* ju barnen. Kanske är det skuldkänslor, eller rädsla för att bli upptäckt, som får honom att arbeta så bra för *barnens välbefinnande, trygghet och byggandet av en fast grund för deras livslånga lärande* och *deras utveckling till ansvarskännande och etiskt reflekterande medborgare,* och alla andra fina saker som han fick lära sig på yrkesutbildningen.

Den övriga personalen smyger ut från Gläntan ibland för att få lite frisk luft eller ta en rökpaus, men Jan stannar hela tiden hos barnen. Han skojar med dem, lyssnar på dem, lugnar dem, torkar tårar och reder ut alla små dispyter. Han ägnar särskilt mycket tid åt lille Leo, för att vinna hans förtroende.

Ibland när han är mitt i leken ser han ingen skillnad mellan barnen och sig själv. Åren faller undan, han är fem eller sex år gammal och kan leva helt i nuet. Inga krav, ingen oro för framtiden eller ångest över ensamheten. Bara glada rop och en varm känsla av hänförelse. Livet håller på, *här och nu.*

Men ibland får han en skymt av någon som rör sig bakom Patricias stängsel, och då hejdar han sig i leken och tänker på Rami.

Rami som djurskapare, Rami som ett djur i en bur.

I en djurpark lever rovdjuren inspärrade med växtätarna. Men skillnaden mellan de farliga och de fromma djuren är alltid svår att se.

Ekorren vill bli fri, skrev Rami. Och själv vill han ta sig in på Sankta Psyko och träffa henne. Han vill prata med henne, precis som förr.

"Jan!" ropar barnen. "Titta här, Jan!"

Förr eller senare drar något barn i hans arm och han är tillbaka på förskolan.

Det blir eftermiddag och solen försvinner ner bakom de kala träden i väster. Hösthimlen blir snabbt mörk. Jan har ett sista kvällspass kvar, innan han får ledigt i fyra dagar.

Han lägger barnen och blir avlöst vid halv tio. När han strax innan dess råkar kasta en blick ut mot framsidan av förskolan ser han en kvinna och en man komma gående ute på gatan, sida vid sida.

Kvinnan är Lilian, ser han. Men vem är mannen? De går så nära varandra att de ser ut som ett äkta par, men Lilian är väl skild?

Jan ser mannen krama om henne utanför förskolan, vända om och försvinna i mörkret.

Lilian verkar trots kramen inte glad när hon kommer in genom dörren, hon har en rynka i pannan. Själv är Jan lugn – han har ägnat sig helt åt barnen den här kvällen.

"Är det kallt ute?" frågar han.

"Va?" säger Lilian. "Ja ... jo, det är rätt kallt. Det är ju snart vinter."

"Typiskt", säger han. "Jag har långledigt nu. Jag ska resa bort."

"Bra."

Lilian frågar inte vart, hon verkar stressad. Hon hänger av sig jackan i kapprummet, tittar trött på klockan och sedan på Jan.

"Jag blev lite tidig", säger hon, "men du kan gå nu."

Jan tittar på henne.

"Jag kan stanna lite till."

"Nej, gå du", säger hon lågt. "Jag klarar mig."

Lilian skyndar förbi honom och bort mot köket. Rynkan i hennes panna finns kvar och hon har inte ställt en enda fråga om barnen.

Jan tittar efter henne, länge.

"Okej", säger han bakom henne, "jag går, då."

Och han tar på sig jackan och skorna och tar ut sin väska ur skåpet med stora rörelser, så att hon ska höra honom. Det är nästan som teater.

"Nu går jag... Hejdå!"

"Hej", svarar hennes röst.

Han slår igen ytterdörren bakom sig. Det *är* kallt ute nu när solen är borta, och när han kliver bort från Gläntans ytterbelysning är det som att kliva ner i en djup damm; det blir helt svart ute på gården. Men hans ögon vänjer sig sakta, och ute på gatan ser han en gestalt klädd i mörk dunjacka och en svart tyghuva närma sig från busshållplatsen.

Skuggan är på väg mot förskolan. På väg mot honom.

Jan drar sig åt sidan, instinktivt Han gömmer sig bakom barnens redskapsförråd, väntar och lyssnar.

Han hör grinden rassla till, och stängas.

Förskolans ytterdörr dras upp, och slår igen.

Jan kliver fram igen. Gården är tom.

Till vänster om förrådet ser han träställningen med de tre gungorna – de vajar sakta i kvällsvinden. Han går bort och sätter sig i den största av dem, ett gammalt gummidäck.

Jan sticker in händerna i jackfickorna, och väntar. På vad? Han är inte säker, men han är varmt klädd och kan sitta här en stund.

Han sitter orörlig i gungan och ser bort mot sjukhuset och det belysta stängslet. Då och då tittar han på förskolans upplysta fönster, och en gång ser han Lilian snabbt skynda förbi ett av matsalsfönstren. Hon är ensam, ingen besökare syns till.

Klockan blir kvart över tio. Inget händer. Borta i husen på andra sidan åkern börjar ljusen släckas när kvällströtta mammor och pappor går och lägger sig. Jan huttrar till och ruskar på sig, men sitter kvar i gungan.

Tio minuter senare fryser han för mycket, och börjar tröttna. Han ska just resa sig – men då öppnas entrédörren till förskolan.

Jan sitter orörlig. Han ser en gestalt kliva ut på trappan.

Det är inte Lilian som står där, det är besökaren i dunjackan och huvan. En smidig gestalt som rör sig snabbt från förskolan.

Gestalten tittar inte bort mot gungorna, utan går raka vägen nedför gången och ut genom grinden. Jan hör ljudet av hårda klackar som skrapar över asfalten.

Han reser sig försiktigt och tar några steg mot grinden.

Figuren i dunjackan har kommit fram till den första gatlyktan. Den vrider på huvudet och spanar mot sjukhuset, samtidigt som en cigarettändare flammar till – och i skenet ser Jan att det är hans kollega Hanna.

Hanna Aronsson. Yngst bland Gläntans personal, och tystast också. Ända sedan kvällen när de båda gick hem från Bills bar har hon knappt pratat med Jan. Och han i sin tur har undvikit henne, efter vad han i berusningen råkade berätta om Lodjuret och William den kvällen.

Jan låter sin cykel stå kvar vid grinden. I stället följer han tyst efter Hanna ut på vägen, utom räckhåll för gatlyktornas ljuscirklar.

Hon är på väg mot busshållplatsens vindskydd. Hon stannar där och fortsätter suga på sin cigarett.

Jan stannar också, femtio meter bort.

Vad ska han göra? Han måste bestämma sig, innan bussen kommer – och till slut går han fram till busskuren med ett spänt leende på läpparna.

”Hallå, Hanna!”

Hennes blå ögon tittar upp och fryser fast på honom. Han får inget leende tillbaka.

”Hej.”

Jan ställer sig ett par steg ifrån henne och andas ut.

”Jaha. Då har man jobbat färdigt.”

”Jaså”, säger Hanna.

”Och du?” säger Jan. ”Vad har du gjort i kväll?”

Hon fortsätter stirra på honom, utan att svara, så han försöker igen:

”Vart ska du?”

Hanna släpper cigaretten och stampar på den.
”Hem.”
Jan sänker rösten, trots att de är ensamma i busskuren:
”Har du varit på sjukbesök?”
Han får inget svar nu heller. Ett mullrande hörs bakom dem – det är bussen mot centrum som närmar sig.
Stadsbussen stannar, de kliver på. Hanna går längst bak i bussen, och ser sig snabbt över axeln som om hon vill komma bort från Jan. Men han följer efter och sätter sig på platsen bredvid henne.
Bussen är nästan tom. Jan lutar sig närmare och frågar:
”Kan vi prata lite först, Hanna? Innan du åker hem?”
”Prata om vadå?”
Han nickar bakåt, mot Sankta Patricia.
”Om vad du gör däruppe.”

28

Jan och Hanna hamnar på Medina Palace – det är hon som föreslår att de ska gå dit. Nattklubben ligger i källaren på Vallas enda lyxhotell Tureborg, ett höghus av glas och stål som verkar längta efter att bli en riktig skyskrapa. Som förskollärare direkt från jobbet är de inte riktigt klädda för det stället, och Jan har dessutom tydliga mjölkfläckar på tröjan efter ett glas som Matilda råkade välta över honom vid frukosten. Den kostymklädde dörrvakten öppnar dörren för dem, med viss tvekan.

”Brukar du gå hit?” frågar Jan.

”Ibland.”

Hanna har hunnit röka två cigaretter sedan de klev av bussen, hon svarar lågt på hans frågor och tittar ner i golvet när de kliver in på klubben.

In i ett stort lekrum.

Själv har Jan aldrig varit på en riktig nattklubb, inte ens i Göteborg – och när han ser de höga svarta taken med långa böjda rör och väggarna av kalla metallytor vet han att det inte är meningen att han ska vara där. Men det är få gäster på klubben den här torsdagskvällen. Musiken är låg nog för att de ska kunna prata, men hög nog för att ingen ska kunna tjuvlyssna.

Jan väljer ett glasbord i ett hörn – ett undanskymt bord för hemligheter.

”Vill du ha något?”

”En drink”, säger Hanna lågt. ”Med juice.”

Jan går iväg till bardisken. Utbudet är lyxigare än på Bills bar ser han – det är fler drinkar, och champagne och konjak. Han köper två glas apelsinjuice, men när han kommer tillbaka till Hanna smakar hon på drycken och ser besviken ut. Hon nickar mot baren.

”Jag sa ju *drink*… Kan du be dem hälla i något?”

”Vadå?”

”Typ, nåt lugnande.”

Jan ser på henne.

”Du menar sprit, eller hur?”

”Det blir bra.”

Fem minuter senare sitter de med varsitt drinkglas mellan sig, och en stor tystnad.

”Så du smög på mig i kväll”, säger Hanna till slut.

”Smög och smög…” Jan tittar ner i sitt glas. ”Jag tyckte Lilian verkade lite spänd när hon kom. Så jag väntade på gården och försökte få veta varför.”

Hanna tittar ner i bordet.

”Visste du att jag var uppe på sjukhuset?”

”Nej”, säger Jan, ”men jag vet att *någon* har varit där och sen gått ut genom förskolan, så jag har funderat på vem… Har du varit där många gånger?”

Hanna tar en djup klunk ur glaset, som om vodkajuicen var en hälsodryck efter ett bastubad. Jan dricker en liten klunk.

”Några gånger”, säger hon lågt. ”Jag har inte räknat.”

”Och hur länge har du hållit på?”

”Sen i maj”, säger hon. ”Jag hade jobbat på Gläntan i fyra månader då.”

”Och Lilian vet om att du är där?”

Hanna blinkar med de blå ögonen. Hon verkar fundera på vad hon ska berätta, och till slut säger hon:

”Jo. Vi är ju kompisar, så hon håller vakt för mig… Jag går bara upp dit när hon jobbar kvällspass.”

”Inte bara då”, säger Jan. ”Du var däruppe en kväll när jag jobbade. Jag hörde dig komma ner med hissen. Sen gick du ut genom förskolan.”

”Jo… jag blev sen den kvällen.”

”Och du var i besöksrummet på sjukhuset i kväll också?”

Hanna nickar tyst.
”Vad *gör* du däruppe?”
Nu svarar hon inte.
”Du träffar någon, eller hur? Är det en vakt?”
Hanna dricker ett par klunkar och tittar ner i det halvtomma glaset. Sedan byter hon ämne:
”Jag blir så himla trött på barnen ibland. Ibland är det kul att jobba, men jag kan få panik ibland när jag har varit med dem för länge. De vill bara göra samma saker, om och om igen. Samma lekar ...”
Jan har faktiskt aldrig sett Hanna *leka* med barnen på förskolan, hon brukar oftast bara stå och titta på dem när de själva leker. Men han nickar.
”Alla känner så ibland. ”
Hanna suckar.
”Jag känner så ofta. Jag klarar liksom inte av flockar av barn.”
Jan ser Gläntans barn inne i huvudet. Leende ansikten. Josefine, Leo och alla de andra.
”Man ska inte se dem som en flock”, säger han. ”De är individer. Små personligheter.”
”Jaså? De låter som apor i alla fall. Det är ett himla skränande på Gläntan, jag är typ helt lomhörd när jag kommer hem på kvällen ...”
Hanna dricker ur sitt glas, det blir tyst. Jan reser sig.
”Jag köper ett par till.”
Hon protesterar inte, och några minuter senare är han tillbaka med nya vodkadrinkar. När han sätter sig vill han återvända till det tidigare samtalsämnet, så han ser sig om innan han frågar:
”Men du känner någon uppe på kliniken, eller hur?”
Hanna tvekar, men nickar.
”Vem då?”
”Det säger jag inte ... Vem träffar du själv?”
”Ingen”, säger Jan snabbt. ”Inga patienter.”
”Men du vill ju komma in till dem, eller hur? Du var ju nere i källaren när jag kom tillbaka genom slussen den där kvällen ... Varför smyger du runt därnere?”
Nu är det Jan som är tyst.

”Nyfikenhet”, säger han till slut.

”Säkert.” Hanna ler trött mot honom. ”Men det är ingen idé att du letar efter en väg in därnere.”

”Jaså? Men du tar dig genom slussen utan problem?”

Hon nickar snabbt. Vodkan verkar få henne att slappna av.

”Jag har en kontakt”, säger hon. ”På kliniken, alltså... Nån jag litar på.”

”En vakt, alltså?” säger Jan, och tänker direkt på Lars Rettig.

”Typ en vakt, ja.”

”Vem?”

”Säger jag inte.”

Det här är som att spela schack, tycker Jan. Schackspel på en nattklubb.

Musiken har skruvats upp nu, men den stora lokalen verkar inte lika stor längre. Fler gäster har kommit in och börjat fylla borden och bardisken. Så är det förstås, Medina Palace är en nattklubb med betoning på *natt* – folk kommer hit sent, och nu är de här för att stanna. Nattmänniskorna.

Men Jan och Hanna får fortfarande vara ifred vid sitt bord, och de sitter nära varandra nu, som om de varit vänner sedan barndomen.

”Du och jag borde också lita på varandra”, säger han.

Hennes blå ögon är svala.

”Varför det?”

”För att vi kan hjälpas åt.”

”Hurdå?”

”Ja, på olika sätt...”

Jan tystnar. Han har insett att Hanna kanske kan hjälpa honom att träffa Rami, men vet inte hur.

Fortsatt tystnad. Hannas glas är tomt, hon ser på sin klocka.

”Jag måste gå.”

Hon börjar resa sig, lite ostadigt.

”Vänta”, säger Jan snabbt. ”Vänta lite. Jag köper mer... Gillar du likörer?”

Hanna sätter sig.

”Kanske.”

”Bra.”

Han är snabbt framme vid baren igen, lika snabb som Ramis ekorre, och tillbaka igen med fyra små glas på en bricka. En dubbel sats kaffelikör, för att spara tid.

”Skål, Hanna.”

”Skål.”

De dricker, det smakar sött och världen blir ännu mer inbäddad i bomull. Musiken dunkar högre, och han lutar sig fram.

”Vad tycker du om Marie-Louise, då?”

Hanna ler lite.

”Fru Kontroll”, säger hon och fnissar. ”Hon skulle få blodstörtning om det där som du berättade hände hos oss.”

”Vad berättade jag?”

”Det där … om pojken som försvann i skogen.”

Jan nickar kort, men tittar ner i bordet. Han vill inte prata om William, så han byter ämne:

”Är Lilian gift?”

”Nej. Hon var det, men det gick inte … Hennes man tröttnade, typ.”

Jan frågar inte mer. Han undrar bara vem mannen var som lämnade av Lilian i kväll på förskolan. Har hon en ny man?

Det blir tyst igen, men det är bra för då kan Jan dricka lite mer. Han försöker skärpa sig, och ser på Hanna över glaset.

”Ska vi leka?”

Hanna tömmer sitt eget glas.

”Leka vadå?”

”En gissningslek.”

”Om vadå?”

”Jag gissar vem *du* träffar på Sankta Psyko … och du gissar vem *jag* vill träffa där.”

”Sankta … Vi ska inte säga det namnet.”

”Jag vet.” Jan ler konspiratoriskt. ”Okej, jag börjar … Är det en man?”

Hanna ser på honom genom berusningen, sedan nickar hon kort.

”Och din?” säger hon. ”Är det en kvinna?”

Jan nickar, och kontrar:
”Är det någon från ditt förflutna? Någon du kände innan han hamnade på Sankta Psyk... på Sankta Patricia?”
Hon skakar på huvudet.
”Och du? Kände du den här kvinnan?”
Jan nickar, och dricker.
”Jag har träffat henne förut... för många år sen.”
”Är hon kändis?” frågar Hanna och ler.
”Kändis?”
”Ja. Har hon blivit omtalad, med namn och bild i tidningarna? För något brott?”
Jan skakar på huvudet, utan att ljuga. Rami var ju aldrig *kändis*, inte som brottsling. Hon var inte speciellt känd över huvud taget – vad han vet var hon inte i teve en enda gång. Han lyfter glaset mot Hanna.
”Och din kompis därinne”, säger han. ”Är han känd?”
Hanna slutar le, hon tittar åt sidan.
”Kanske”, säger hon lågt.
Jan fortsätter att titta på henne. Plötsligt får han ett annat namn i huvudet, ett välkänt namn – men det är så dumt att han nästan skrattar.
”Är det kanske Rössel? Ivan Rössel?”
Hanna stelnar till – och plötsligt är det inte roligt längre.
Jan sänker sitt glas.
”Det är väl inte honom du träffar däruppe, Hanna... mördaren Rössel?”
Hon öppnar munnen och tvekar några sekunder, sedan reser hon sig.
”Nu måste jag gå.”
Och det gör hon – hon går utan att säga något mer. Jan vrider på huvudet och tittar efter henne, en ljuslockig förskolefröken med rak rygg, snabbt på väg mot utgången.
Själv sitter han kvar, med ett glas i handen. Det är tomt, men på andra sidan bordet står Hannas sista likörglas kvar orört, så Jan sträcker ut handen och tömmer det också. Det smakar hemskt, han dricker ändå.

Sedan tittar han tomt framför sig och minns plötsligt vad Lilian sa om Hanna Aronsson: *Hon är ung och lite galen, och har ett spännande privatliv.*

Lite galen? Det måste hon vara, om hon smyger in på Sankta Psyko och umgås med Ivan Rössel.

Barnamördaren.

Han minns att en tidning hade kallat honom det, och att en annan hade döpt honom till *Ivan den förskräcklige.*

Vad gör Hanna med Rössel?

29

Ivan Rössel småler mot Jan, som om de är goda vänner. Han har breda axlar och lockigt svart hår som faller ner över pannan, han liknar en medelålders rockstjärna. Under luggen finns den nöjda blicken hos en man som verkar gilla att bli fotograferad. Eller som tycker att han är smartare än fotografen.

Det är polisen som har tagit bilden. Den finns på Jans datorskärm. Rössel var inte rockmusiker när polisen grep honom, eller någon sorts kändis – han var högstadielärare i ämnena kemi och fysik i en skola här på västkusten. Ogift och utan närmare vänner. Rössel var populär bland eleverna, medan en del kollegor tyckte att han kunde vara arrogant och skrytsam.

Hans gamla mor har också uttalat sig i olika tidningar, hon beskriver honom som ”en fin pojke med ett gott hjärta”.

De flesta artiklar som Jan hittar om Rössel på nätet handlar förstås om de mord på unga kvinnor och män som läraren begick på olika platser i södra Sverige och Norge, eller åtminstone misstänks för.

Barnamördaren hade han kallats, men det var tonåringar han misstänktes för. Och det enda han faktiskt är dömd för är en serie mordbränder.

Rössel var pyroman – i alla fall brann det märkligt ofta i hus och affärer i hans omgivning, två gånger med dödsfall som följd. Någon bröt sig in nattetid, stal pengar och värdesaker, och tände sedan eld på huset.

Först när Rössel var gripen och dömd till rättpsykiatrisk vård för bränderna och stölderna började polisen undersöka en annan märklig omständighet; att tonåringar ibland hade mördats eller försvunnit spårlöst i trakter där Rössel hade befunnit sig.

Mycket av mordutredningarna hålls hemliga, men tidningarna upprepar gång på gång de få offentliga detaljer som finns. Ivan Rössel var inte bara lärare, han var också entusiastisk långtidscampare. Han ägde en stor och ljudisolerad husvagn som han brukade ställa upp i ett undanskymt hörn av någon svensk eller norsk camping tidigt på sommaren. Sedan bodde han där fram till terminsstarten, höll sig mest för sig själv men gjorde många utflykter i omgivningarna. Samtidigt hittades flera tonåringar mördade i trakten, och en ung man försvann spårlöst. Det var 19-årige John Daniel Nilsson som gick ut för att hämta luft under en skoldans i Göteborg en kväll i maj och aldrig kom tillbaka.

Jan minns faktiskt det fallet, sex år tidigare – han hade bott i Göteborg när John Daniel försvann.

När Rössel väl satt inspärrad för mordbränderna började polisen undersöka sambandet mellan honom och de döda och försvunna. Men då hade Rössels husvagn råkat brinna upp, hans bil var skrotad och bevisen var borta. Och Rössel själv erkände ingenting.

Det finns många artiklar om Rössels bakgrund och campingsemestrar – hundratals artiklar – men efter att ha läst ett halvdussin har Jan fått nog.

Rössel är infångad, och Sankta Patricias sjukhus verkar vara rätt plats för honom. Hanna Aronsson kan knappast var intresserad av en sådan störd person. Eller är hon det?

Jan börjar i stället att söka efter ett annat namn på nätet: Sankta Patricia. Men han hittar inga bilder eller ritningar, bara korta fakta och statistik om kliniken från Kriminalvården. Och en länk till Sankta Patricia leder honom helt fel; den handlar om olika skyddshelgon. Han får veta att Sankta Patricia var en nunna verksam på 1400-talet i Klaraorden i Stockholm. Patricia hjälpte föräldralösa barn, sjuka åldringar och de fattigaste av fattiga i stadens trånga gränder.

Några få rader, det är allt som står om helgonet.

Jan stänger av datorn, reser sig och börja packa. Han ska köra tillbaka upp till barndomsstaden Nordbro och sin gamla mor, för första gången på ett halvår.

Lukterna i hemmet är desamma. Lukten av hans mor, parfymerna och doftkulorna. Hans far är död sedan tre år, men doften av hans tobak och rakvatten finns ändå kvar i rummen, den har fastnat i väggarna.

Jan går omkring bland alla minnen.

På teven står ett gammalt foto av Jan och hans tre år yngre bror Magnus. De är åtta och fem år och ler mot kameran. Bredvid finns en nytagen bild på Magnus som vuxen framför Big Ben, med armen om en flicka. Magnus är läkarstudent på King's College, han bor vid Russel Square i London med en fästmö från Kensington och har en ljus framtid.

Jan ser sig om i vardagsrummet, där dammet täcker glasborden och parkettgolvet.

”Du borde städa lite mer, mamma.”

”Jag kan inte städa … Det var pappa som städade.”

Jans mor kallade alltid sin man för *pappa*.

”Du kan väl hyra någon som städar?”

”Det går inte … Jag har inte råd.”

Mamman sitter mest i den slitna läderfåtöljen framför teven, hopkrupen och klädd i morgonrock och rosa tofflor. Ibland står hon orörlig framför ett fönster. Jan vill få igång henne, få henne att börja ta egna beslut och skaffa vänner. Hon har levt alldeles för mycket genom sin man.

Kanske är hon redan uttråkad av att vara ledig hela veckorna, bara ett par år efter pensioneringen. Hon verkar inte speciellt glad över att ha Jan hemma.

”Har du ingen flickvän med dig?” frågar hon plötsligt.

”Nej”, säger Jan lågt. ”Inte den här gången heller.”

Jan har förstås ingen flickvän att visa Nordbro för. Han har inga gamla vänner att umgås med här i kvarteren heller, så senare den eftermiddagen tar han en lång promenad genom barndomsstaden på egen hand.

På väg mot centrum går han som vanligt förbi det låga sjukhemmet där Christer Vilhelmsson vårdas ihop med andra hjärnskadade patienter, men det är blåsigt och han sitter inte ute den här dagen.

Christer Vilhelmsson gick i nionde klass när Jan gick i åttan, och eftersom han är tjugonio år nu borde skolkamraten ha fyllt trettio. Tiden går, även om Christer själv kanske inte märker det.

En enda gång hade Christer suttit ute på altanen när Jan gick förbi, en solig vårdag fyra år tidigare. Christer hade suttit i en trädgårdsstol, inte en rullstol, men Jan hade undrat den gången om han verkligen kunde gå själv.

Även från vägen, på femtio meters håll, kunde Jan se att den här tjugosexårige mannen bara var vuxen rent kroppsligt. Det var tomheten i ansiktet, och sättet han hela tiden satt och nickade för sig själv med huvudet lite på sned, som visade att klockan hade gått bakåt för Christer Vilhelmsson den där natten ute i skogen. Bilen som kört på honom i mörkret hade både slängt ner honom i diket och kastat tillbaka honom till barndomen.

Jan hade stått någon minut och tittat på sin forna skolkamrat, som han hade varit livrädd för en gång i tiden. Sedan hade han gått vidare, utan att känna vare sig glädje eller sorg.

Vid Stortorget i Nordbro går han in på Fridmans järnhandel, som han gjort ett par gånger tidigare. Grundarens son Torgny Fridman har tagit över den, och den här lördagen står Torgny själv bakom disken. En smal man i trettioårsåldern med kortklippt ljusrött hår.

Jan går längst in i butiken och tittar på vedyxor. Han har ingen ved att klyva, men han lyfter ändå upp olika sorters yxor, väger dem i händerna och svingar dem lite försiktigt genom luften.

Samtidigt sneglar han bort mot kassan. Torgny Fridman har skaffat mörkblont skägg. Han står bakom disken och pratar med några kunder, en barnfamilj. Han tittar inte bort mot Jan. Femton år har gått nu, och Torgny verkar ha glömt honom. Varför skulle han minnas? Det är bara Jan som minns.

Han plockar upp den allra största yxan, nästan en meter lång.

Det klingar i butiksdörren.

”Pappa!”

En liten pojke i vit tröja och för stora jeans har kommit in, han rusar fram mot disken. Bakom honom kommer en kvinna i 30-årsåldern, leende.

Torgny tar emot pojken med utsträckta armar, lyfter upp honom. Ett kort tag är han bara glad pappa, inte järnhandlare.

Jan stirrar på dem i några sekunder. Yxan är tung, tung och välbalanserad. *Lyft den över huvudet, högt, högt*...

Han sätter ner den och går ut, utan att hälsa. Han och Torgny var aldrig vänner och kommer aldrig att bli det.

Sista anhalten för Jan är Lodjuret.

Ett par kilometer längre bort från centrum ligger daghemmet där han jobbade som tjugoåring. Jan funderar på om han verkligen vill gå dit, men till slut gör han det.

Lokalerna är stängda, det är ju lördag. Han stannar utanför ingången och tittar på träbaracken; inte mycket har förändrats. Den är fortfarande målad med brun oljefärg, men känns mindre än när han var här senast. Målningen på ett lodjur som satt bredvid ingången är borta, kanske har avdelningen bytt namn till något snällare nu, som Blåsippan eller Skogsharen. Eller kanske Gläntan.

Här jobbade han alltså, precis efter skolan. På många sätt var han fortfarande ett vilset barn när han var på Lodjuret, även om han inte förstod det då. Han undrar om någon är kvar här från den tiden. Föreståndaren Nina? Sigrid Jansson är det i alla fall inte – hon slutade ungefär samtidigt som han själv.

Hon var knäckt vid det laget. Den sista tiden på daghemmet hade de undvikit varandra när de var ute på gården samtidigt, det blev en märklig stämning varje gång Sigrid såg på honom. Det kanske bara var en kvardröjande sorg över allt som hade hänt – men han upplevde hennes tystnad som kall och avvisande, eller till och med misstänksam.

Han hade ofta undrat om Sigrid anade något, om hon hade insett hur Jan hade förberett sig den där dagen när William försvann.

Sist av allt, innan han går hem, vandrar Jan ner till Nordbrodammen. Den ligger som en nästan cirkelrund gryta nedanför familjens hus, och det svarta vattnet känner Jan till väl. På natten ser det ut som mörkt blod.

Femton år tidigare hade han varit på väg ner mot botten av dammen, på väg ner bland virvlande bubblor mot den stora kylan – innan en granne hade kastat sig ner och dragit upp honom i sista stund.

BANGEN

När Jans föräldrar kom på besök vid sjuksängen hängde det långa ordet *självmordsförsök* som ett svart moln mellan dem, men det nämndes inte.

Det gick knappt att prata alls. Jan låg under täcket och tittade tyst på föräldrarna. Han insåg plötsligt att hans lillebror inte var med dem.

”Var är Magnus?”

”Hos en kompis”, sa hans mamma, och tillade snabbt: ”Han… han vet ingenting.”

”*Ingen* vet om det här”, sa hans far.

Jan nickade. Det blev tyst igen. Till slut fortsatte hans mamma med låg röst:

”Vi har pratat med din doktor, Jan.”

Hans pappa skakade på huvudet.

”Han var ingen doktor. Han var *psykolog*.”

Pappan gillade inte psykologer. Vid middagsbordet året innan hade han pratat om en kollega på kontoret som gick i terapi och kallat det för ”tragiskt”.

Hans mamma nickade:

”Psykolog är han, ja. Han sa i alla fall att du ska vara här några veckor nu. Kanske fyra… eller kanske lite längre. Blir det bra, Jan?”

”Visst.”

Och så blev det tyst igen. Jan såg plötsligt tårar rinna nedför kinderna på hans mamma. Hon torkade snabbt bort dem, samtidigt som pappan frågade.

”Har de pratat med dig än, psykologerna?”

Jan skakade på huvudet.

”Det behöver du inte”, sa pappan. ”Du behöver inte svara på några frågor, eller berätta något.”

”Jag vet”, sa Jan.

När hade han sett sin mamma gråta senast? Det var nog på begravningen när hans mormor hade dött året innan. Stämningen här i rummet var ungefär som den hade varit i kapellet, när alla satt och tittade på kistan.

Hans mamma snöt sig, och försökte le.

”Har du lärt känna några här?”

Jan skakade på huvudet igen. Han ville inte lära känna någon, han ville bara vara ifred.

Mamman sa inte mycket efter det. Hon grät inte, men suckade trött några gånger.

Hans far sa inte ett ord mer, han satt bara klädd i sin grå kostym och vaggade fram och tillbaka på besöksstolen som om han ville resa sig. Då och då tittade han på klockan. Jan visste att han hade mycket jobb och ville åka hem. När han såg på sin son var blicken irriterad och otålig.

Jan blev nervös av den blicken, den fick honom att vilja resa sig från sängen och glömma allt som hade hänt – bara åka hem och vara *normal.*

Hans mor lyfte plötsligt på huvudet.

”Vem är det som spelar?”

Jan lyssnade också – det hördes stillsam gitarrmusik från rummet intill. Han visste vem som spelade.

”Det är min granne … Nån tjej.”

”Är det flickor här också?”

Jan nickade.

”Det är mest tjejer, tror jag.”

Hans pappa tittade på klockan igen och reste sig.

”Ska vi åka hem då?”

Jan nickade mot honom och såg på sin mamma.

”Gör det … Jag klarar mig.”

Hon reste sig också. Hon sträckte ut handen mot hans kind, men nådde inte riktigt fram.

”Jo, vi måste väl det”, sa hon. ”Vår parkering går snart ut.”

Ingen sa något mer, innan hans mamma vände sig om i dörren.

”Just det … Det var någon som ringde dig i går, Jan. En vän till dig.”

”En vän?”

Hans mamma nickade.

”Han ville höra hur du mådde … Jag gav honom numret hit.”

Jan nickade bara. En vän? Han kom inte på en enda vän som kunde ringa. Någon från klassen? Han antog det.

När föräldrarna hade gått kändes det som om han kunde andas igen. Han reste sig upp, och lämnade sakta sängen.

Han satte sig vid skrivbordet och såg ut genom fönstret. Det fanns en bred gräsmatta därute, våt efter vintern – och bortom den ett högt stängsel med taggtråd på toppen. Han tittade på det, länge.

Bangen var inget vanligt sjukhus, insåg Jan.

Han var inspärrad.

30

JAN ÄR TILLBAKA I VALLA och har städat sin lägenhet. Han väntar besök av Hanna.

Det är hans idé att de ska träffas den här kvällen – när han började jobba dag på Gläntan igen efter långledigheten hade Hanna också haft ett dagpass på förskolan, och när personalrummet var tomt hade han stuckit ner en lapp i hennes jackficka, med sin adress och en fråga:

FIKA HOS MIG IMORGON KVÄLL KL. 8?

JAN H

Han fick inget svar från henne innan hon gick, men köpte ändå bröd på vägen hem. Hon måste komma – de har gemensamma intressen.

Gemensamma hemligheter.

Och Hanna ringer ganska punktligt på hans dörr, fem över åtta. Hon säger inte mycket när hon kliver in i hallen, men Jan är nöjd.

”Bra att du kom.”

”Visst.”

Jan försöker slappna av; han tar ut henne till köksbordet och kokar te och bjuder på mackor. Sedan småpratar han lite om jobbet, men till slut kommer de in på ämnet han verkligen vill prata om: Sankta Patricia.

”Kvinnorna däruppe … de sitter väl för sig själva?”

Hanna tittar på honom, med lika blankt ansikte som vanligt. Luften i Jans kök känns plötsligt tyngre och tätare, men det är ändå bättre att fråga Hanna än Lars Rettig om sjukhuset.

”Ja”, säger hon till slut, ”det finns ett par kvinnoavdelningar … En sluten och en öppen.”

”Ligger de nära varandra?”

”Inte vägg i vägg, typ, men jag tror det är på samma våningsplan.”

”Vilket då?”

”Tredje våningen, tror jag. Eller fjärde … Jag har aldrig varit inne där.”

Jan funderar på fler frågor, men Hanna öppnar plötsligt munnen:

”Berätta vem det är, Jan.”

”Vem då?”

”Hon som du är kär i på sjukhuset … Vad heter hon?”

Hanna tittar stint på honom. Jan viker undan med blicken.

”Det är annorlunda”, säger han.

”Än vadå?”

”Än du och Ivan Rössel.”

Hanna sätter snabbt ner tekoppen. Hon tittar på honom med kalla blå ögon.

”Hur vet *du* hur vi har det?” säger hon. ”Du vet ingenting, inte varför jag tog kontakt med honom … Hur kan du bedöma det?”

Jan sänker blicken. Stämningen vid bordet är plötsligt iskall. Men han hade rätt – det är Rössel hon har träffat i besöksrummet

”Jag gissar bara”, säger han. ”Men du tycker väl om honom?”

Hanna fortsätter stirra.

”Man måste se människan bakom brottet”, säger hon till slut. ”De flesta kan inte det.”

”Om du smyger in och träffar Rössel så tycker du väl om honom?” säger Jan. ”Trots att han har gjort … dåliga saker?”

Hon dröjer med svaret.

”Jag träffar honom inte”, säger hon till slut. ”Vi har kontakt genom en vårdare. Ivan sysslar med ett projekt, för att få tiden att gå därinne … och jag hjälper honom.”

”Med vadå? Vad gör han därinne?”

”Ett skrivprojekt”, säger hon till slut. ”Han skriver på ett manus.”

”En bok?”

”Typ en bok”, säger Hanna.

”Är det mördarmemoarer?”

Hanna spänner munnen.

”Han är misstänkt. Han har aldrig erkänt.” Hon suckar. ”Han säger att hans bok kommer att förklara allt … Folk kommer att förstå att han inte har gjort något.”

”Tror han det?”

”Ja, det gör han.” Hannas röst är ivrigare. ”Ivan mår *jättedåligt* över hur allt har blivit, det är mycket större risk att han tar livet av *sig själv* än av någon annan. Just nu är det bara mina brev som håller igång honom …”

Hon tystnar, och Jan vet inte vad han ska säga. Hannas intensiva blick gör honom oroad – han vill egentligen inte prata om Rössel mer.

Inte Hanna heller, verkar det som.

”Jag måste gå snart.” Hon tittar på klockan, sedan på Jan. ”Ska du berätta det nu?”

”Berätta vadå?”

”Vad hon heter … hon som du träffar däruppe?”

Jan sänker blicken.

”Jag har inte träffat henne än.”

”Vad heter hon, då?” säger Hanna.

Jan tvekar. Han har ju två namn att välja på – Rami eller Blanker – men han väljer det minst kända.

”Sitt kvar”, säger han, ”jag ska hämta några saker.”

Han går ut i vardagsrummet och kommer tillbaka med bilderböckerna. *Prinsessans hundra händer, Djurskaparen, Häxsjukan*, och *Viveca i stenhuset.* Han lägger dem framför Hanna.

”Har du sett de här förut?”

Hanna skakar på huvudet.

”De låg uppe på förskolan.” Jan pekar. ”De är gjorda för hand … så det är nog de enda exemplaren som finns. Och någon måste ha placerat dem i boklådan.”

”Marie-Louise brukar lägga böcker där”, säger Hanna.

”Inte de här … Jag tror att något av barnen fick dem av sin förälder uppe i besöksrummet.”

Hanna bläddrar i bilderböckerna, och tittar upp på Jan.

”Vem har skrivit dem?”

”Hon kallar sig Maria Blanker”, säger Jan. ”Det är Josefines mamma … Jag är nästan säker på det.”

”Blanker”, säger Hanna. ”Så det är henne du vill träffa på sjukhuset?”

”Ja … Vet du vem det är?”

”Jag har hört lite om henne”, säger Hanna lågt.

”Från Rössel?”

Hon skakar på huvudet.

”Från Carl … min kontakt däruppe.”

Jan känner förstås igen namnet. Det är trummisen i Bohemos.

Hanna tittar upp från böckerna.

”Får jag låna dem?”

Han tvekar.

”Okej”, säger han till slut. ”I några dar.”

Hon plockar ihop böckerna och reser sig, det är dags att gå hem. Men Jan har en sista fråga:

”Sitter Maria Blanker på den öppna eller slutna avdelningen?”

”Jag vet inte var hon sitter, jag har aldrig varit inne på avdelningarna”, säger Hanna och tillägger: ”Men hon borde väl sitta på den slutna.”

”Varför då?”

”För att Blanker är psykotisk. Hon är helt borta … Det är vad jag har hört, i alla fall.”

”Vad har hon gjort?” säger Jan. ”Vet du det?”

”Varit farlig.”

”Mot sig själv?” säger Jan. ”Eller mot andra?”

Hanna skakar på huvudet.

”Vet inte”, säger hon, ”Men du får väl ta dig in till henne … och fråga.”

”Visst.”

Jan drar lite på munnen åt skämtet, men Hanna ler inte tillbaka.

”Jag är allvarlig … Det finns alltid en väg in, om man bara vill.”

”Men på Patricia är de låsta”, säger Jan.

”En av dem är öppen.”

”Och du känner till den vägen?”

Hon nickar.

”Jag vet var den finns, men den är inte helt lätt att ta sig igenom … Har du cellskräck, Jan?”

LODJURET

Att vara inlåst var väl inte så illa – om man bara hade gott om mat och dryck och lagom varmt? Och en talande robot som sällskap?

Jan intalade sig det, gång på gång, när han tänkte på lille William i bunkern.

Tvärtom – att vara inlåst bakom tjocka betongväggar kunde vara riktigt tryggt.

Klockan var halv nio på kvällen, och polisens sökande efter William var slut sedan en halvtimme. Det hade fortsatt med ficklampor när mörkret kom, men varit dåligt organiserat, tyckte Jan. Och det fanns inga goda resultat. William var spårlöst borta, han kunde ha klivit över kanten av världen.

Eller åtminstone lämnat fast mark. Den sista timmen hade polisbefälet koncentrerat sökandet längs fågelsjöns långa strand, och Jan förstod att polisen befarade att femåringen hade ramlat i vattnet.

Lodjuret hade blivit en samlingscentral för skallgångskedjan. Men alla var trötta nu och många som letat efter pojken var på väg hem. När dagsljuset kom tillbaka på torsdagsmorgonen skulle polisen dra igång kedjan igen, i större skala.

Jan hade gått tillbaka till Lodjuret ihop med en äldre polis, som hade pustat sig genom skogen.

”Fy fan ... det är otäckt, sånt här. Man får hoppas att han klarar sig över natten, men det är väl inte stor chans.”

”Det är ju rätt varmt ute”, sa Jan. ”Han mår säkert bra.”

Men polismannen verkade inte lyssna.

”Fy fan”, sa han igen. ”Jag var med en gång när en grabb hittades död på en skogsväg ... Någon hade kört på honom med sin bil och sen gömt honom i skogen, som en sopsäck.” Han tittade på Jan med trötta ögon. ”Sånt glömmer man aldrig.”

När Jan var tillbaka i personalrummet hörde han plötsligt ett dovt surrande ljud i fjärran, ett ljud som snabbt växte till ett smattrande dån över daghemmet.

Han tittade bort mot föreståndaren för Lodjuret, Nina Gundotter. Hon satt och väntade vid telefonen som om hon trodde att William förr eller senare skulle ringa och meddela var han befann sig.

”Är det en helikopter?” sa han.

Nina nickade.

”Polisen har beställt den”, sa Nina lågt. ”De fick inte tag på några sökhundar, men de ska flyga runt över skogen med värmekamera nu.”

Jan nickade. Han gick fram till fönstret där det satt en termometer, den visade nio plusgrader den här kvällen. En hösttemperatur – det var inte iskallt ute, men inte varmt heller. Det värsta var att det hade börjat blåsa, men Jan visste förstås att William befann sig i lä för vinden.

Han hade stått i närheten när Nina närmat sig en av poliserna och lågmält frågat om deras taktik – men hon hade bara fått undvikande svar.

”Vi ska förstås leta ute på sjön, men det får bli imorgon när det blir ljust”, hade polisen sagt med ännu lägre röst.

Hela personalen utom två hade kommit tillbaka till daghemmet den här kvällen. Vita stearinljus hade tagits fram och tänts på borden och i fönstren, vilket gav en kyrklik stämning till dagislokalerna.

Efter femton eller tjugo minuter dog helikopterljudet bort ovanför dem.

Jan vände sig om och såg på sin chef.

”Jag måste nog gå hem … och försöka sova lite. Så kommer jag hit tidigt i morgon. Jag är ledig, men jag kommer ändå.”

Nina nickade.

”Jag ska också gå snart”, sa hon. ”Vi kan inte göra mer i kväll.”

Sedan hon kom till daghemmet hade Nina inte sagt ett enda anklagande ord till honom. Tvärtom, hon stöttade Jan och skyllde alltihop på kollegan Sigrid, som hade en annan chef uppe på Brunbjörnen.

”Hon skulle haft *koll.*”

Jan skakade på huvudet. Senast han själv såg Sigrid hade hon legat på en soffa i Brunbjörnens vilorum – hon hade fått någon sorts lugnande medel när de kom tillbaka från skogen.

”Ingen av oss hade bra koll i dag”, sa han och drog på sig sin jacka. ”Det var väldigt rörigt däruppe... Vi hade för många barn med oss.”

Nina suckade. Hon tittade mot det svarta fönstret, sen på telefonen.

”Jag tror att någon annan har hittat honom i skogen”, sa hon lågt. ”Någon som har tagit med honom hem... William ligger säkert och sover i en varm säng nu, och så får polisen ett samtal i morgon bitti.”

”Säkert”, sa Jan och knäppte jackan. ”Vi ses snart.”

Han gav Nina en sista blick och lämnade daghemmet.

Det kändes kallare än nio grader när Jan kom ut i mörkret, men det var nog inbillning. Det var inte vinter än, långt ifrån. En varmt klädd person skulle inte *kunna* frysa ihjäl, ens om han låg ute under bar himmel. I skydd av vinden, bakom en betongvägg till exempel, skulle han klara sig i många dygn.

Jan började gå.

När han gick förbi de upplysta fönstren i Brunbjörnen fick han en skymt av personalen som vakade därinne – där satt även Williams föräldrar. Jan såg mamman sitta hopsjunken med en kopp kaffe framför sig. Hon såg plågad ut.

Jan ville stanna och titta en stund, men han gick vidare.

Vid kanten av skogen stannade han och lyssnade; allt som hördes var vindens susande i träden. Ljudet av helikoptern hade helt försvunnit nu. Den kunde förstås komma tillbaka senare med sin värmekamera, men det var en risk han fick ta.

Jan såg sig omkring en sista gång, och så klev han över det lilla diket vid vägen och gick in bland granarna.

Han satte fart uppåt stigen.

William hade varit ensam och inlåst i bunkern i mer än fyra timmar nu. Men han hade varma filtar, dricka och mat och leksaker, det var ingen fara med honom. Och snart skulle Jan vara där.

31

För varje höstkväll som går verkar Sankta Patricias grå fasad lite mörkare och kallare, tycker Jan. När han cyklar förbi muren den här kvällen är sjukhuset bakom den som en stor svart borg. Blekt skimrande ljus syns i många av fönstren, men de inger ingen välkomnande känsla. Skuggor tycks röra sig inne i rummen, spejande och längtande bakom gallren.

Står något fönster på glänt däruppe?

Är det gitarrmusik som hörs i natten?

Nej. Bara inbillning.

Jan fortsätter snabbt förbi sjukhusområdet till förskolan, bort från muren. Det är söndag, och bara två månader kvar till jul. Han är ledig över helgen men har kommit hit ändå, eftersom han och Hanna hade skilts åt fyra dagar tidigare med ett slags löfte om att hjälpa varandra. Eller åtminstone inte avslöja den andre.

”Du kommer inte in på sjukhuset genom slussen”, hade Hanna sagt i Jans kök. ”Ingen kommer in där… jag har aldrig släppts in längre än till besöksrummet.”

”Så din vän Carl… Han låter dig och Rössel träffas däruppe?” frågade Jan.

”Nej, Ivan är kvar på sitt rum. Jag lämnar brev till honom.”

Fler hemliga brev, tänkte Jan. Men högt frågade han bara:

”Hur kommer man in, då?”

”Genom källaren”, sa Hanna. ”Jag kan visa ingången, om du vill.”

Jan ville det. Han mindes att Högsmed hade pratat om en väg från sjukhuset till förskolan genom just källaren.

Men den vägen är inte speciellt trevlig, hade doktorn sagt.
Vad betyder det? Att det finns råttor i källaren? Eller människor?

Han är framme vid förskolan nu och drar försiktigt upp ytterdörren, med vetskapen om att han egentligen inte ska vara på Gläntan den här kvällen.

”Hallå?” säger han lågt. ”Hanna?”

Det är tyst några sekunder. Sedan hörs hennes röst från köket:

”Kom in … Det går bra.”

Jan går över tröskeln och stänger dörren.

”Allt är lugnt?”

”Visst. De har somnat … Men de var som små monster i kväll. De sprang bara runt och skrek, som om de vill knäcka mig.”

Jan säger inget, han vet att Hanna inte är förtjust i barnen.

Klockan är nästan halv tio, ser han när han tar av sig jackan. Han behåller skorna på och tar ett par steg mot köket – mot skåpet med nycklarna – men Hanna lyfter handen.

”Här.”

Hon har redan hämtat ett magnetkort, han tar emot det.

”Tack.”

”Du har inte ångrat dig?”

Jan skakar på huvudet och går fram till källardörren. Det känns lite märkligt att slå in koden och öppna den inför ögonen på någon annan, så här sent på kvällen. Han vänder sig om.

”Vi ses snart.”

”Nej”, säger hon. ”Jag följer med ner.”

Han hinner inte protestera innan hon har klivit fram. Hon tänder ljuset och börjar gå nedför trappan, och Jan kan bara följa efter.

Källargången vandrar han genom varje dag för att lämna och hämta barn, och vid det här laget är Jan mycket trött på teckningarna på väggen. Råttorna ler och verkar håna honom.

Det blir inga färder med hissen i kväll. Hanna leder vägen, förbi hissen och bort till skyddsrummet. Där har Jan inte varit på mer än två veckor. Inte sedan han hade stått därnere och hört någon – Hanna, visade det sig ju – komma ner med hissen mitt i natten.

”Så det finns en hemlig gång här?” säger Jan bakom henne.

”Hemlig… Den är dold, i alla fall.”

Hon vrider om handtaget och drar upp ståldörren. Sedan vänder hon sig om och ser på Jan, med en snabb blick.

”Vågar du?” frågar hon.

Jan nickar.

”Kom med då.”

När Hanna knäpper på ljusknappen och Jan kliver in i skyddsrummet får han plötsligt en inre bild av en rädd liten femårig pojke som sitter på madrassen därinne. Hans hjärta slår ett extra slag – men lysrören tänds i en helt tom lokal.

Madrassen och filtarna ligger kvar och furuskåpet står som han minns det. Och ståldörren på andra sidan rummet är fortfarande stängd.

Hanna går bort till den.

”Här är det.”

”Den dörren är låst”, säger Jan bakom henne. ”Jag har redan testat.”

”Jag menar golvet.”

Hon pekar nedåt.

”Golvet?”

Jan går också fram – och känner något ojämnt under skorna. Han tittar ner. Under honom finns den blå heltäckningsmattan, men hans skor har trampat till på något under den, något litet och smalt.

Tygmattan täcker hela golvet, men den är inte fastklistrad. Den går att dra loss, och Hanna går bort till ett av hörnen på mattan och lyfter den. Så drar de den bakåt, mot rummets mitt.

Mattan lyfter sig lydigt, och Jan ser grå betong.

”Fortsätt”, säger Hanna. ”Det är snart klart.”

Hon verkar ivrig nu, hon driver på honom. De fortsätter dra bort tyget, och Jan ser plötsligt en lucka under mattan, en halv meter bred och gjord av räfflad plåt.

”Där har du ingången”, säger hon.

Jan tittar på luckan, och sedan på henne.

”In till sjukhuset?”

Hanna nickar.

”Den går rakt in under väggen.”
”Var slutar den?”
”Ingen aning.”
Jan drar undan så mycket av mattan att hela luckan ligger fri, och ser att det finns ett järnhandtag i plåten.
”Hur har du hittat den?”
”Jag har gjort som du härnere”, säger Hanna, ”jag har letat och utforskat… och jag har haft längre tid på mig.”
”Har Rössel hjälpt till också?” frågar Jan.
Hon skakar på huvudet.
Jan böjer sig ner, tar tag med fingrarna runt järnhandtaget och lyfter luckan.
Han lägger den åt sidan, och tittar ner i ett stort fyrkantigt hål. Men inte ett avloppshål – det här är någon sorts eltrumma med tjocka kablar under källargolvet. Trumman är inte så djup, kanske någon meter – men den är början på en smal gång som löper in under betongen, i riktning mot den låsta ståldörren. Allt är kolsvart där.
”Ska du gå ner?” frågar Hanna.
”Kanske.”
Jan tvekar. Han ställer sig på knä och kikar inåt i gången. Hålet är så mörkt att han inte kan se hur långt den sträcker sig. Det finns några gamla vattenrör bredvid kablarna därnere, och virvlande slingor av damm. Han känner en svag doft av mögel eller kanske av gyttja, men betongen i tunneln ser torr ut.
Torr, och bred nog för honom. Det borde finnas plats att kliva ner och krypa iväg under golvet.
Finns det råttbon därnere? Kanske. Han lyssnar med örat mot underjorden, men allt är tyst.
”Hallå?” viskar han lågt.
Det kommer inget svar, inte ens ett eko.
Jan ställer sig upp. Han lägger försiktigt tillbaka luckan, men lämnar mattan som den är och tittar på Hanna.
”Jag måste upp till förskolan igen… Jag behöver mer ljus.”
”Från vad?” frågar Hanna.
”Från en Ängel.”

32

Hanna stirrar på apparaterna som Jan plockar fram ur personalskåpet.

”Vad är det där?” frågar hon.

”Elektroniska babyvaktare”, säger han. ”Har du aldrig sett sådana?”

”Nä.”

Hon skakar bara på huvudet åt de två plastprylarna.

”Vad har man dem till?”

Jan ser på henne.

”Det märks att du inte har egna barn … Babyvaktare är till för att hålla koll på barnen, när de sover.”

”Det får man väl göra själv?”

”Alla har inte tid … eller det handlar väl om trygghet. Trygga barn ger trygga föräldrar.” Han tänker på William Halevi och säger: ”Otrygga föräldrar blir olyckliga.”

Hanna tar emot den ena Ängeln, men ser inte övertygad ut.

”Så vad ska du göra med dem nu?”

”Jag tänkte ha en som lampa i källaren”, säger han. ”Och om jag lämnar kvar den andra hos dig så kan du höra mig.”

Hon tittar på honom.

”Blir du typ tryggare då?”

”Lite.”

Hanna väger Ängeln i handen och säger:

”Jag kan lyssna, men jag kan inte göra något mer. Jag menar, om du skulle behöva hjälp därnere kan jag inte …”

”Det räcker om du hör mig”, avbryter Jan.

Det skulle vara en livlina. Lite som att gå in i en grotta med ett rep runt foten.

”Är du rädd?” frågar hon.

”Nej. Jag glömde rädslan i mina andra byxor.”

Jan ler snabbt, men slappnar inte av. Han vet inte vad som ska hända, han vet inte om det finns vaktpatruller – men möter han någon därnere får han hoppas att det är Lars Rettig, eller någon vän till honom. Om han nu kan lita på dem.

Fem minuter senare står han nere vid hålet i källargolvet. Klockan är snart halv elva nu, men härnere finns en känsla av tidlöshet. I underjorden är det alltid natt.

Jan lyfter upp Ängeln och slår på lampan.

”Okej”, säger han i mikrofonen. ”Då kliver jag ner.”

Hans röst ekar i skyddsrummet, men han vet inte om Hanna hör honom.

Jan stöder sig med händerna och sänker ner sina ben mot botten av eltrumman, en knapp meter nedanför källargolvet. Därnere är det lättare att böja sig ner och rikta lampan inåt gången, och när han gör det ser han att den fortsätter rakt fram, in i mörkret.

Han går ner på knä och andas in torr och dammig luft.

”Nu kryper jag in.”

Och så gör han det. Han gör sin överkropp så smal och låg som möjligt, böjer ner huvudet och tar sig in under betonggolvet på händer och knän, utan att slå i huvudet.

Det är som att krypa in i en krypta, med orubbliga stenblock på alla sidor och det tjocka taket som pressar mot ryggen.

Cellskräck? Han måste hålla borta rädslan, inte tänka på likkistor och låsta bastudörrar. Han kan andas, han kan röra sig. Gången är bred nog för att han ska kunna ta sig framåt utan problem – han kan bara inte vända om. Allt han kan göra om något händer är att backa bakåt.

Men vad skulle kunna hända?

Jan hostar till och längtar efter vatten. Det är dammigt här, men han fortsätter framåt. Hans skugga dansar ryckigt över betongen i lampans sken.

När han höjer ljusstrålen tycker han sig se att gången slutar med en grå betongvägg kanske tio meter bort – eller också kröker den sig bara.

Han höjer Ängeln igen.

”Jag tror ... Jag tror att jag är under skyddsrumsdörren nu.”

Det känns lite löjligt att prata för sig själv. Och hur säker är han på att vakterna uppe på sjukhuset inte har teknisk utrustning som kan lyssna av allt han säger? Inte helt säker.

Han sänker Ängeln, pressar ihop tänderna och fortsätter framåt. Han lyssnar efter rasslande ljud och låga pipanden men ser inga råttor, än så länge. Det finns svarta små klumpar på golvet som kan vara spår efter dem – om det inte är döda flugor. Han vill inte se efter för noga.

Först det ena benet, sedan det andra. Kryp, bara kryp.

Jan upptäcker plötsligt något i taket framför sig, kanske fem meter bort. Han lyfter lampan igen, och ser att det är en annan järnlucka där framme. En räfflad golvlucka, precis som den han tog sig ner genom.

Den synen får honom att krypa fortare i tunneln, så gott det går. Han stöter hela tiden axlarna och huvudet mot betongen, hans händer och knän domnar när de pressas mot golvet – men till slut når han fram.

Han lägger Ängeln framför sig och sträcker händerna uppåt, nästan säker på att golvluckan kommer att vara låst eller fastskruvad.

Men det är den inte. Den sitter löst, och han lägger händerna mot järnet och pressar uppåt. Det knakar, och så lossnar den tunga luckan. Han kan pressa den åt sidan, sakta och försiktigt. Metallen skrapar bedövande högt i hans öron när luckan skjuts åt sidan över stengolvet, men han fortsätter.

En svart springa öppnas ovanför honom, inget ljus faller in. Det är kolmörkt i rummet ovanför, och när luckan är borta blir det knäpptyst.

Jan reser sig sakta upp på fötter, med Ängeln i handen. Nu står han raklång i ett fyrkantigt hål i ett betonggolv, en öppning som är en kopia av den han klättrade ner i – men bakom sig ser han den låsta ståldörren till skyddsrummet.

Han tar tag med händerna och lyfter sig själv. Mödosamt kommer han upp ur hålet och ställer sig på benen.

”Det gick bra”, viskar han till Ängeln. ”Jag kom igenom, jag är inne i ... nån sorts källare.”

Sedan knäpper han av den – det känns inte bra att prata högt härnere i tystnaden. Inte ens att viska.

Han lyfter lampan och sveper den som en sabel omkring sig. Men Änglavakten är inget vapen; Jan har inget att försvara sig med, och han känner sig lite som en fyraåring som lämnats ensam i ett stort mörkt hus. Luften är unken här på andra sidan ståldörren.

Här finns inga mjuka mattor på golvet heller, eller glada teckningar på väggen. Det borde kännas bättre att ha kommit upp ur den trånga tunneln än vad det gör just nu.

Han står i en tom korridor som fortsätter framåt, gör en sväng och försvinner in i mörkret. Men när han går bort och tittar runt kröken ser han en kolsvart dörröppning sju eller åtta meter längre fram, på vänster sida.

Jan tvekar, men börjar tyst och försiktigt gå över golvet, mot öppningen.

Han är i en helt främmande värld nu, och totalt ensam. Men han blinkar mot mörkret och lyckas mana fram Alice Ramis ansikte framför sig – inte som hon såg ut när de träffades i tonåren, utan som han under alla ensamma kvällar har legat och fantiserat om att hon ser ut som vuxen. Vacker, intelligent, erfaren. Kanske lite trött och märkt av tiden som gått, men stark och leende.

Rami, hans första kärlek, hans enda flickvän.

Jan letar efter strömbrytare i korridoren, men hittar ingen. Utan Ängelns ljus hade det varit kolsvart härnere – men strålen har blivit mindre skarp de senaste minuterna och han har inga reservbatterier.

Vid korridorens slut höjer han lampan framför sig och kikar försiktigt in i rummet innanför.

Det är en stor källarlokal, till synes utan slut. Jan ser vitt kakel på både golvet och väggarna. Golvet är grått av smuts och damm, och över alla ljusa ytor kryper strimmor av svart mögel.

Är det ett duschrum? Nej, han ser spruckna bokhyllor och tomma stålbord längs väggen. Längre bort finns några gula plastdraperier, halvt igendragna runt rostiga sängar och låga tvättställ.

Det är ett undersökningsrum, som verkar stängt och övergivet sedan flera årtionden.

Jan ser sig om längs kakelväggarna och känner hjärtat bulta.

Han har tagit sig in i Sankta Psyko.

Del 2: Ritualer

Madness is a sad, grim business. Loss of control is hardly romantic. Instead of bringing a release from reality, it becomes a more complex trap.

Julian Palacios: *Lost in the Woods*

LODJURET

Jan såg inte mycket av skogen i mörkret, men han var omgiven av vildmarkens alla ljud. Hans kängor rasslade rytmiskt över stenar och grus, nattvinden susade i granarna, en uggla hoade nere vid sjön. Och trummorna dunkade, men det var bara i hans huvud.

Klockan var fem i halv tio och han var på väg ut från den smala ravinen. Berget som höjde sig till vänster var bara en svart oformlig klump, men Jan hittade rätt utan problem.

Han var framme vid stigen nedanför bunkern några minuter senare, stannade till och såg uppåt. Han hörde inga rop, ingen gråt.

Jan kröp som en katt uppför sluttningen, tyst och försiktigt till den stängda plåtdörren. När han var framme lyfte han bort grenarna, lutade huvudet mot plåten och lyssnade igen. Ingenting hördes.

Långsamt drog han upp reglarna, öppnade och stack in huvudet.

Han hörde ingenting, kände ingenting. Det var varken varmt eller kallt i bunkern.

Det fanns ingen doft av rädsla heller.

Jan höll andan. Inget rörde sig, men i stillheten mellan betongväggarna hörde han svaga andetag.

Han kröp in. Sakta och försiktigt tog han upp sin mobiltelefon och knäppte på den så att ett svagt vitt ljus spreds i skyddsrummet.

Leksaksroboten stod påslagen mitt på golvet, med små blinkande lampor. Jan såg ett par urdruckna Festisförpackningar i ett hörn, bredvid öppnade godispåsar och hopknycklat smörgåspapper.

Det var bra, William hade ätit och druckit under dagen. Och om han hade behövt kissa fanns ju hinken som Jan ställt längst in i rummet.

En liten kropp låg borta på madrassen: William. Den rörde sig lite i sömnen.

Till slut, någon gång på kvällen, måste William ha blivit trött och lagt sig invid betongväggen. Nu sov han lugnt under ett tjockt lager av filtar.

Jan kröp in, tog ut hinken och tömde den i mörkret ett tiotal meter från bunkern.

Sedan kravlade han tillbaka in och la sig på rygg för att lyssna till Williams andetag.

Just den här stunden kände Jan ett fantastiskt lugn i kroppen. Han kände sig segerviss, nästan lycklig över att allt hade fungerat så bra den här dagen. William hade lockats bort och blivit inlåst, men inte skadad på minsta sätt.

Han skulle klara det här, utan problem. Fyrtiosex timmar skulle gå fort.

Det skulle vara värst för Williams föräldrar, Jan visste att det var hos dem all plåga fanns just nu; oron som hade vuxit till rädsla som hade blivit ren skräck. De skulle inte sova den här natten, inte en minut.

Jan slöt ögonen. Allt var väl i skogen.

Han skulle bara ligga här en stund och vaka över William, trots att han inte var skyldig att göra det – ingen vuxen hade vakat över Jan när han var inlåst.

33

JAN TAR KORTA STEG genom Patricias källare och stannar ofta, som en forskare i en okänd grottvärld. Genom vinklade gångar och mörka rum trevar han sig sakta framåt, med en liten glödlampa som enda stöd. Ängeln i hans högra hand har inte slocknat än, men ljuset blir hela tiden svagare.

Sjuksalen han först hamnade i verkar inte ha några andra utgångar, så han vänder tillbaka och fortsätter framåt i korridoren. Den svänger till höger efter några meter, sedan till höger igen, och därefter till vänster ut till en annan stor sal med kakel på både väggar och golv. Något krasar under hans skor, det är krossat glas som ligger på golvet.

Gläntans förskola känns långt borta nu, och han längtar hela tiden efter att vända om mot tryggheten i skyddsrummet. Men han fortsätter ändå framåt.

Mörkret omkring honom förblir tyst, och det lugnar honom.

Jan ser fyra svarta dörröppningar som leder ut från den stora sjuksalen. Han går fram och riktar lampan mot dem, en efter en, men innanför varje öppning finns bara en dammig källargång som leder fram till en rostig ståldörr. Han vänder om vid tre av dem – men den sista källargången har mindre damm på golvet, som om någon gått där nyligen. Ståldörren är mindre rostig också, så han går han fram och drar upp den.

Bakom dörren finns en ny korridor med rader av dörrar. Jan lämnar ståldörren vidöppen och kliver in.

Han kikar in i den första öppningen och ser ett litet kalt rum med en gammal järnsäng som saknar madrass. När han kliver över tröskeln och lyser längs cementväggarna ser han blekgula vykort uppsatta med häftstift, och oläsligt klotter. Det verkar vara ett gammalt sjukrum, eller en fångcell.

Jan minns Hålan i källaren på Bangen, och backar snabbt ut igen. Han rör sig från dörr till dörr och kikar snabbt in i varje cell, men ser bara fler kala väggar och gamla järnsängar. Jan tar allt kortare steg framåt. Han har aldrig varit speciellt mörkrädd, men det känns mer och mer ensamt härnere. Dörröppningarna gapar mot honom som svarta munnar, redo att sluka honom. Är de tomma?

Till slut slår han på Ängeln igen och lyfter den.

”Jag har fortsatt in i källaren nu”, börjar han, ”men jag tror ingen använder den längre … Lamporna är trasiga här.”

Ängeln i hans hand är tyst, men han hoppas att Hanna lyssnar.

”Okej, jag tror att jag ska vända om snart …”

Sedan tystnar han – det känns inte riktigt säkert att prata härnere. För varje ord han yttrar ökar känslan av att någon står och lyssnar. Lystrande öron som lurar någonstans i mörkret.

”Vi ses snart”, viskar han i mikrofonen och hoppas att Hanna hör honom, innan han knäpper av Ängeln.

Korridoren svänger runt ett skarpt hörn, han följer sakta efter. Den leder vidare ut i ännu en sjuksal med stålställningar och vita skynken, och han går ut i den. Är det en ny sal, eller har han varit här redan?

Bara fortsätt. Ett steg över golvet, sedan två steg, och tre och fyra …

Jan hade varit lite rädd för att stöta på råttor när han kröp fram under golvet – men nu inser han att det är han själv som är råttan här. Det är han som inte vågar pipa till, som försiktigt tassar över stengolvet och lystrar efter ljud.

Ute i salen samlas skuggorna omkring honom. Mörkrädslan börjar komma smygande, så han viker av åt höger och försöker hålla sig nära väggen.

Vid en första anblick verkar salarna ha stått tillbommade i många årtionden, men efterhand hittar Jan spår av nyare besök. Bredvid några mörkbruna glasburkar på en trähylla ligger ett hoprullat program från en lokal fotbollsmatch, och när han viker upp det ser han att det är från förra säsongen.

Och längre bort finns klotter på kakelväggarna. Tuschklotter. På ett ställe under taket står skrivet JESUS FRÄLS MIG I DITT BLOD med spretiga bokstäver, och på en annan vägg närmare golvet står orden JAG VILL HA VARM KVINNA! Det ser ut som om samma penna har skrivit båda meningarna.

Det är kyligt i underjorden, men Jan svettas ändå.

Han drar ett sprucket plastskynke åt sidan och upptäcker ett gammalt skrivbord på golvet, med stängda lådor. Han går fram och drar i handtagen, men de är låsta.

Han ger upp och tittar fundersamt mot taket.

Rami finns ovanför honom. Kvinnorna på sjukhuset har ju två egna avdelningar, enligt Hanna. Men hur ska han ta sig upp till dem?

Och var finns Ivan Rössel? Här i mörkret känns han påtagligt närvarande, Jan minns hans leende på datorskärmen. Men Rössel och de andra våldspatienterna sitter väl bakom låsta dörrar?

Jan hör plötsligt ett dånande ljud. Det är lågt och avlägset och följs av ett utdraget rop, som ett eko.

Han vet inte exakt vilket håll ljuden kommer från. De kanske bara är inbillning, men de får honom att stå stilla och lyssna, orörlig.

Inget mer hörs, men till slut vänder han om. Det är ljuden, det är mörkret, det är ensamheten härnere. Timmen är sen och ljuset från Ängeln blir allt svagare.

Jan börjar gå tillbaka inåt salen och lyser omkring sig, mot de svarta öppningarna – men vilken av dörrarna kom han egentligen in genom? Han minns inte.

Han går fram och väljer en av dem, den till höger. Bakom den finns en lång korridor, och plötsligt ser han ljus. Jan fortsätter framåt, viker runt ett hörn och kommer ut i en större hall med dämpad nattbelysning. På andra sidan hallen finns en bred glasdörr märkt med en grön skylt, UTGÅNG, och bakom den dörren börjar en ljus stentrappa som försvinner uppåt.

Jan inser att han har hittat trappan som leder upp till sjukhusavdelningarna, och tar ett ivrigt steg framåt – men stannar tvärt.

Det sitter en plåtlåda med en stirrande svart lins ovanför glasdörren.

En kamera.

Går han fram till glasdörren kommer kameran att upptäcka honom. Så han vänder om, tillbaka ut i sjuksalen, och väljer öppningen till vänster.

Den här gången är bara tre meter kort och slutar med en stängd ståldörr.

Jan har gått vilse.

Det finns panik i hans huvud och ben nu, men han betvingar den och vänder om och går sakta tillbaka över kakelgolvet. Det här är lugnt, han kommer att hitta rätt väg om han bara rör på sig och testar alla dörrar. Han sveper med Ängelns döende lampsken över väggen och väljer en dörröppning på måfå. Bakom den finns en lång korridor som både känns gammal och främmande samtidigt, men han går in i den och förbi två stängda dörrar innan gången slutar med en tredje. En vanlig trädörr.

Han sänker Ängeln och öppnar dörren, och möts plötsligt av skarpt ljus. Han ser tända lysrör i ett lågt tak. Varmluft strömmar mot honom med en doft av klorid, och han ser reglage och blinkande lampor på stora vita plåtlådor. Det susar och dunkar av stora fläktar och elmotorer, och längre bort finns en räls i taket och korgar fyllda med lakan och kläder.

Det här är ett tvätteri, inser Jan – Sankta Patricias sjukhustvätt.

Han är inte ensam här. En lång mager man i grå overall står med böjd rygg mot honom och viker ihop lakan, bara fem eller sex meter bort. Mannen har en liten musikspelare i bältet med sladdar som går upp till öronen, och han har inte upptäckt Jan än. Men om han skulle vrida sig om …

Jan väntar inte på det, han stänger dörren till tvätteriet igen, tyst och snabbt. Så går han tillbaka genom korridoren och ut i sjuksalen igen, bort mot de andra dörröppningarna. Han var nära att bli upptäckt nyss – ändå känner han sig lugnare när han går genom salen. Det finns faktiskt folk härnere i källaren, vanliga människor med ett jobb …

Det är då han hör fler ljud, på närmare håll.

Någon sjunger, lågt och mässande, från en av dörröppningarna. Flera röster i kör. Det låter som en gammal psalm, men ekar för mycket mellan kakelväggarna för att Jan ska kunna uppfatta några ord.

Personal eller patienter?

Jan vill inte veta vem som sjunger så här sent på kvällen. Han rör sig försiktigt framåt, nära väggen. Beredd att springa.

Till slut hittar han rätt. Han kommer tillbaka till korridoren med de små cellerna och därifrån tar han sig genom den första sjuksalen och bort till skyddsrummet. Där känns det nästan helt tryggt.

Han behöver inte krypa under golvet den här gången – från den här sidan kan han öppna ståldörren och ta sig tillbaka till Gläntan genom skyddsrummet.

Här är värmen och ljuset tillbaka, och Jan stänger av Ängeln.

Klockan är snart midnatt, men Hanna är fortfarande vaken när han kommer in i förskolan igen. Hon tittar intensivt på honom, nästan upprymd, och för en stund glömmer han Rami.

”Jag hörde dig”, säger hon och håller upp Ängeln. ”Klart och tydligt.”

”Bra”, säger Jan.

”Såg du något därnere?”

”Inte så mycket.” Han andas ut och torkar sig i pannan. ”Det är som en labyrint i källaren, med gångar och gamla sjuksalar, och jag tror jag hörde röster …”

”Såg du någon väg upp till avdelningarna? Eller en hiss?”

Jan skakar på huvudet.

”Jag kom bara fram till tvätteriet … Det var folk där.”

”Folk? Kvinnor och män?”

”En man. Det var väl någon ur personalen … men han såg mig inte.”

Hanna nickar, men verkar ointresserad.

”Så det var ett bortkastat besök.”

”Nej”, säger Jan. ”Jag lärde mig hitta därnere.”

BANGEN

Jan såg stängslet med taggtråden varje gång han satt vid skrivbordet på sitt sjukrum. Det gick inte att undvika, det var minst dubbelt så högt som han själv. Först fanns en gräsmatta, sedan fanns stängslet och bakom det en gångbana som försvann bort mot staden.

Stängslet höll honom inne på Bangen, det förstod han – men det skyddade också från resten av världen.

Vad hade han gjort för att hamna härinne?

Han tittade på bandagen över handlederna. Han visste vad han hade gjort.

Han hade bett Jörgen om papper och bläckpennor för att teckna lite. Nu drog han upp en rektangel på papperet och började på en ny serie. Den Skygge, hans egen superhjälte, slogs mot De fyras gäng på botten av en mörk ravin. Den Skygge var osårbar för allt utom starkt ljus, och därför försökte gänget rikta laserlampor mot honom.

Plötsligt knackade det på dörren. En sekund senare drogs den upp, utan att Jan hunnit svara.

En man i grå ylletröja kikade in. Inte Jörgen. Den här mannen var skäggig men helt kal på huvudet.

”Hej Jan”, sa han. ”Bra att du är uppe.”

Jan sa ingenting.

”Jag heter Tony… Jag är psykolog här. Vi ska bara kolla dina värden.”

En psykolog. De skulle börja gräva i honom nu.

Tony klev åt sidan och släppte förbi en ung manlig sköterska som kom fram till Jan med stetoskop och hårda händer. Han klämde, lyssnade, drog Jans bandage åt sidan och tittade på de igensydda såren längs handlederna.

"Han verkar frisk", sa sköterskan över axeln. "Nästan återställd."

"Kroppsligt sett, då", sa Tony.

"Jo... Hans själ får du ta hand om."

Ingen av dem pratade direkt med Jan, och sköterskan såg inte hans brännmärken. Han reste sig utan ett ord när han var klar.

"Ska jag åka hem snart?" frågade Jan bakom dem.

Inget svar. Tony hade redan stängt dörren.

Jan slutade teckna, efter bara fem serierutor. Han la sig på sängen igen, och stirrade i taket. Han skulle få vara kvar på Bangen tills någon släppte ut honom. Andra bestämde över honom, han var van vid det.

Han låg kvar, han ville inte gå ut.

Genom väggen kom gitarrmusik. Tjejen i rummet bredvid hans eget spelade fortfarande sina ackord, om och om igen, men de kom snabbare nu. Och hon hade börjat sjunga till dem.

Jan vred huvudet mot väggen och lyssnade. Orden var engelska, men han förstod de flesta. Rami sjöng dämpat om ett hus i New Orleans som kallades *The Rising Sun* och hade förstört livet för många unga flickor. Hon sjöng samma rader om och om igen, innan hon erkände inför Gud att hon var en av de förstörda flickorna i huset.

Ju mer Jan hörde av musiken, desto mer ville han gå in till tjejen. Han ville inte bara lyssna, han ville titta på när hon sjöng också.

Han satte sig plötsligt upp, och hämtade pinnstolen vid skrivbordet. Den var av trä med en tunn sittskiva, och han började trumma på den i takt med gitarrens ackord. Det gick ganska bra och han höll rytmen – han hade varit trummis i skolorkestern. Inga killar på skolan hade förstås någonsin bett honom vara med i deras rockband, men han hade i alla fall trummat svensk och tysk marschmusik i två år. Det hade varit ganska kul.

Jan hade inget att leva för, men var bra på att hålla takten.

Han trummade högre och högre på stolen. Han var så inne i fyrtakten att han inte hörde att gitarren hade tystnat i rummet bredvid hans. Han slutade inte slå på stolsitsen förrän dörren plötsligt rycktes upp. Det var gitarrtjejen.

"Vad gör du?"

Hon lät inte arg, bara nyfiken. Jan frös till med händerna ovanför stolen.

"Jag trummar."

"Kan du det?"

"Lite."

Tjejen fortsatte titta på honom, fundersamt. Hon var lång och mager, såg Jan, hon var söt men hade knappt några kurvor alls.

"Kom med mig."

Tjejen vände om, som om det var självklart att Jan skulle följa efter. Och det gjorde han.

De gick ut i den tomma korridoren och tog till vänster, och tjejen öppnade den andra dörren på vänster sida, märkt med skylten MATERIALFÖRRÅD.

"Man kan liksom låna saker här", sa hon.

Förrådet var litet men fullt av hyllor, och på hyllorna fanns saker. Några hyllor med böcker, några med bordtennisracketar och travar med schackpjäser och sällskapsspel.

Det fanns papper och pennor och anteckningsböcker också, såg Jan. Jörgen måste ha hämtat seriepapperet här.

"Skriver du?" frågade tjejen.

"Ibland… Jag ritar också."

"Jag med", sa tjejen, och plockade upp en tjock svart anteckningsbok. "Ta den här… Så kan du skriva dagbok."

"Tack."

Jan hade aldrig skrivit om sig själv, men tog emot den.

På ett par av hyllorna fanns musikinstrument, och tjejen fortsatte bort mot dem.

"Det var här jag hittade Yamahan."

"Yamahan?"

"Min gitarr."

Bredvid hyllorna stod ett trumset. Det var jättelitet, bara en sliten trumma, en baskagge och en cymbal, men tjejen gick fram och lyfte upp det.

"Du kan ta det här."

Hon tog trumman, Jan tog cymbalen och trumpinnarna. Tjejen ledde vägen tillbaka till sitt rum.

"Kom in."

Jan tvekade lite, men klev över tröskeln. Han såg sig förundrat omkring; medan hans rum var vitt så var det här kolsvart. Det såg ut som någon sorts studio; tjejen hade täckt väggarna med stora svarta tygskynken.

Hon satte sig på sängen med gitarren.

"Jag spelar, så trummar du. Går det bra?"

"Okej."

"Börja du."

Jan plockade upp pinnarna och började trumma. Han började på ett lugnt fyrtaktstempo på trumman, och petade till cymbalen på första och tredje takten. Efter ett tag kom han in i det, det lät ganska bra.

Han såg att tjejen satt och nickade i takt till musiken. Hon lyssnade – det var ett förtroende han fick. Han var inte van vid det. Tjejen öppnade munnen och började sjunga, med samma småhesa röst som när hon pratade:

Det finns ett hus i Nyåker
som kallas Soluppgång
Det har förstört så många liv,
och dit kom jag en gång…

Det var tydligen enda versen hon hade, för hon sjöng den två gånger och tystnade efter det. Jan slutade slå på trumman samtidigt, och allt blev tyst.

De såg på varandra.

"Bra", sa hon. "Vi kör en gång till."

"Vad heter du?" sa Jan.

"Rami."

"Rami?"

”Det är bara Rami nu. Störs du av det?”

Jan skakade på huvudet. Och sedan kom en till fråga, utan att han tänkte efter:

”Varför är du här?”

Men Rami behövde bara en halv sekund för att tänka efter och svara, som om det inte var så viktigt:

”För att jag och min storasyster gjorde en grej ... en dum grej. Mest min storasyster. Hon stack till Stockholm och håller sig undan nu. Men jag fick inte hänga med, så jag hamnade här.”

”Vad gjorde ni?”

”Vi försökte förgifta vår styvfarsa. Han är slemmig.”

Det blev tyst. Jan visste inte vad han skulle säga, men plötsligt hördes ett rop:

”Jan! Jan Hauger!”

Han ryckte till, men blev lättad över avbrottet, och öppnade dörren. Det var en vårdare, han som liknade Jesus men hette Jörgen.

”Du har telefon, Jan.”

”Vem då?”

”Någon kompis till dig.”

Kompis? Jan kastade en blick mot Rami. Hon nickade.

”Vi fortsätter sen.”

Personalrummet låg i andra änden av Bangen. Jörgen visade vägen, sedan stängde han dörren om Jan.

Det fanns en säng, ett bord, en telefon. Luren låg avlagd vid telefonen, han lyfte den.

”Hallå, det är Jan.”

”Hauger? Din idiot. Din jävla loser ...”

Jan kände igen rösten. Han sa ingenting, all luft i hans lungor försvann. Men rösten i luren hade gott om luft:

”Så du lever”, fortsatte den. ”Du borde ha dött ... vi trodde du var död. Fixade du inte att dö, heller?”

Jan lyssnade och svettades, precis som i en bastu. Händerna var värst – han var så fuktig i handflatorna att luren nästan gled ur hans grepp.

”Vet du vad vi har sagt till alla på skolan, Hauger?”

Jan var tyst.

”Att vi såg att du stod i duschen och *runkade*. Runkade och stönade ...”

”Det gjorde jag inte.”

”Nä, men ingen tror på dig.”

Jan drog in andan.

”Jag har inte sagt något. Inte om er.”

”Det vet vi ... För om du gör det, så dödar vi dig.”

”Det gör ni ändå”, sa Jan.

Han fick ett skratt till svar. Det lät som om det var flera killar runt telefonen, med olika skratt.

Sedan klickade luren till.

Jan tittade ner på sina byxor. Det var blött och varmt nedanför gylfen, han hade kissat på sig.

34

JAN ÄR TRÖTT NÄR han kommer hem efter midnatt från Gläntan – inte trött i kroppen, men i huvudet. Besöket i Sankta Psykos källare har tagit all energi.

Men han sover lugnt i sin säng resten av natten, vaknar halv åtta och cyklar iväg mot förskolan en timme senare. Han har ett dagpass framför sig.

Allt är som vanligt på gården. Gungorna är tomma och några plastspadar ligger kvar i sandlådan, i väntan på barnen.

Men när Jan öppnar ytterdörren ser han att något inte stämmer. Hanna och Andreas står med några av barnen i kapprummet – men Hanna borde inte vara här, hon borde ha gått hem för en timme sedan.

”Hallå, Jan”, säger Andreas.

Jan ler mot kollegorna, men ingen av dem ler tillbaka. Så han frågar:

”Är allt lugnt?”

Andreas nickar.

”Jo, det är nog lugnt … men vi ska ha möte snart.”

”Ett personalmöte”, säger Hanna.

”Må bra-möte kanske?” säger Jan.

”Vet inte … Tror inte det.”

Andreas låter inte det minsta nyfiken. Jan nickar och försöker se lika oberörd ut, men när han tar av sig jackan fastnar hans egen blick vid Hannas ansikte en halv sekund. Hennes blå ögon är lika blanka och svårtydda som vanligt, och hon tittar snabbt bort.

En kvart senare sitter alla samlade i köket. Alla utom Marie-Louise, som står med rak rygg framför sina anställda. Hon rättar till sin blus, harklar sig och pressar handflatorna mot varandra.

”Vi behöver prata om en sak”, säger hon. ”Något allvarligt. Som alla vet är det extra viktigt med säkerhetsregler här på Gläntan, men de har tyvärr inte riktigt fungerat.” Hon gör en paus och fortsätter: ”När jag kom till förskolan i dag, det var vid sju i morse... så stod säkerhetsdörren till källaren öppen. Nästan på vid gavel.”

Hon tittar på sin personal, men ingen säger något. Jan anstränger sig för att inte flacka med blicken.

”Hanna, du och jag pratade om det här innan ni andra kom hit”, fortsätter Marie-Louise, ”och du säger att du inte vet hur det kan ha gått till.”

Hanna nickar. Hennes blick är klar och oskuldsfull, den flackar inte alls. Jan är imponerad.

”Nä, det är jättekonstigt med dörren”, säger hon. ”Jag vet att den var stängd när jag gick och la mig.”

Marie-Louise tittar på henne.

”Du är helt *säker*?”

Hanna ser åt sidan, men bara en halv sekund.

”Nästan.”

Marie-Louise suckar åt det ordet. Hon rätar på ryggen.

”Den ska alltid vara stängd. *Alltid*.”

Stämningen är tryckt. Jan sitter bredvid Hanna, men säger ingenting. Han tittar tomt på Marie-Louise och funderar på om det var han som inte stängde dörren när han kom upp från källaren.

Plötsligt hörs en ljus och glad röst:

”Hej, era medborgare!”

Alla vrider på huvudet. Det är Mira som har ropat, hon står i dörren till rummet och ler mot de vuxna med en stor glugg i övre tandraden. Jan vet att hon lärde sig det ordet, *medborgare*, för några dagar sedan och nu använder hon det så mycket hon kan.

”Hej, Mira”, säger Marie-Louise snabbt, ”vi kommer snart ut! Vi vuxna måste bara prata lite till...”

”Men Ville och Valle ska gå och lägga sig! Vi måste bädda för dem!”

”Jan”, säger Marie-Louise lågt, ”kan du gå och bädda ner Miras dockor?”

”Visst.”

Han är glad att få lämna rummet. Det här är inget roligt personalmöte – han känner den tunna tråden av lögner och hemligheter mellan honom och Hanna, och är rädd att någon av de andra ska få syn på den.

”Hej, din medborgare!”

”Hej igen, Mira.”

Hon verkar nöjd med att det är Jan som har kommit in i sovrummet för att hjälpa henne. De sätter sig bredvid hennes säng och han plockar upp hennes två dockor och bäddar ner dem under täcket.

Jan är mer avslappnad härinne. Han ordnar allt, han ser till att Ville och Valle ligger bredvid varandra, med sina tyghuvuden över täcket, och han stryker med handflatorna för att få bort alla skrynklor ur lakanen – men andra tankar bryter ändå in i huvudet.

Det han funderar på är förstås den öppna källardörren. *Om* det var han som glömde stänga den i natt måste han skärpa sig. Annars kommer en kamera att förr eller senare sättas upp på förskolan.

”Så där”, säger han. ”Blir det bra, Mira?”

Hon nickar och böjer sig fram över sängen. Varje docka får en klapp på huvudet, innan hon backar från sängen igen. Hon petar sig i näsan och tittar på Jan.

”Vad ville farbrorn?” frågar hon. ”Ville han ta Ville och Valle?”

Jan ser på henne.

”Vilken farbror?”

Mira drar ut fingret ur näsan.

”Farbrorn … han som var härinne.”

”Det var ingen farbror här.”

”Joho”, säger Mira bestämt. ”Jag såg honom när det var mörkt!”

”I natt, menar du?”

Hon nickar.

”Han stod *där*.”

Mira pekar mot golvet bredvid sin säng, vid fotändan. Jan tittar men säger inget mer, han vet inte vad han ska säga.

”Du drömde”, säger han till slut. ”Du bara drömde att det var en farbror här.”

”Nä!”

”Jo, Mira. Du drömmer ju ibland. Du drömmer om saker fast de inte finns, och att du är ute och leker fast du ligger i sängen. Eller hur?”

Mira tänker efter och nickar. Jan har övertygat henne, utan att själv vara övertygad. En man i barnens rum?

”Bra”, säger han. ”Då får Ville och Valle sova nu.”

De lämnar rummet. Mira springer före över tröskeln och verkar redan ha glömt det hon berättade.

Jan har inte glömt. Han går tillbaka till personalrummet, men bordet är tomt. Bara Andreas står kvar och diskar sin kopp. Jan går fram och häller upp en ny kopp kaffe, och frågar i förbigående:

”Är mötet över?”

”Jo.”

”Vad kom ni fram till, då?”

”Inte så mycket”, säger Andreas. ”Dörren ska ju vara stängd. Så vi ska låsa om oss, och kolla att andra gör det.”

”Låter bra”, säger Jan.

Plötsligt hör han att ytterdörren smäller igen bakom sig, och vänder sig om.

Det var Hanna som just gick – hon har tagit på sig ytterkläderna och är på väg hem nu efter sitt nattpass.

Men Jan drar på sig stövlarna och springer snabbt efter henne. Han kommer ifatt ute vid grinden och ropar lågt:

”Hanna?”

Hon stannar och vänder sig om, men tittar på honom som om de inte känner varann.

”Jag ska gå hem”, säger hon. ”Vad är det?”

Jan ser sig om – framsidan av gården är tom på både barn och personal. Men han vågar ändå inte säga för mycket.

”Mira har drömt mardrömmar.”
”Jaha?”
Hannas röst är sval och neutral. Jan sänker rösten:
”Hon drömde om en farbror.”
”Jaha? Hon har drömt förr, det är ...”
”Han stod i sovrummet i natt, vid hennes säng.”
Hanna tittar på honom med tom blick, och Jan sänker rösten ännu mer, till en dov viskning:
”Hanna ... släpper du ut någon genom slussen på nätterna? Någon patient som kan ha gått in till barnen?”
Hon tittar åt sidan.
”Det är ingen fara. Det var en vän.”
”En vän? Vän till dig?”
Hanna svarar inte, bara tittar på klockan och börjar gå igen.
”Min buss kommer snart.”
Jan suckar och följer efter henne.
”Hanna, vi måste ...”
Hon avbryter utan att titta på honom:
”Jag kan inte prata mer om det här. Du får lita på mig ... det är lugnt. Vi vet vad vi gör.”
”Vi? Vilka är *vi*, Hanna?”
Hon stannar inte, hon drar bara upp grinden och slår igen den bakom sig.
Jan står kvar och ser efter henne när hon går över vägen. Han tänker på den gamla roliga historien, som inte är speciellt rolig:
– Vem var damen jag såg dig med i går?
– Det var ingen dam, det var min fru.
Men i sitt huvud, när han går tillbaka in i förskolan, hör han Mira fråga:
Jan, vem var farbrorn jag såg vid sängen i natt?
Och han hör sig själv svara:
Det var ingen farbror. Det var Ivan Rössel.

35

På vägen hem från förskolan efter dagpasset fattar Jan ett tyst beslut för sig själv: inga fler hemliga besök på Sankta Psyko. Inte i källaren, inte i besöksrummet. Efter mötet med Marie-Louise får det vara slut.

Han tror inte att det var han som glömde att stänga källardörren. Det är mer troligt att det var Hanna – men det spelar egentligen ingen roll. Hanna borde också sluta med nattbesöken på kliniken nu.

Inte borde, hon *måste* sluta.

Men när han kommer hem och öppnar dörren har han fått post.

Ett stort tjockt brev ligger på hallmattan – men det är förstås inte till honom. Han är bara kurir, för kuvertet är märkt **S. P.**

Jan suckar tyst och tar ett långt kliv över brevet. Han går in i hallen utan att vilja röra vid det. Men brevet kan inte ligga kvar där. Så till slut plockar han ändå upp det, och nu när han håller det i handen kan han lika gärna försöka öppna det.

Trettiosex små och stora brev, det är innehållet. Jan bläddrar sakta igenom dem vid köksbordet. Inget är adresserat till Maria Blanker, men elva av breven ska till samma person:

Ivan Rössel. Han verkar ha många brevvänner.

Men vad vill de honom?

Jan funderar några sekunder och tänker på Hanna, och på den öppna källardörren. Sedan plockar han snabbt upp ett av Rössels brev. Det är ett vanligt vitt kuvert, utan avsändare, men ganska slarvigt förseglat.

Han hämtar en kniv och testar brevfliken, och klisterremsan ger med sig. Brevet är öppet.

Tjuvläsning. Jan tycker inte om det ordet – men han stoppar ändå in två fingrar i kuvertet och drar försiktigt ut innehållet. Det är flera tunna pappersark, täckta med prydliga bläckbokstäver:

Min käraste Ivan Ivan, det här är Carin igen. Carin i Hedemora, om du minns. Jag kom på att jag glömde berätta om mina båda hundar i förra brevet. Jag har två, en tax & en terrier. De heter Sammy och Willy & de trivs jättebra med varann & jag trivs med dem. Det är underbart när vi går ut och går ihop.

Det känns så lockande att drömma mig bort, för jag är ofta så stressad över att det är så mycket att göra i livet. Så mycket ansvar! Det är alltid massa räkningar och så har jag ju mitt jobb som jag ju måste sköta och inte kan vara borta från en enda dag mer. Och Sammy och Willy ska förstås rastas och matas och skötas, varje dag.

Men jag tänker så mycket på dig, Ivan. Jag skickar all min kärlek till dig. Min själs värme går som en lysande eld rakt upp över himlen och kommer ner igen till ditt rum, in i ditt hjärta. Jag känner så mycket Kärlek och Ömhet för dig, och jag har läst allt om dig.

Jag vet att alla vi som lever på utsidan av en fängelsemur kan vara lika mycket fångade av livet som ni som är inlåsta bakom den, och jag har tänkt mycket på hur man ska klättra över alla murar vi omger oss med. Men du gör mig fri och jag längtar efter att få träffa dig…

Brevet fortsätter i tre sidor till, med långa kärleksförklaringar till Ivan Rössel och drömmar om ett liv tillsammans. Det finns ett foto bifogat också, på en leende kvinna mellan två skällande hundar.

Jan viker ihop pappersarken och stoppar försiktigt ner dem. Så hämtar han ett limstift och förseglar kuvertet igen. Han öppnar inga fler.

Ett kärleksbrev till Ivan Rössel. Det lät så i alla fall. Jan har läst att ökända våldsbrottslingar som hamnat i fängelse ofta får beundrarbrev – högar med brev från personer de aldrig träffat. Brev från kvinnor som vill hjälpa dem att bli bättre människor. Vill alla brevskrivare hjälpa Rössel?

Sedan tänker han på Rami, och på brevet han började skriva till henne. Men hans kärlek är annorlunda. Helt annorlunda.

Ekorren vill klättra över stängslet, hade hon skrivit. *Ekorren vill lämna hjulet.*

Det var för nästan två veckor sedan, och han har inte fortsatt sedan dess. Och han lovade sig själv att inte smuggla fler brev.

Ändå plockar han fram ett pappersark. *Om* Rami finns på kliniken under namnet Blanker, och *om* han skulle skriva ett brev till henne – hur skulle han skriva då? Han vill inte låta som någon kärlekskrank främling som Carin i Hedemora.

Jan vill berätta vem han är. Så han lyfter pennan och skriver:

Hej, jag heter Jan och jag tror att du och jag träffades för länge sedan i en annan stad, i ett hus som kallades Bangen. Du hette Alice då, minns jag, men var trött på det namnet. Du spelade gitarr, jag spelade trummor, och vi pratade mycket. Jag tyckte om att prata med dig.

Och nu sitter du alltså på Sankta Patricias sjukhus. Jag vet inte varför, det är inte viktigt för mig. Det viktiga är att jag vill hjälpa dig.

Jag har gjort en sak, och det är att teckna bilder till böckerna som jag tror att du lämnade på förskolan, men jag vill göra mer. Mycket mer.

Jag vill hitta en väg i livet för oss båda och hjälpa dig...

Jan hejdar pennan och tittar på orden. *Att rymma*, det är väl det han vill skriva? Men han gör det inte. Han kan inte skriva sådana saker om inte Rami själv vill det.

På Bangen hade hon pratat om att ge sig iväg i stort sett varje dag. Hon ville bort från ungdomskliniken, hon ville träffa sin storasyster, hon ville till Stockholm – hon var bara fjorton år men hade stora planer.

Jan hade inga stora planer alls. Han ville bara vara med Rami.

Äkta kärlek dör ingen naturlig död. Den mördas av de som styr över oss.

Det borde han skriva i stället, det här brevet blev inte bra. Han knycklar ihop det och börjar på ett nytt:

Maria, jag heter Jan Hauger och jobbar på Sankta Patricia, men inte på själva sjukhuset. Jag är förskollärare, men ibland tror jag att jag är ett lodjur. Du själv har ett nytt namn och ser dig som en ekorre nu, men när vi kände varandra hette du Alice Rami. Eller hur?

Jag är nästan säker på att det är så, och att det var dig som jag träffade i en annan stad på ett ställe kallat Bangen, och att jag hade rummet bredvid dig. Vi spelade musik ihop och berättade hemligheter – och vi lovade göra varsin sak för varann när vi kom ut därifrån. Vi hade en sorts pakt.

Jag vill gärna träffa dig igen och prata om den pakten, för jag uppfyllde min del och jag tror att du uppfyllde din också…

BANGEN

”Titta!”

Ramis rop fick Jan att rycka till. Han hade suttit på golvet och trummat lugnt och stilla till hennes gitarrackord och nästan sövts till ro av rytmen, men nu hade hon plötsligt slutat spela. Rami hade lämnat sängen och gått fram till skrivbordet vid fönstret. Hon pekade.

”Har du sett mitt skyddsdjur?”

Jan slutade trumma.

”Vadå?”

”Han är därute, på gräsmattan.”

Jan fattade inte vad hon pratade om, men han reste sig och tittade ut genom fönstret – och såg en brun liten figur hoppa runt på gräset, fram och tillbaka. Efter varje hopp stelnade han till och såg sig om, innan han tog nya skutt.

”Det är en ekorre”, sa Jan.

”Ekorrar betyder tur, det säger min mormor Karin”, sa Rami mot glaset. ”Det är jag som har tänkt fram honom ... Jag kan skicka iväg honom, ut i friheten.”

Och nästan samtidigt vek ekorren av mot stängslet. Den tog ett hopp upp mot stålöglorna, fick grepp om dem med tassarna och klättrade genom taggtråden. Så tog den ett vansinnessprång mot en trädgren utanför inhägnaden. Men den nådde spetsen av grenen, svingade sig inåt trädet och var försvunnen.

”Så, ut i friheten ...” Hon såg på Jan. ”Det där var mina tankar som rymde genom stängslet. De är fria nu!”

Jan tittade tillbaka på Rami för att se om hon var allvarlig, och det var hon. Hon log i alla fall inte.

Han insåg plötsligt att han hade lutat sig framåt och stod väldigt nära henne nu. Han kände hennes lukt, en blandning av gräs och kåda. Det började kännas lite pinsamt. Han måste säga något:

”Så du … heter bara Rami?”

Hon nickade.

”Jag hette Alice förut, men Rami räcker.” Hon gick tillbaka till sängen och tog upp gitarren, slog ett par ackord och tittade på Jan. ”Vet du vad vi borde göra?”

”Vadå?”

”Vi ger en konsert”, sa Rami. ”Vi repar lite mer, och sen spelar vi för spökena.”

”Vilka spöken?”

”Alla som är fångar på Bangen.”

Jan nickade, men han såg sig inte som fånge. För honom var stängslet ett skydd från resten av världen.

Plötsligt drogs Ramis dörr upp. En svarthårig kvinna med stora blanka glasögon stack in huvudet.

”Alice?”

Rami stelnade till mot kvinnan.

”Vadå?”

”Glöm inte vår terapitid i dag. Klockan tre.”

Rami sa ingenting.

”Vi ska bara prata”, sa kvinnan. ”Jag vet att det kommer kännas bra”,

Dörren stängdes.

”Psykobabblaren”, väste Rami till Jan. ”Jag hatar henne.”

Den femte morgonen på Bangen satt Jan på sitt rum och tecknade på serien om Den Skygge och De fyras gäng. I sängen låg hans lakan i en hög. De var torra nu, men hade varit våta när han vaknade.

Dagboken låg också på skrivbordet, den som Rami hade gett honom. På framsidan hade han tejpat fast polaroidbilden av sig själv och sedan börjat skriva i den. Han hade skrivit ner saker som hade hänt den senaste veckan, och saker som Rami hade sagt eller han själv hade tänkt – och till slut hade det blivit flera sidor med rad efter rad av ord. Konstigt.

Plötsligt knackade det på hans egen stängda dörr. Han gjorde som Rami hade gjort och svarade inte, men den drogs förstås upp ändå.

Ett skäggigt ansikte stacks in – det var psykologen. Han som hette Tony.

”Hej, Jan. Vi ska prata nu, du och jag.”

Jan stelnade till.

”Om vadå?”

”Om en kille som heter Jan Hauger, tänkte jag.” Tony log mitt i skägget. ”Kom med, vi ska gå upp till mitt rum.”

Jan satt kvar vid skrivbordet med pennan och papperet – han mindes varningen i telefonen. Han tänkte inte berätta någonting.

Men psykologen väntade lugnt, och vann till slut. Jan reste sig och följde med.

De gick genom matsalen och fortsatte genom trapphuset till övervåningen. Där fanns en korridor med rader av kontorsrum.

Psykologen tog in Jan på ett av dem.

”Sätt dig.”

Sedan satte han sig själv bakom skrivbordet och läste i en mapp någon minut. Jan satt tyst, och tittade ut genom fönstret. Himlen var blå, solen lyste över pölar med smältvatten på sjukhusparkeringen.

Psykologen tittade plötsligt upp på honom.

”Var fick du sömntabletterna ifrån?”

Jan blev överrumplad, han svarade automatiskt:

”Från mamma.”

”Och rakbladen … var det din pappas?”

Jan nickade.

”Ska man tolka det symboliskt på något sätt?”

”Vadå tolka?”

Jan förstod inte, och psykologen lutade sig framåt.

”Ja … Det här att du svalde din mammas tabletter, och skar upp armarna med din pappas rakblad, var det kanske någon sorts protest? En protest mot dina föräldrar?”

Jan hade inte tänkt på det. Han tänkte inte efter nu heller – han bara skakade på huvudet och sa lågt:

”Jag visste var de fanns … Var de hade dem.”

”Okej … Men om vi ska sammanfatta vad som hände för tre dagar sen, så svalde du femton tabletter, skar upp dina handleder och hoppade ner i sjön nedanför ert hus?”

Jan var tyst. Jo, så var det nog. Men sakerna som psykologen påstod att han hade gjort kändes redan väldigt vaga, som en dröm. Som en tecknad serie. *Den Skygge och dammen.*

”Det är en damm”, sa han till slut.

”Okej, sjön var en damm”, sa Tony. ”Men man kan drunkna ganska bra i en damm också, eller hur?”

”Jo.”

Jan ville inte tänka på hur det hade varit att inte få luft därnere. Han såg ner på mattan under bordet. Den var grön.

”Du blev i alla fall uppdragen ur dammen av ett par snälla personer som råkade gå förbi, och så fick du åka ambulans in till regionsjukhuset … Sen förflyttades du hit till barn- och ungdomspsykiatrin. Och nu sitter vi här.”

”Jo.”

Tystnad i rummet.

”Du ville dö i dammen”, sa Tony. ”Vill du det fortfarande?”

Jan tittade ut genom fönstret igen. Bortom parkeringen fanns stora sjukhusbyggnader, byggda i stål och glas och tiotals våningar höga. Solen lyste på glasrutorna – det hade känts som vinter när han hoppade ner i det iskalla vattnet, men nu såg det ut som vår ute.

Det här var en trygg värld. Han var inlåst, men han var *säker.*

”Nej”, sa han.

Han visste det: Härinne på Bangen ville han inte dö.

”Bra”, sa Tony. ”Det är jättebra, Jan.” Han skrev ner ett par meningar i sitt block. ”Men för tre dagar sen var det annorlunda. Hur mådde du då?”

”Dåligt”, sa Jan.

”Och varför mådde du dåligt?”

Jan suckade. Det här tänkte han prata så lite som möjligt om. Han hade kunnat prata mycket om De fyras gäng och allt annat – kanske prata i flera timmar – men inget skulle bli bättre av en massa snack.

”Inga kompisar”, sa han bara.

”Du har inga kompisar?” sa Tony. ”Inga vänner. Varför inte?”
”Vet inte … De tycker jag är knäpp.”
”Varför då?”
”För att jag sitter och tecknar serier.”
”Du tecknar?” sa Tony. ”Och vad gör du mer på fritiden?”
”Läser … och spelar lite trummor.”
”I ett band?”
”I skolorkestern.”
”Har du inga vänner där då, i orkestern?”
Jan skakade på huvudet.
”Så du känner dig helt ensam, Jan … Ensammast i världen?”
Jan nickade.
”Tycker du att ensamheten är ditt fel?”
Jan ryckte på axlarna.
”Det är det väl.”
”Varför då?”
Jan tänkte efter.
”För att alla andra har kompisar.”
”Har de det?”
Jan nickade.
”Och om de klarar det, så borde jag klara det.”
”Har du *aldrig* haft kompisar?”
Jan såg ut genom fönstret.
”Jag hade en förut, i min klass. Men han flyttade.”
”Vad hette han?”
”Hans.”
”Hur länge var du och han vänner, då?”
”Så länge jag minns … Från dagis, tror jag.”
”Men då *kan* du skaffa kompisar”, sa Tony. ”Det är inget fel på dig.”
Jan såg ner i skrivbordet och tänkte säga: *Jag kissar på mig på nätterna, det är enda felet.* Men han var tyst.
”Det *är* inget fel på dig, Jan”, sa Tony igen. Han lutade sig bakåt. ”Och vi ska fortsätta prata om hur du ska må bättre. Låter det bra?”
”Okej.”
Jan släpptes iväg.

På vägen mot trapphuset passerade han andra dörrar och läste skyltar med namn och långa titlar: Gunnar Toll, leg. psykolog; Ludmila Nilsson, leg. läkare, Emma Halevi, leg. psykolog, Peter Brink, kurator. Inget av namnen sa honom något.

LODJURET

Jan vaknade på rygg, på ett hårt golv, och undrade först var han var. Inte hemma. Han hade lagt sig någonstans fullt påklädd i höstjacka, mössa och halsduk. Sedan hade han somnat. Var?

Ett lågt tak fanns ovanför hans huvud – ett tak av armerad betong.

Då mindes han; han befann sig i bunkern ute i skogen. Han hade krupit in, han skulle bara vila lite men hade blivit kvar.

Dumt. Farligt.

Han tittade nedåt längs benen och såg att plåtdörren stod halvöppen – hans kängor stack nästan ut genom öppningen. Utanför såg han granskogens gråhet, under en lika grå himmel. Solen hade inte gått upp än, men den var på väg.

Jan blev plötsligt rädd för att William hade smitit ut i mörkret – men när han vred på huvudet såg han ett tjockt bylte med yllefiltar en halvmeter bort. Han hörde låga jämna andetag bland filtarna. Det var lille William, han sov fortfarande.

Luften var kall i bunkern, och det fanns ingen värme i Jans kropp heller. Benen kändes bortdomnade, han lyfte dem och rörde på musklerna för att få igång dem.

Jan satte sig långsamt upp. Han kände sig inte utvilad, bara stel och smutsig.

Igår kväll hade han haft en berusande segerkänsla i kroppen, när planen fungerade och hans fantasi var verklighet. Nu på morgonen kändes allt helt fel. Han låg i en bunker bredvid ett barn som han hade låst in dagen innan – vad höll han på med?

William rörde sig under filtarna och Jan stelnade till. Vaknade han nu? Nej, inte än.

Jan tog ut roboten bredvid bunkern och spelade in tre nya meddelanden om att allt var väl. Han slog om den till viloläge så att Williams egen röst skulle aktivera den. Sedan kröp han tillbaka in och ställde den på golvet.

En ljus hostning hördes. Det var William; han hostade till igen och stack ut en liten hand ur filtarna. Den trevade runt över betongen.

Jan drog sig snabbt bakåt, kröp ut ur rummet och reglade plåtdörren.

Fyrtiosex timmar, tänkte han och tittade på klockan.

Den var bara tio i sju – vilket betydde att det var trettio timmar kvar innan han skulle släppa ut William. En lång tid.

Jan kom ner till Lodjuret en kvart senare. Ingen var där än, men han hade egen nyckel och kunde gå in.

Allt var tyst, inga barnskratt ekade i rummen.

Han satte på kaffebryggaren, sjönk ner i en fåtölj och blundade. I huvudet hade han fortfarande bilden av Williams hand som trevade runt efter någon att hålla i.

Strax före halv åtta öppnades ytterdörren. Det var Nina, hans chef. De tittade bara trött på varandra när hon kom in – Ninas ögon var grå av oro.

”Det kommer inga barn i dag”, sa hon lågt. ”Vi har placerat ut dem på andra enheter.”

”Okej.”

”Har du hört något?” sa Nina. ”Något nytt?”

Han tittade på henne och öppnade munnen. Plötsligt ville han berätta allt för sin chef. Han skulle berätta att William satt inlåst i en kamouflerad bunker djupt inne i skogen, att han säkert var lite rädd men helt oskadd eftersom Jan noga hade planerat alltihop.

Viktigast av allt: han skulle berätta *varför* allt det här hände. Det handlade ju inte om William, inte egentligen.

Det handlade om Alice Rami.

”Jag har en sak som jag måste säga …”, började han – innan det plötsligt rasslade till borta i hallen. Det var ytterdörren som öppnades.

En polis klev in på Lodjuret, en konstapel i full uniform. Det var samme man som kvällen innan hade berättat för Jan om ett otäckt fynd på en skogsväg.

Jan stelnade till och stängde munnen. Han rätade på ryggen. Nu var han en pålitlig barnskötare igen. Det var en svår roll, men den fungerade fortfarande.

Polisens mobil började ringa. Han lyfte den mot örat och gick in i ett sidorum.

Jan reste sig och såg på sin chef.

”Jag tänkte anmäla mig nu ... Till skallgångskedjan, alltså.”

Nina nickade bara tyst – och frågade aldrig vad han hade tänkt berätta.

Solen gick sakta upp över taket på Lodjuret. En blåvit polisbuss rullade in vid dagiset och ställde upp sig som någon sorts sambandscentral ute på gångvägen. Fler och fler konstaplar, militärer och civila började anlända till daghemmet för att få lite kaffe, och sedan fortsätta upp till skogen. Jan gick också upp dit.

Skallgången kom igång kvart över nio. Poliser, hemvärnsmän och frivilliga på lång rad. Två sökhundar skulle ansluta efter lunch.

Jan stod någonstans i mitten och lyssnade på en polismans genomgång om hur sökandet efter William skulle bedrivas.

”Vi tar det lugnt och metodiskt.”

Skrevor, täta granar och vattensamlingar – allt skulle letas igenom.

Kedjan skulle börja på bred front längs sjön, insåg Jan. När skulle de börja leta på andra sidan av åsen, där bunkern låg?

Stämningen i leden var dämpad när de sakta gick framåt genom skogen.

Halv tolv ljöd plötsligt en visselpipa. Sökandet var tydligen avblåst, och genast började surret i skogen. Hade pojken hittats? Död eller levande?

Ingen visste, men det utspridda ledet av människor började brytas upp och samlas i mindre grupper. Jan stod ensam kvar bland granarna, ända tills en kvinnas rop hördes.

”Hauger! Finns Jan Hauger här?”

”Ja?” ropade han tillbaka.

Det var en polis, hon kom klivande med långa steg genom riset till Jan.

”Det är möte nere på daghemmet”, sa hon. ”Du ska dit.”

Det var en order, och Jan blev kall och stel. *De har hittat honom*, tänkte han.

”Varför då?”

”Vet inte … Ska jag eskortera dig?”

”Nej”, sa Jan snabbt. ”Jag hittar.”

Nina, Sigrid och tre andra barnskötare satt i personalrummet när han kom tillbaka till Lodjuret. Två konstaplar var också där, ihop men en civilklädd man – men Jan såg direkt att även han var polis.

Jan knäppte upp jackan och satte sig bredvid Nina.

”Skallgången har tagit paus”, sa han.

Nina nickade, hon visste.

”Det har hänt en sak … De ska prata med oss i personalen, en i taget.”

”Varför då?”

Nina sänkte rösten ännu mer:

”Föräldrarna fick tydligen ett brev med posten i dag, med Williams lilla mössa … Så polisen tror att någon har fört bort honom.”

36

Jan älskar en sak på förskolan, något han ser varje dag: barnens rena ansikten. Deras ärliga ögon. Barnen döljer ingenting, de vet inte hur man gör. De har inte lärt sig ljuga övertygande än, som de vuxna.

Men när han kommer till jobbet för ett nattpass har Lilian också svårt att inte visa hur hon mår den här kvällen. Hennes röda hår är okammat, blusen är skrynklig och ögonen mörka och trötta. Hon mår dåligt.

”Allt väl, Lilian?” frågar Jan.

”Toppen”, säger hon lågt.

”Är det något fel?”

Hon skakar på huvudet.

”Nej ... Jag vill bara gå hem.”

Mer troligt är att hon ska gå ut, kanske till Bills bar. Jan tycker att hon ser mer och mer sliten ut för var dag nu. Det kanske är hösten. Det kanske är spriten. Hon dricker för mycket, det vet han ju. Men sådant pratar man inte om.

Tack, men jag har egna problem, tänker han.

När Lilian är borta går han in till barnen i lekrummet. Mira och Leo, de enda nattbarnen, sitter där bland ett hav av byggklossar. Jan ler och sätter sig med dem.

”Vilket fint bygge.”

”Vi vet!” ropar Mira.

Leo ser som vanligt mindre nöjd ut, men han verkar lugn i dag. Jan plockar upp ett par klossar.

”Jag ska bygga ett sjukhus.”

Tre timmar och många lekar senare, och natt igen.

Mira och Leo ligger i sina sängar, efter kvällsmat och sagostund, och det är tyst därinne nu. Barnen sover och Jan sitter i köket och fyller i matbeställningar.

Han arbetar och låter tiden gå. Gömda i hans väska finns de trettiosju breven som han snart ska lämna på sjukhuset.

Ett av dem är från honom till Rami. Till slut, när han hade kommit igång, satt han i sitt kök och skrev ett fem sidor långt brev till henne. Han skrev om deras tid ihop på Bangen, saker han mindes att de pratat om. Och han skrev om vad som hade hänt honom efteråt, hur han hade blivit förskollärare och till slut hamnat här på Gläntan.

Han har lovat sig själv att inte lämna några fler brev, men det löftet har dunstat bort.

På slutet skrev han att han inte hade kunnat glömma henne. *Jag glömmer dig aldrig.* Det var ingen kärleksförklaring, det var sant.

Han lyfter huvudet och ser sig själv. Han har personalrummets enda fönster framför sig och kan se sin egen spegelbild sväva i mörkret. Men plötsligt ser han något bakom den, han upptäcker smala skuggor som rör sig ute i natten.

Djur – eller människor?

Han lutar sig närmare fönsterglaset. Om det är personer därute så rör de sig nära stängslet, mellan två lampor där området är som mörkast.

Jan funderar på att gå ut. Men gör det inte. Han fortsätter bara med matbeställningarna.

Dörrklockan surrar plötsligt till, hårt och utdraget.

Jan tittar mot ytterdörren, men stannar kvar i köket.

Ringklockan tystnar. Allt blir tyst – men tre minuter senare bankar det till alldeles framför honom, på köksfönstret. Han rycker till.

Ett blekt ansikte stirrar in genom glaset. Det är en lång och benig man med kalrakat huvud som står därute, orörlig och stirrande. Han har en tjock svart täckjacka, och under den vita sjukhuskläder. Jan känner inte igen honom.

”Öppnar du?” ropar han.

Jan tvekar, och mannen fortsätter:

”Är du ensam?”

Jan skakar på huvudet.

”Vilka mer är där?” frågar vakten.

”Vem är du?” ropar Jan tillbaka.

”Jag är vakt på natt-säk… Öppnar du?”

Jan rör sig inte bakom rutan. Han undrar om mannen känner Lars Rettig, men säger bara:

”Har du något id-kort?”

Vakten drar upp ett plastkort, visar det några sekunder så att Jan hinner se att ansiktet på kortet liknar vaktens och stoppar tillbaka det. Hans röst är hård och otålig när han ropar:

”Öppna nu.”

Jan får lita på honom, han öppnar fönstret och släpper in kylan, och frågar:

”Vad har hänt?”

”Vi saknar en fyr-fyra.”

Jan har ingen aning om vad den koden betyder, men han skakar på huvudet.

”Jag har inte sett nåt.”

”Larmar du om du gör det?”

Vakten väntar inte på svar, han backar från fönstret och försvinner bakåt i mörkret.

Jan stänger igen, och det blir tyst i köket.

Nästan tyst, för klockan tickar fortfarande fram mot midnatt, när han ska lämna paketet uppe i sjukhuset. Han borde ställa in det, men det går inte.

Han tittar till de två barnen, han går ut och sätter sig i personalrummet. Han väntar på att något ska hända.

En rymning. Är det verkligen en rymning?

Vad ska han göra?

Stanna här. Det är ju här han ska vara, hos de sovande barnen – men han har förstås ett sista besök kvar uppe på Sankta Psyko. Nu när folk rör sig runt sjukhusområdet får han vara försiktig, men han *måste* göra det. Han har skrivit för viktiga saker i brevet till Rami för att hon inte ska få läsa dem.

Han väntar i tjugo minuter till. Inget händer mer än att han känner sig mer och mer trött, både i kroppen och i huvudet. Han är trött på att sitta vaken mitt i natten bredvid en stor mur.

Det borde inte vara så här ... så här mörkt och ensamt. Men så här är det, och med tio minuter kvar till midnatt reser han sig och tittar till barnen en sista gång. Sedan går han ut och hämtar magnetkortet.

En sista leverans. Han hänger in den ena Ängeln i barnens rum och går mot källardörren. Den har hållits noga stängd efter tillrättavisningen från Marie-Louise, men nu öppnar han den.

Allt är mörkt och tyst, och Jan rör sig snabbt genom källargången. Han har blivit effektiv när det gäller brevlämningen; den här gången tar det bara fyra minuter att åka upp till besöksrummet och komma tillbaka ner. Hans hjärta bultar hela tiden men ingen stör honom, och Ängeln i hans bälte är tyst. Fem minuter efter midnatt är han tillbaka på förskolan, som om inget har hänt.

Dags att sova. Han gör i ordning bäddsoffan, han lägger sig och tänker en kort stund på brevet till Rami, och så blundar han.

Ett rasslande ljud väcker Jan.

Han öppnar ögonen, men allt är svart. Har han sovit? Jo, det måste han ha gjort, för nu är klockan bredvid sängen 00:56.

Något fortsätter rassla svagt utanför fönstret. Det gnisslar och skallrar därute.

Det är stängslet. Någon klättrar i stängslet.

Jan sätter sig upp och blinkar i mörkret. Han drar på sig tröjan och byxorna. Sedan går han fram, viker upp en glipa i persiennen och kikar ut genom fönstret.

Han ser ingenting.

Det känns helt fel och först förstår han inte varför. Sedan inser han att han är van att ha ljus utanför fönstret. Men den närmaste strålkastaren har slocknat.

Jan kisar ut genom rutan, och nu ser han rörelser därute.

Rasslandet fortsätter. Han lutar sig närmare glaset, och stirrar.

Det är stängslet som rasslar. Han ser en manslång skugga på andra sidan. Någon försöker ta sig uppåt.

Ytterdörren är låst, det vet han.

Borde inte gå ut, tänker han. *Inte lämna barnen.*

Och ändå går han bort och klär på sig. Byxor, tröja, skor och jacka.

Vinden har ökat ute på gården, kylan också. Jan håller ner huvudet och tar sig snabbt bort mot den delen av sjukhusområdet där rasslandet kommer från.

När han är framme vid staketet runt Gläntan och tittar upp mot stängslet så har ljuden tystnat.

Men skuggan däruppe finns kvar, och när Jan tittar upp mot den ser han den sträcka sig efter överdelen av stängslet – och sedan tappa taget. Den faller bakåt, i en kort båge, och landar med en torr duns i mörkret.

Jan tar sig över staketet, och bort mot sjukhuset. Han är nästan framme vid stängslet när ett vitt ljus plötsligt blixtrar till, rakt i hans ansikte.

Det är en stavlampa.

”Vem där?” frågar en röst.

”Jan Hauger … jag jobbar på förskolan.”

”Okej”, säger rösten, ”jag känner igen dig … Du är min vikarie i Bohemos.”

Gestalten tar ett steg närmare, och då känner Jan igen honom och hans breda axlar. Det är Carl, trummisen, med tårgas och handfängsel i bältet. Rettigs kompis, och Hannas kontakt på sjukhuset.

Jan vill gärna fråga om det, men Carl är snabbare:

”Har du levererat?”

”Levererat vadå?”

”Paketet.”

Carl nickar upp mot sjukhuset, mot besöksrummet, och Jan förstår. Carl vet att Jan är en del av smuggelkedjan. Ingen idé att neka.

”Jo”, säger han lågt. ”Jag har varit däruppe.”

”Okej, då ska jag hämta det”, säger Carl. ”När allt har lugnat ner sig.”

”Vad hände?” frågar Jan.

”En fyr-fyra.”

”Är det … en rymning?”

”Visst”, säger Carl. ”Men stängslet satte stopp för honom … och vi fick ner honom till slut.”

”Vad ska ni göra?” frågar Jan.

”Vi tar hand om det. Gå in du. Gå in och sov.”

Jan nickar och är på väg att vända om, när vakten tillägger:

”Vi måste lägga av snart.”

Han verkar prata för sig själv, men Jan hejdar sig och frågar:

”Du menar, med breven?”

Carl nickar.

”Med alltihop … Det börjar spåra ur med allting.”

”Hur då?” frågar Jan.

Men Carl svarar inte. Han går bara bort längs stängslet, och försvinner i mörkret.

37

JAN VAKNAR UPP VID femtiden, långt före barnen. Han har bara lyckats sova några timmar, och drömt obehagliga drömmar om att simma i en sjö och fastna med benen i lerbottnen. Att kämpa och kämpa, men inte komma loss.

Marie-Louise kliver in på förskolan vid halv åtta, och då berättar han direkt vad som har hänt. Det lilla han vet.

”En rymning?”

Hans chef verkar förskräckt av nyheten, så Jan säger:

”Ett försök, i alla fall.”

I hans minne är natten redan dimmig.

”Jag ska ta reda på vad som hände”, säger Marie-Louise.

Sedan öppnas Gläntan och lekarna och lämningarna påbörjas – men när barnen vilar efter lunch kallar Marie-Louise sin personal till ett informationsmöte.

Jan sätter sig vid bordet. Han är redo för vad som helst.

”Det har kommit ett direktiv från sjukhusledningen”, säger Marie-Louise. ”De har bestämt att Gläntan ska stängas på nätterna.”

Alla tar tyst emot beskedet, Jan också. Men han är förvånad – han är ju mitt i nattpassen nu, och har två stycken kvar.

”Ska vi bara ha dagverksamhet då?” frågar Lilian.

”Så blir det.” Hans chef verkar inte missnöjd över beslutet när hon fortsätter: ”Nattverksamheten här på Gläntan var aldrig en permanent lösning, det visste vi hela tiden. Barn ska ju bo i ett *riktigt* hem, och nu tror socialförvaltningen att man har hittat varsin bra familj åt både Mira och Leo. Så allt kommer att ordna sig.”

Jan lutar sig fram och frågar:

”När blir stängningen?”

”Ganska snart. Vi går över till enbart dagverksamhet i mitten av november.” Marie-Louise verkar se något oroligt i hans blick, för hon fortsätter: ”Men var inte orolig, Jan, *ditt* vikariat påverkas inte av det här … Inga tjänster påverkas, vi får bara göra om schemat så att det blir fler dagpass.” Hon ler tryggt mot sin personal. ”Det blir mer gemenskap på Gläntan, mindre ensamarbete.”

Jan ser också glad ut, men det är bara på utsidan. Han väntar ju på svar från Rami – så hur ska han få det nu? Dessutom är han säker på att nattverksamheten stängs av säkerhetsskäl. Kanske efter rymningsförsöket, eller för att Marie-Louise hittade källardörren öppen. Kanske litar hon inte på sin personal nu.

När de andra har gått ut ur rummet dröjer sig Jan kvar hos henne.

”Sa de något om det som hände i natt?”

Marie-Louise nickar kort, som om hon helst vill tänka på något annat.

”Jo. Det var en tvångsintagen patient som tog sig ut från avdelningen, och han kom ända fram till stängslet. Det händer ibland. Men det tog stopp där, och nu har säkerheten skärpts … Blivit ännu högre, alltså.”

”Så bra”, säger Jan – trots att ökad säkerhet på sjukhuset är dagens andra dåliga nyhet för honom.

Telefonen ringer bland alla möbler den kvällen. Jan väntar några signaler innan han sträcker in handen i röran och svarar.

Han väntar sig att det är hans mor i Nordbro, men det är faktiskt en yngre kvinnas röst. Det tar några sekunder för honom att känna igen Hanna Aronsson.

”Har du hört om nattpassen?”

Hon var ledig i dag.

”Jo”, säger Jan. ”Och du vet om det?”

”Lilian ringde.”

”Det blir inget mer kvällsarbete för oss, då”, säger Jan.

Han vet att Hanna förstår vad han menar. Det blir tyst i luren, innan hon frågar:

”Kan du komma hem till mig i kväll, lite kort? På Bellmans gränd nummer fem?”

”Okej, men varför då?”

”För att jag vill lämna igen dina böcker”, säger hon. ”Och prata lite.”

Jan lägger på luren. Han minns Hannas blå ögon och funderar på om han har fått en ny vän nu, som Rami femton år tidigare.

Hanna bor i ett nybyggt tegelhus nära Stortorget. Dörren öppnas snabbt och hon släpper in honom i en ljus och dammfri lägenhet, tapetserad i rosa och vitt.

”Hej … Kom in.”

Hon ler inte mot honom, hon nickar spänt och vänder direkt om mot köket.

Jan följer efter, men stannar till i vardagsrummet. Han är avundsjuk på hur stort och ljust det är.

Hanna har en bokhylla, och när han går närmare ser han att hon läser faktaböcker om brott. Han ser titlar som *Historiens värsta mord*, *Monstren ibland oss, Charles Manson med egna ord*, *Ted Bundys bekännelser*, och *The Serial Killers – a Study in the Psychology of Violence.*

Mördarböcker – en hel rad. Jan ser inga böcker om Patricia eller andra skyddshelgon, men de skrivs väl inte längre.

”Kommer du?” ropar Hanna.

”Visst.”

Hanna står och brygger te åt dem. Hennes kök är litet och lika rent som vardagsrummet, med prydligt vikta handdukar vid spisen. På köksbordet ligger fyra tunna böcker som Jan känner igen: *Prinsessans hundra händer, Djurskaparen*, *Häxsjukan*, och *Viveca i stenhuset.* Hon räcker över dem till Jan.

”Tack för lånet.”

”Har du läst dem?”

”Jo”, säger hon. ”Men det är ganska våldsamma historier. Som när Handprinsessan får luffarnas händer att strypa de där rövarna … Det är inget man vill läsa för barnen, eller hur?”

Jan håller med, men säger:

”De är nog inte värre än dina böcker.”

”Vilka böcker?”
”Böckerna som står i din hylla… Mordböckerna.”
Hanna sänker blicken.
”Jag har inte läst alla”, säger hon. ”Men jag ville veta mer… efter att jag hade fått kontakt med Ivan. Det finns hur många faktaböcker om mördare som helst.”
”Folk lockas av det onda”, säger Jan. Han är tyst, och fortsätter: ”Rössel har fler brevvänner än dig. Visste du det?”
”Nej.” Hanna tittar upp på honom, med ett nytt intresse i blicken. ”Hur vet du det?”
”Jag har sett några brev han får.”
”Var det från kvinnor?”
”En del.”
”Kärleksbrev?” frågar Hanna.
”Kanske… Jag har inte läst dem.”
Jan tänker inte avslöja att han öppnar och tjuvläser brev, inte för någon.
Det finns en hög med vita papper på köksbordet framför dem, en datautskrift. Hanna sträcker ut handen och nuddar den med fingrarna.
”Jag ville visa den här också… Ivan har lämnat sitt bokmanus nu.”
”När han var nere i förskolan?”
Hanna skakar på huvudet.
”Det var inte han som var där… Det var ingen från sjukhuset.”
”Vem var där, då?”
”Jag kan inte säga det.”
Jan ger upp. Han tittar på manuset på bordet och ser att det står MIN SANNING som titel. Det finns inget författarnamn, men han vet förstås vem som skrivit den.
”Rössels memoarer”, säger han.
”Det är inga memoarer”, säger Hanna och kastar en snabb blick på Jan. ”Jag håller på och läser det nu, och det är typ, en hypotes.”
”En hypotes?” säger Jan. ”Om hur morden har gått till?”
Hanna nickar tyst. Teet är färdigt och hon häller upp det i varsin mugg. De sätter sig vid bordet, men Hanna fortsätter titta på manuset, ända tills han frågar:

”Är du förälskad i Ivan Rössel?”

Hon tittar upp, och skakar snabbt på huvudet.

”Vad handlar det om då?”

Hanna svarar inte. Men hon lutar sig också framåt och fortsätter titta på honom med de klara blå ögonen – länge, som om hon funderar på Jans utseende.

Hon vill kyssas, tänker Jan.

Det här är kanske ett sådant tillfälle när folk kysser varandra. Men när han tänker på kyssar minns han Ramis mun tryckt mot hans egen på Bangen, och då känns allt fel.

Han måste tänka på något annat. På förskolan. På förskolebarnen.

”Jag är orolig för Leo”, säger han.

”Vem då?”

”Leo Lundberg … Leo på Gläntan.”

”Jo”, säger Hanna. ”Jag vet vem det är.”

”Ja, men … Jag har försökt prata med honom”, säger Jan. ”Försökt bry mig om honom, men det är svårt. Han mår dåligt … Jag vet inte hur jag ska hjälpa honom.”

”Hjälpa honom med vadå?”

”Att glömma det han har sett.”

”Vad såg han?”

Jan skakar på huvudet. Han blir beklämd bara av att tänka på lille Leo, men till slut svarar han:

”Jag tror att Leo såg sin far slå ihjäl hans mor.”

Hanna tittar blankt på honom.

”Har du pratat med Marie-Louise om det?”

”Lite, men hon är inte så intresserad.”

”Du kan inte göra något heller”, säger Hanna. ”Man kan inte ta bort någons sår, de finns alltid kvar.”

Jan suckar.

”Jag vill bara att han ska må bra, som alla andra barn … Att han ska känna att det finns massor av kärlek i världen.”

Han tystnar och hör själv att det sista låter rätt löjligt. *Massor av kärlek i världen.* Det låter så stort.

”Du kanske kompenserar för den där andra pojken?” säger Hanna.

”Vilken pojke?”

”Han som du tappade bort i skogen.”

Jan ser ner i bordet, och sedan upp på henne. En bekännelse är på väg att pressa sig ut, som ett tvång:

”Det var inte riktigt så”, säger han till slut, med låg röst. ”Jag tappade inte bort honom.”

”Inte?”

”Nej … Jag lämnade honom i skogen.”

Hanna tittar på honom, och Jan fortsätter snabbt:

”Det var inte så lång tid … och det gick ingen nöd på honom.”

”Varför gjorde du det?”

Jan suckar.

”Det var en sorts hämnd … på hans föräldrar. På hans mamma. Jag ville att hon skulle må dåligt. Och tyckte att jag visste vad jag gjorde, men …”

Han tystnar.

”Blev det bättre efteråt?” frågar Hanna.

”Jag vet inte, tror inte det … Jag tänker inte så mycket på det.”

”Skulle du göra om det?”

Jan ser på henne och skakar på huvudet, så ärligt han kan.

”Jag skulle aldrig skada ett barn.”

”Bra”, säger Hanna. ”Jag tror dig.”

De blå ögonen tittar tillbaka på honom. Han blir inte helt klok på Hanna. Kanske borde han stanna, prata mer med henne och försöka få veta vad hon egentligen tycker om honom, och om Rössel.

Nej. Han reser sig.

”Tack för teet, Hanna. Vi ses på jobbet.”

Han går ut i nattkylan, raka vägen hem med sin ryggsäck fylld av Ramis bilderböcker.

BANGEN

Konserten som slutade med en kyss och ett slagsmål skulle hållas i teverummet på Bangen.

Klockan sju var det sagt, men bara tre personer hade dykt upp vid det laget. Den första var den svartklädda kvinnan som hade stuckit in huvudet i Ramis rum och påmint om en samtalstid – hon som Rami hade gett smeknamnet Psykobabblaren. Och skötaren Jörgen hade kommit in med en liten tjej med skygga blå ögon som Jan aldrig hade sett prata med någon. Hon var lika blyg som han själv.

Jan hade ställt upp trummorna snett bakom Ramis mikrofon, för att höras men slippa synas. Han ångrade redan den här idén.

Fem över sju började fler åhörare dyka upp – spökena, som Rami kallade dem. De släntrade in och satte sig med bena i kors på golvet. Jan kunde inte så många namn, men han började känna igen de flesta av Bangens intagna nu. De var fjorton eller femton stycken i yngre tonåren – mest tjejer men några killar – en del med spretigt svart hår, andra prydligt kammade. Några som satt orörliga, några som hela tiden vred sig rastlöst och såg sig om. Var de missbrukare? Var de mobbare, eller kanske mobbade?

Jan hade ingen aning om varför någon annan var intagen på Bangen. Han kände ingen utom Rami. Och när han såg en mager fjortis titta på henne och sedan luta sig mot sin kompis och tydligt viska: ”Vem är *hon*?” förstod han att Rami hade hållit sig undan ännu mer.

Själv hade hon hela tiden tyst väntat vid mikrofonen, rak i ryggen med gitarren i ett hårt grepp och nästan kritvit i ansiktet. Nu ställde sig Jörgen bredvid henne med händerna i jeansen och såg ut över tonåringarna.

”Okej, vi ska ha lite musik... Det är våra vänner Alice och Jan som ska spela ett par låtar.”

Några osäkra fniss mötte den presentationen, och en besviken fråga:

”Teven då?” Det var en lång kille i jeansjacka. Jan mindes inte hans namn. ”Det är hockey i kväll... Får vi inte se på teve?”

”Hur mycket ni vill, efter musiken”, sa Jörgen. ”Tysta nu.”

Men spökena var inte tysta, de knuffade på varandra och fnissade och viskade.

Rami hade också rampfeber. Inte lika mycket som Jan, men han såg att hon blundade och verkade vilja glömma bort att någon annan fanns i rummet. Ändå fanns det en tydlig kontakt mellan henne och publiken – så fort Rami öppnade munnen stängde alla på golvet sina egna. Alla stirrade på henne.

”Okej”, sa Rami med släpig röst i mikrofonen, ”det här är en amerikansk låt som jag har översatt...”

Hon började med *Huset Soluppgång*. Det kändes bra för Jan, det trumkompet kunde han bäst. Sedan körde hon sin översättning av Neil Youngs *Helpless* som hon hade döpt till *Hjälplös* och Joy Divisions *Ceremony* som hon hade översatt till *Ritual*. De låtarna hade han också repat in.

Rami hade börjat slappna av när hon sjöng och fått en friskare färg i ansiktet. När *Ritual* tog slut vände hon sig plötsligt om, gick fram till Jan bredvid trummorna – och gav honom en kyss på munnen.

Han slutade spela. Kyssen tog tre sekunder, men världen stannade.

Rami slutade kyssas och log mot honom. Sedan gick hon fram till mikrofonen igen.

”Den här sista låten heter *Jan och jag*”, sa hon, och nickade in en fyrtakt mot Jan.

Han hade aldrig hört den låttiteln, han var ur balans efter kyssen – men kom till slut igång med trummorna efter hennes nickningar. Rami slog ett mollackord och började sjunga:

Jag ligger i min säng
och Jan ligger där intill

Då vet vi var vi är
och vart vår resa bär
Den bär rakt ut i rymden
och där är väldigt kallt
men mörkret är så vackert
att man kan glömma allt

Hon slöt ögonen och fortsatte med refrängen:

Jag och Jan, Jan och jag
varje natt, varje dag…

Jan blev så förvånad av orden att han nästan kom i otakt. Det lät som att han och Rami var *ihop*, men det var de ju inte. Han hade känt doften av henne, men hon hade aldrig ens rört vid honom.

När den låten tog slut gick Rami direkt över till andra ackord i samma takt. Hon lutade sig fram mot mikrofonen och såg för första gången rakt på publiken. Jan såg att hon log när hon sa:

”Det här är en sång om min psykolog.”

Så slog hon ett hårt riff på gitarren, nickade mot Jan och fick honom att börja trumma.

Rami kände in rytmen, slöt ögonen igen och mässade fram en text med hårda stötar:

Du födde fram en piska ur din mun
Du födde fram ett sågblad ur din rygg
Du födde upp små iglar
i din hjärnas djupa brunn
och slängde ner mig där när jag var stygg

Sedan drog hon in andan för refrängen, som hon stötte ut ännu hårdare:

Psyko, psyko, psykobabbel!
Sluta prata, sluta tjata!
Lämna mig ifre-ed!

Refrängen bara fortsatte. Rami stod rak i ryggen och sjöng inga toner längre, hon mässade bara fram orden ”Sluta prata, sluta tjata!” Ingen musik kom från gitarren, men Jan fortsatte trumma en stadig takt till orden.

Han såg alla på Bangen, intagna och skötare, sitta som förtrollade; tonåringarna hade slutat viska och lyssnade bara.

Men Psykobabblaren hade rest sig vid dörren. Hon såg inte nöjd ut, och för varje ord som Rami mässade tog hon ett steg fram mot mikrofonen. Till slut stod hon en meter bort från Jan, och en halvmeter från Rami. Rami såg henne inte, hon blundade och bara fortsatte sjunga. ”Sluta prata! Sluta tjata!”

Psykobabblaren tog tag i Ramis axel, och då öppnade hon ögonen. Hon struntade i henne, hon fortsatte sjunga. Men det lät mest som ett stridsrop nu:

”Sluta! Sluta! Sluta!”

Psykobabblaren tog tag i stativet och drog bort mikrofonen.

Det blev inte tyst ens då, för Rami skrek utan mikrofon. Hon öppnade halsen, och ut kom ett illvrål som fick publiken på golvet att rycka till och rygga bakåt.

”Dö! Dö!” skrek Rami, och slängde sig som ett rovdjur över Psykobabblaren.

De dunsade ner mitt bland barnen; de rullade runt som låsta vid varandra. Två brottare. Jan stirrade på dem, men fortsatte trumma. Han hörde Ramis skrik, han såg henne riva och slita med fingrarna – men inte i Psykobabblaren utan i sig själv. Hon rev sina armar blodiga, hon smetade ut blankröda strimmor över sig själv, över golvet, över Psykobabblarens svarta kläder och ansikte.

”Lugn, Alice!”

Springande steg hördes. Jörgen och en kollega dök upp, de drog bort Rami. Men hennes skrik bara fortsatte, hon slog vilt omkring sig.

”Sluta trumma!” röt Jörgen till Jan.

Han slutade tvärt, men det blev ändå inte tyst. Rami skrek och skrek. Skötarna hade fått ett stadigt grepp om henne nu, de drog ut henne ur rummet. Jan hörde hennes rop försvinna nedåt korridoren, sedan blev det tyst.

Allt var plötsligt stilla, men någon flämtade. Psykobabblaren. Hon reste sig sakta, och rättade till sin blodiga tröja. En kollega gav henne en näsduk.

"Ser du nu?" sa Psykobabblaren. "Minns du min diagnos?"

Konserten var slut, men Jan satt ändå kvar en stund innan han lyfte upp sitt trumset. Hans armar darrade.

Killen i jeansjackan såg sig om med ett osäkert leende. Sedan gick han fram och knäppte på teven.

Jan gick ut ensam. Han bar tillbaka trummorna till förrådet.

Han tänkte gå in på sitt rum och teckna, men när han såg Ramis stängda dörr stannade han, tittade på den och knackade sedan på.

Han fick inget svar, och knackade igen.

Inget svar.

"Hon är inte där", sa en ljus röst bakom honom.

Jan vände sig om och såg en flicka i korridoren. Ett av spökena.

"Va?"

"De tog ner henne till Hålan."

"Hålan ... Vad är det?"

"Man blir inlåst där om man typ, bråkar."

"Var ligger den?"

"Nere i källaren", sa spöket. "Det är en dörr med en massa lås."

Hålan?

Jan smög ner i underjorden, till de långa tysta gångarna. Han hittade rätt dörr och knackade. Han fick inget svar nu heller; dörren var av stål och svalde nog allt ljud. Men det fanns en smal skåra under den, såg han.

Jan gick tillbaka upp till sitt rum och hämtade pennor och papper. Han visste inte vad han skulle skriva till Rami. Men han måste ju muntra upp henne, så han skrev:

BRA SPELNING!

/ JAN

Han sköt in papperet under dörren, och lyckades peta in en penna också. Det dröjde någon minut. Allt var tyst. Sedan kom lappen ut igen.

Det stod bara en mening:

JAG ÄR EN EKORRE UTAN TRÄD OCH LUFT.

Han tittade på papperet. Sedan satte han sig och började teckna en bild av en tjej med en gitarr på en stor scen, framför en enorm publik med lyfta händer. Han gjorde Ramis ansikte så bra han kunde, sedan sköt han in den under dörren och smög snabbt iväg igen.

Nästa morgon hörde han ljud ute i korridoren. Hårda steg och höga röster, och så Ramis dörr som slog igen.

När det hade blivit helt tyst gick han ut och knackade på hos henne.

”Vem är det?” frågade hon tonlöst genom dörren, utan nyfikenhet.

”Jan.”

Det var tyst några sekunder, sedan svarade hon:

”Kom in.”

Han öppnade försiktigt dörren, som om den kunde gå sönder. Det var mörkt därinne, men han var van vid det.

”Tack för bilden”, sa hon bara.

”Varsågod.”

Rami låg på sängen och stirrade i taket, med gitarren som ett husdjur bredvid sig. Jan kunde inte se om hon var fastbunden. Han var inte rädd, men stannade vid dörren.

”Det gick bra igår”, sa han. ”Ganska bra.”

Rami skakade på huvudet.

”Jag måste bort från Bangen, de knäcker mig här … Du vill väl också bort härifrån?”

Hon hade lyft huvudet och såg på honom. Jan nickade försiktigt, trots att det inte var sant. Han ville stanna på Bangen resten av skoltiden; äta, sova, spela pingis med Jörgen och trummor med Rami.

Hon tittade upp i taket igen.

”Men först ska jag hämnas på henne.”

”Vem då?”

”Psykobabblaren. Hon som låste in mig.”

”Jag vet”, sa Jan.

”Men det är inte det värsta …”, sa Rami och nickade mot sitt skrivbord, ”… för när jag satt därnere gick hon in här och snodde min dagbok. Jag vet att hon läser den nu. Från pärm till pärm.”

Jan tittade bort mot skrivbordet. Det kanske stämde, för boken som hade legat på bordet var borta.

”Hon ska få ångra det”, sa Rami. ”Hon och hennes familj.”

38

JAN KAN INTE MINNAS att han någonsin har pratat med en granne – inte någon gång under alla år som han har bott i hyreshus. Om han mött någon i trappan har han kanske hälsat, men aldrig stannat. Ett trapphus är ingen mötesplats för honom, bara ett tomrum där allt som hörs på dagarna är ekande dån av dörrar som slår igen.

Men här i Valla finns en granne han har pratat med. Och honom vill han träffa igen.

När han kommer hem efter kvällen hos Hanna lägger han tillbaka Ramis bilderböcker på bordet. Sedan sover han djupt.

Han är fortfarande trött när han vaknar. Men det finns saker som han måste göra, och efter frukost väljer han ut en tom kaffekopp i köket. Med den i handen går han ner två trappor i huset. Han ringer på hos grannen med namnskylten V LEGÉN.

Det tar nästan en minut innan dörren öppnas. En lukt av piptobak och alkohol når Jans näsa och den gråhårige grannen tittar tomt på honom, men själv ler han brett tillbaka mot Legén.

”Hej igen”, säger han. ”Det är jag som bakar ett par våningar upp … Har du möjligen lite mer socker?”

Grannen verkar känna igen honom, men han hälsar inte.

”Strösocker igen?”

”Vilken sort som helst.”

Legén tar bara koppen och vänder om, han bjuder inte in i den mörka hallen. Jan går in ändå.

Tygpåsen från Sankta Patricia som låg slängd på golvet förra gången syns inte till, så Jan fortsätter framåt och tittar in i köket.

Det står travar av tallrikar överallt, flaskor och dunkar har samlats i små öar på golvet, fönstren har fått en grå film av damm och stekos.

”Jag jobbar förresten på Sankta Patricia”, säger han till Legéns rygg.

Grannen reagerar inte, han fortsätter bara hälla upp socker borta vid bänken.

”Du har väl också jobbat där?” säger Jan.

Han får inget svar nu heller, men tycker att han ser en kort nickning borta vid bänken. Så han fortsätter:

”Var det i tvätteriet?”

Nu nickar Legén.

”Jo.”

”Hur länge då?”

”Tjuåtta år. Och sju månader.”

”Oj då. Men du är pensionerad nu?”

”Jo”, säger Legén. ”Nu gör jag bara vin.”

Jan ser sig om. Det stämmer, det står flaskor och dunkar överallt. Doften av fruktig alkohol kommer från förpackningarna, inte från Legén.

”Men”, säger Jan långsamt, ”du minns kanske fortfarande hur det ser ut däruppe ... på kliniken?”

”Jo. En del.”

”Några hemliga gångar?” säger Jan och ler för att visa att det är ett skämt, vilket det inte är.

Legén slutar fylla på socker och tittar på Jan. Så han fortsätter:

”Det vore kul att höra lite historier, om du vill berätta.”

”Varför då?” frågar Legén och lyfter sockerkoppen.

”Jag jobbar ju där ... Jag är bara nyfiken på min arbetsplats ... jag har aldrig varit inne på vårdavdelningarna.”

”Jaså?” säger Legén. ”Var jobbar du, då?”

Jan kommer inte på någon bra lögn, så han svarar:

”På förskolan.”

”Förskolan? De har ingen förskola.”

”Jo, nu har de det”, säger Jan. ”Det är för barn som har föräldrar därinne.”

Legén skakar bara förundrat på huvudet, han funderar lite och räcker över sockerkoppen.

”Okej … Hundra, i så fall.”

”Hundra vadå?”

”Hundra spänn, så berättar jag. Du kan få en vinare också.”

Jan tänker efter, och nickar.

”Om du berättar”, säger han, ”så hämtar jag pengarna sen.”

Legén sätter sig sakta vid köksbordet. Han är tyst en stund.

”Det finns inga lönngångar”, säger han sedan. ”Jag har aldrig sett någon … Men det finns en annan sak däruppe.”

Han söker med händerna bland tidningarna och kvittona som täcker bordsduken och hittar en blyertspenna och ett halvt ark papper. Han börjar rita kvadrater och smala rektanglar på papperet.

”Vad är det där?” frågar Jan.

”Tvätteriet.” Han ritar en pil. ”Man går till torken … torkrummet. En stor bred dörr. Men man går inte in där, man tar dörren till höger. Så kommer man till ett förråd …” Han gör en tjock cirkel runt en av kvadraterna, ”… och där bakom alla prylar finns vägen upp.”

”En trappa?”

”Nä”, säger Legén. ”En gammal hiss. Den går rätt upp till avdelningarna … Allihop. Men det känner inte så många till.”

Jan tittar på den slarviga skissen.

”Det brukar vara folk i tvätteriet. Och gott om vakter.”

”Inte på söndagar”, säger Legén. ”Helgdagar är det tomt i tvätteriet, tomt och tyst. Då kan man åka upp och ner, hur man vill.”

För första gången möter han Jans blick, och Jan tittar tillbaka och får för sig att Legén pratar om sig själv. Det fanns plötsligt någon sorts förståelse mellan dem. *Tjugoåtta år på Sankta Psyko,* tänker Jan. På den tiden borde man ha lärt sig varje kvadratmeter i huset, varje dörr och korridor.

Och han måste ha mött många patienter som bodde där. Sett dem och funderat över dem.

”Använde *du* hissen?” frågar Jan.

”Jo”, säger Legén. ”Emellanåt.”
”På söndagarna?”
”Emellanåt.”
”Träffade du någon däruppe?”
Legén nickar. Han verkar minnas de mötena.
”En kvinna?”
Legén nickar sorgset.
”Hon var vacker, väldigt grann … men med ett helvete inom sig.”
Jan frågar inte mer.

LODJURET

Polisinspektören hade klargröna ögon som stirrade och stirrade och aldrig vek undan. Hon satt i Ninas skrivbordsstol på expeditionen och såg avslappnad ut, som om Lodjuret fått en polis som föreståndare. Jan försökte se lika lugn ut – han var bara en i raden av dagispersonal som förhördes av polisen.

”Såg du någon annan ute i skogen?”

”Du menar … någon vuxen?”

”Barn eller vuxen”, sa polisen. ”Någon som inte tillhörde dagisgruppen med dig, din kollega och barnen.”

Jan tittade på poliskvinnan och låtsades tänka efter. Han skulle kunnat hitta på en skugga bland granarna, en hukande mansgestalt som spanade på pojkarna med giriga ögon, men han visste att polisen letade efter en kidnappare nu, och han ville inte koppla ihop sig själv med en sådan figur. Han skakade bara på huvudet.

”Jag såg ingen … men jag hörde en del ljud.”

”Ljud?”

Jan hade förstås inte hört något ljud, men nu måste han fortsätta:

”Ja … Knakande grenar, som ljudet av någon som rörde sig bland granarna. Men jag trodde det var ett djur.”

”Vilket sorts djur?”

”Jag vet inte. Ett rådjur kanske. Eller en älg.”

”Något stort, med andra ord.”

”Just det, ett stort djur … Men inget rovdjur.”

Polisen tittade på honom

”Vad menar du med ’rovdjur’?”

”Ja … det finns ju sådana i skogen”, sa Jan. ”Man ser dem inte så ofta för att de är så skygga, men det finns ju björn och lodjur och varg … eller kanske inte vargar, inte så här långt söderut.”

Jan kände att han hade börjat babbla, han stängde munnen och log lite spänt. Polisen frågade inget mer.

”Tack ska du ha”, sa hon bara, och skrev något i ett anteckningsblock.

Jan reste sig.

”Blir det någon mer skallgång?”

”Inte just nu”, sa polisen. ”Det blir helikopterspaning och vissa punktinsatser.”

”Jag hjälper gärna till”, sa Jan. ”Med … vad som helst.”

”Bra.”

När Jan kom ut ur rummet tittade han på klockan. Den var tjugo över två. Snart var det ett dygn sedan William hade krupit in i bunkern och Jan hade smugit fram och låst om honom.

Det kändes som ett år.

Nina och hans andra kollegor från Lodjuret och Brunbjörnen satt ute i personalrummet. De pratade knappt med varandra, de väntade bara. Det kändes som ett begravningskaffe. Sigrid Jansson var inte kvar – hon hade gått hem och sjukskrivit sig efter sitt eget polisförhör.

För det var väl förhör som polisen höll på med? Det hade känts så, och Jan var helt slut av frågorna. Han visste att polisen hade läst brevet han skickat till Williams föräldrar och att de letade efter hans kidnappare, men de misstänkte väl inte honom?

Han hällde upp en kopp kaffe, satte sig bland de andra och försökte slappna av. Utanför fönstret syntes inget solsken längre. Det var för tidigt för skymningen, men den var på väg.

Williams andra skymning i skogen, följd av kväll, följd av natt.

”Hur mår du, Jan?” frågade en kollega med låg röst.

Han tittade upp.

”Bra.”

”Det var inte ditt fel.”

”Tack.”

Inte hans fel. Ibland hade Jan själv fått för sig att det var så, att William bara hade råkat försvinna. Men så mindes han hur det verkligen var, och mådde illa. Han var trött, han kände sig besegrad. Han var inte stark nog.

Dagiset var outhärdligt tyst utan barnen. Tyst och stilla. Inte mycket hände, mer än att uniformerade poliser kom och gick ute i korridoren. De såg fortfarande bistra ut, och Jan förstod att William inte hade hittats.

Han tömde sin mugg och tittade ut genom fönstret igen. Skogen ovanför daghemmet hade mörknat.

Avbryt, sa en röst i hans huvud. *Gör något rätt, och avbryt den här ritualen. Släpp ut honom.*

Jan reste sig.

”Jag måste gå.”

”Vill du gå hem?” sa Nina.

”Jag vet inte ... jag kanske går upp i skogen.”

Han tittade hjälplöst på Nina, men hon såg bort. Hon vände blicken mot fönstret, med sorgsen blick, och sa lågt:

”De tror inte han är kvar där.”

”Okej ... Men jag kanske tar en tur dit upp ändå, innan jag går hem”, sa Jan. ”Jag måste göra något.”

Han fick tröstande leenden från några av de andra på Lodjuret, men log inte tillbaka.

39

PÅ AVSTÅND SER GLÄNTAN så bräcklig ut, tycker Jan. Det är ju bara en träbarack, byggd för att fungera på försök några få år och sedan försvinna spårlöst. Vintern är på väg nu, och en enda hård storm som sveper in från havet skulle kunna rycka upp taket på förskolan, knäcka väggarna och sopa rent i rummen.

Sankta Psyko är något helt annat. Det grå stenhuset har stått i mer än hundra år och kommer säkert att stå i hundra år till.

Det är lördag, och Jan har nattjour på förskolan. Han väntar sig att höra glada barnröster när han öppnar dörren, men det är tyst. Allt som hörs är ett svagt klirrande från köket, och när Jan hänger av sig tittar Hanna ut. Hon håller en kniv i handen – men det är en vanlig matkniv. Hon håller på att tömma diskmaskinen.

”Hej”, säger hon.

”Hej”, säger Jan. ”Skulle inte Lilian jobba i dag?”

”Hon är sjuk.”

Jan ser sig om.

”Var är barnen?”

”De är hos Miras nya fosterfamilj”, säger Hanna.

”Jaha … När kommer de tillbaka?”

”När som helst.”

Hanna ser sig om – trots att ingen annan är där – och tar ett steg mot honom.

”Allt det här vi har pratat om, Hanna”, säger han lågt. ”Alla hemligheter … de sprider vi inte vidare, eller hur?”

Han känner sig rätt dum. Men Hanna skakar bara på huvudet, med blank blick.

”Hemligheter håller oss samman.”

”Så är det.” Jan nickar. ”Vi har en pakt.”

Mer hinner han inte säga innan ytterdörren slängs upp och två små kroppar störtar in, klädda i vattentäta overaller. Mira och Leo.

Mira ropar glatt när hon upptäcker sina förskollärare, och både Hanna och Jan tar automatiskt ett steg bort från varandra. *Håll uppe fasaden inför barnen.*

Femåringarna eskorteras av en medelålders man i blå keps, ljusbrun jacka och rejäla kängor. Han ser lugn och trygg ut, han småler och skakar hand först med Jan, sedan med Hanna, och presenterar sig som ”Miras extrapappa”. Båda ler tillbaka mot den nya fosterpappan.

”Allt har gått bra i dag”, säger han. ”Det är härliga barn … Det blir jättebra, det här.”

”Absolut”, säger Jan.

Nu när barnen är tillbaka kan han inte prata mer med Hanna. Hon slutar klockan halv sju och går hem exakt vid det klockslaget, med långa kramar till Mira och Leo och en kort nickning mot Jan.

När han är ensam med barnen gör han kvällsmat och sätter sig vid bordet med dem.

”Har ni haft det kul i dag?”

Mira nickar.

”Jag ska bo på en bondgård. De hade hästar!”

”Oj”, säger Jan. ”Fick du klappa dem?”

Mira nickar, full av förväntan över att få bo på en bondgård. Jan ser hennes blick och blir också glad.

Sedan tittar han på Leo. Jan vet att han också kommer att bo på en gård utanför staden, men ser ingen förväntan i hans ögon alls.

”Är ni mätta?” frågar han.

”Kanske … Finns det godis?” frågar Mira.

Hon vet att det är lördag.

Så barnen äter lite godis, läser två bilderböcker och lägger sig efter de vanliga protesterna klockan kvart över åtta.

Jan sätter sig i köket och väntar. Källargången som leder till Sankta Psyko lockar, men han tänker inte gå dit i kväll. Det blir i morgon, söndag kväll, när tvätteriet ska vara tomt och säkerheten lägre. I kväll ska han bara ta en kort tur till besöksrummet. Han måste ta den risken.

Klockan halv elva åker han upp med hissen. Han öppnar dörren på glänt, men rummet är tomt och släckt.

Inget har förändrats därinne, men när han snabbt går fram till soffan och lyfter på sittkudden hittar han ett nytt kuvert. Det är ljusblått den här gången, inte så tjockt.

Arton brev innehåller kuvertet, det upptäcker Jan när han öppnar det nere i köket, men han bryr sig egentligen bara om ett av dem. Det är adresserat till honom, till *Jan* och han sliter upp det direkt, som en julklapp.

Inuti finns bara ett litet ark papper, och bara ett kort meddelande skrivet med smal och tunn handstil. Men Jan läser det om och om igen:

Jan, ekorren minns dig som en dröm,
en dikt eller ett lysande moln på himlen.
Jag minns dig, minns dig, minns dig.
Jag väntar fortfarande på att få komma ut från djurparken.
Men du kan se mig därinne,
mitt bo är utmärkt.
Kom ut ur skogen och titta efter.

Ett svar. Det är ett svar från Rami. Det måste det vara. Jan sänker pappersarket, hans fingrar darrar. Han tittar mot fönstret och ser ljusen från sjukhuset, men betvingar lusten att direkt ge sig ut i natten och leta efter Ramis rum.

40

”KEITH MOON MÖTER TOPPER HEADON!” ropar Rettig. ”Det är precis så det låter när du trummar, Jan!”

Jan nickar och slår en sista virvel med pinnarna. Han har suttit bakom trummorna i nästan en timme, och musiken har fått honom att glömma breven från sjukhuset.

Och nu har Rettig gett honom något slags beröm. Det är snällt, och därför har Jan tvekat om han ska berätta de dåliga nyheterna om Gläntan.

Men till slut gör han det. När bara han och Rettig är kvar i lokalen säger han det, som i förbigående:

”Förskolan ska stängas på nätterna.”

Rettig fortsätter plocka ihop instrumenten.

”När då?” frågar han bara.

”Snart … i nästa vecka. Alla barnen har fått fosterfamiljer nu.”

”Okej, då vet jag.”

”Men du förstår vad det betyder?” säger Jan.

”Vadå?”

”Att ingen i personalen kommer att vara där på nätterna … Så det verkar som om vi får sluta med brevleveranserna.”

Men Rettig skakar på huvudet.

”Tänk efter lite, Jan.”

”Om vadå?”

”Om nattstängningen … Vad betyder det, när något är stängt?”

Jan reser sig från trumpallen och lägger undan pinnarna. Han har slagit hårt med dem i över en timme nu, hans fingrar har fått blåsor.

”Att ingen kommer in där”, säger han. ”När något är stängt är dörrarna låsta.”

”Helt klart”, säger Rettig, ”men du behåller väl nycklarna till Gläntan?”

”Jo.”

”Och det viktigaste är att förskolan är *tom*… Ingen är där på natten. Eller hur?”

”Kanske inte”, säger Jan.

”Och om någon har nycklar till ett ställe som är stängt är det bara att gå in”, fortsätter Rettig, ”och göra som man vill. Eller hur?”

”Jo”, säger Jan. ”Såvida de inte har någon sorts övervakning.”

”Det finns ingen övervakning på natten. Det är ju jag som är övervakare då.” Rettig knäpper igen sin gitarrlåda och fortsätter: ”Men vi kan ta en paus med brevrundorna, om du tycker det. Vi ska ha en stor säkerhetsövning på Patricia om ett par veckor, och innan dess brukar det bli stirrigt däruppe, innan allt faller på plats.”

Jan nickar tyst. Han tänker på saker han varit med om de senaste veckorna. På de märkliga ljuden i källargångarna.

”Källaren på sjukhuset”, säger han. ”Är den helt tom på kvällarna?”

”Hur så?”

Jan tvekar. Han vill inte bekänna något.

”Doktor Högsmed pratade om källargångarna när vi gick runt i sjukhuset”, säger han bara. ”Han sa att det var otrevligt därnere.”

”Högsmed är chef, han vet noll”, säger Rettig. ”Han har knappast gått mer än fem meter i källaren.”

”Men går någon annan omkring där?” frågar Jan.

Rettig nickar.

”Går och går”, säger han. ”Källaren är sjukhusets lekrum… Patienterna på de öppna avdelningarna får vara därnere, på egen hand. De har bassäng och ett litet kapell och en bowlingbana där, lite allt möjligt.”

Jan tittar på honom.

”Från de öppna avdelningarna… Är de patienterna ofarliga?”

”Det brukar de vara”, säger Rettig. ”Men de får sina idéer ibland… Då får man se upp.”

Jan nickar. Han vet att han måste se upp, hela tiden. Men Rami känns så nära nu, och han vill fråga Rettig en sista sak:

”Och om du stötte på mig därnere, skulle du slå larm då?”

Rettig ser inte glad ut över frågan.

”Du kommer aldrig in, Jan ... Och vad ska du på Patricia att göra? Vill du veta hur ett psyke ser ut på insidan?”

”Nej”, säger Jan snabbt. ”Jag bara undrar, om jag tog mig in på sjukhuset ... skulle du avslöja mig?”

”Vi är kompisar.” Rettig skakar på huvudet. ”Man anmäler inte sina kompisar. Så jag skulle inte göra något ... jag skulle låta dig vara.” Han tittar på Jan. ”Men jag skulle inte kunna hjälpa dig heller, om någon annan hittade dig. Då skulle jag förneka hela uppdraget, precis som i den där amerikanska teveserien.”

Jan kan inte hoppas på mer.

”Okej. Jag får improvisera.”

”Alla improviserar däruppe på nätterna”, säger Rettig.

”Hur då?”

Vårdaren rycker på axlarna.

”Dagarna är välordnade på Patricia, då finns det goda rutiner. Men nätterna är inte lika fridsamma. Då kan vad som helst hända” Han ler mot Jan och lägger till: ”Speciellt när det är fullmåne.”

Jan frågar inget mer, han lämnar replokalen och går hem. Han spelade inte särskilt bra i kväll, vad än Rettig tycker. Han är ingen gruppmänniska.

Den natten drömmer Jan om Alice Rami igen, en otäck dröm. Han går bredvid henne på landsvägen och det borde kännas bra – men när han tittar ner är det inte en vanlig hund som springer och flämtar mellan dem. Ingen hund alls.

Det är ett morrande vilddjur, en gulbrun blandning mellan lodjur och drake.

”Kom nu, Rössel!” ropar Rami och sätter fart på vägen.

Vilddjuret hånler mot Jan, och störtar efter henne.

Jan lämnas ensam i mörkret.

LODJURET

Galenskapen måste ta slut, insåg Jan.

När han lämnade daghemmet hade han definitivt bestämt sig – han skulle befria William. Befria honom *nu*. De planerade fyrtiosex timmarna i bunkern skulle bara bli tjugofyra.

Han vek av från gångbanan och gick upp i skogen med långa snabba steg.

Stigen upp genom skogen hade trampats av hundratals kängor de senaste två dagarna, den hade breddats och blivit lätt att gå på. Jan kunde öka farten, och när han kom upp i skogen såg hur nedtrampat riset var. Det var inte mörkt än, klockan var bara kvart över tre.

Men han såg inga människor, hörde ingen helikopter.

Han fortsatte in i ravinen, gick snabbt genom den gamla grinden och saktade farten först när han nästan var framme vid berget med bunkern. Här fick han vara försiktig.

Den lilla plåtdörren däruppe var lika dold som förut, och när Jan drog undan grenarna såg han att den fortfarande var ordentligt stängd.

Han andades ut. Nu var det dags för rollspel igen. Han skulle spela den oskyldige barnskötaren som går upp i skogen och gör det som ingen längre vågar hoppas på; hittar det försvunna barnet. Av en ren slump.

”Hallå?” ropade han mot plåten, högt och tydligt. ”Är det någon där?”

Han väntade, men inget svar kom.

Jan hade kunnat fortsätta ropa, men när han hade väntat några sekunder till drog han upp dörren.

”Hallå?” sa han igen.

Han fick inget svar nu heller.

Jan var inte orolig än, bara fundersam. Han böjde sig ner vid bunkern och stack in huvudet i dunklet.

”Hallå?”

Det var rörigare därinne. Filtarna låg i en hög vid väggen, och det fanns öppnade smörgåspaket, festiskartonger och godispåsar bredvid. Leksaksroboten låg också på golvet, men den var trasig. Huvudet var spräckt och höger arm saknades.

Men William syntes inte till.

Jan kröp in.

”William?”

Han borde inte ropa namnet, man han var orolig nu. Pojken fanns inte därinne, och samtidigt fanns det ingenstans han kunde ha tagit vägen.

Till slut fick han syn på den röda plasthinken. Toaletthinken. Den stod långt in vid betongväggen, men var uppochnedvänd nu. Varför det?

Jan tittade upp på väggen. Där fanns en av de långsmala gluggarna som släppte in luft – men nu hade den plötsligt blivit lite större. Någon hade petat bort jord, grenar och gamla löv och lyckats rensa öppningen så att den nu var mellan två och tre decimeter hög. Inte stor nog för en vuxen, men för en femåring.

William hade hittat en väg ut. Han hade nog försökt få med sig plastroboten också, men tappat den på golvet.

Jan försökte hålla sig lugn. Han förstod vad han måste göra, och satte igång. Han la ut filtarna ovanpå varandra på golvet och samlade sedan ihop allt han själv hade placerat i bunkern; mat och dryck, leksakerna och plasthinken. Så vek han ihop filtarna till ett stort knyte och drog ut det efter sig genom öppningen. Nu var bunkern helt tömd på alla spår av honom själv. Den gamla madrassen fanns kvar men gick inte att spåra.

Han tog snabbt ner filtarna med föremålen till plan mark, gick bort exakt hundratjugo steg från bunkern och gömde alltihop under en tät gran. Han skulle hämta dem senare, när han hade hittat William.

Jan såg sig omkring. Det var skymning nu, men ingenting rörde sig i skogen.

Var skulle han leta?

41

Jan går tidigare till jobbet på söndagen, för att komma till sjukhuset innan solen har gått ner. Den lyser gul och rund från en mörkblå himmel den här eftermiddagen. Hösten kan vara en så klar och frisk tid ibland.

Solskenet är perfekt, för efter svaret från Rami vill han se sjukhusfasaden i dagsljus.

Mitt bo är utmärkt, hade brevet berättat för honom. *Kom ut ur skogen och titta efter.*

Skogen finns på baksidan av Sankta Patricia, så Jan får ta en omväg. Det är riskfyllt också; han måste hålla sig utom räckhåll för kamerorna och larmen. Men sluttningen ner mot bäcken som rinner längs stängslet är fylld av snår och täta granar, och han kan hålla sig dold i skuggorna.

Han stannar mellan två granar och spanar över stängslet, mot raden av fönster. Från kanten av skogen ser han något nytt borta på stenfasaden; det är något som fladdrar i vinden däruppe.

En vit flagga. Den ser ut att vara gjord av ett sönderrivet lakan eller en näsduk, och den hänger nedanför ett av fönstren.

Nu förstår han vad ekorren menade med att hon hade märkt ut rummet.

Jan räknar tyst och ringar in fönstret med flaggan, som om fasaden var en karta: *fjärde raden nedifrån, sjunde fönstret från höger.* Han måste komma ihåg den positionen.

Ingen människa syns till bakom rutan, den är helt mörk, men nu har Rami visat exakt var hon bor.

Då återstår bara att ta sig dit – men enda vägen är genom källargångarna.

Leo och Mira leker doktorer före middagen. Deras gosedjur är sjuka, och barnen ska bota dem. Jan hjälper dem att ställa i ordning de små sängarna i sovrummet, sedan får han lägga sig och vara patient, han också.

Efter maten går de ut i kylan på gården en stund. Leo och Mira sätter sig i varsin gunga, men Jan är inte riktigt närvarande i leken. När han väl har knuffat igång dem sneglar han bort mot stängslet. Det är skymning, och strålkastarna har tänts. De blänker över fuktiga löv och vassa järntrådar.

Femton år har gått, men Jan hoppas att Rami ska finnas kvar. *Hans* Rami, alltså. Hon som en kort tid fanns på Bangen i rummet bredvid hans, hon som släppte in honom och var den första person någonsin som verkade tycka att han var vettig att prata med. Inte *verkade*, hon trivdes med Jan. Och att hon lämnade honom och rymde som en ekorre – det berodde på helt andra saker.

Barnen somnar sent, strax före nio.

Jan borde kunna slappna av nu, men det är omöjligt. Leo hade svårt att somna och ropade på Jan flera gånger. Hans nerver är redan spända, och i natt har han en lång vandring framför sig. Lång och osäker – även om han vet målet för den.

Fjärde våningen, sjunde fönstret från höger.

Kvart över elva tittar han till Mira och Leo en sista gång, innan han går nedför trappan till källaren, med en av Änglarna i bältet. Den är helt tyst, barnen har sovit lugnt i över två timmar nu.

Han låser upp den första skyddsrumsdörren, och den andra är fortfarande olåst. Han trycker upp den, inåt mot mörkret.

Nu är han tillbaka i sjukhuskällaren, bättre förberedd än förra gången. Ängeln har nya batterier och den lilla lampan sveper över de gamla kakelväggarna. Han känner igen sig, men kan ändå inte slappna av. Då hade han Hanna som vakade över honom när han tog sig fram härnere, i kväll är han ensam.

Jan börjar gå. I handen har han Legéns primitiva karta över källaren också; pilarna på den ska leda honom rätt.

Om han går vilse har han ytterligare en sak med sig i fickan: Vitt papper. Innan han gick ner hit satt han i köket och rev sönder flera ark i små bitar. Nu tar han upp dem, en efter en, och släpper dem bakom sig med ett par meters mellanrum.

De markerar reträtten.

Han kommer ut i de smutsiga sjuksalarna till slut, och stoppar in lampan under tröjan för att ljuset inte ska synas för tydligt – om nu någon patient från sjukhuset skulle vandra omkring därnere. Han börjar närma sig sjukhustvätten nu, och även om Legén påstod att den var stängd under söndagar vill han inte basunera ut sin ankomst.

Han tittar upp mot taket. Tjocka ormar av elkablar slingrar sig däruppe.

Och någonstans ovanför honom finns även rummen med patienterna. Ett hundratal, hade Högsmed sagt. Och en av dem på fjärde våningen är, hoppas han, Alice Rami.

Nu är han framme vid tvätteriet. Dörren är stängd. Och låst? Han sträcker ut handen mot handtaget, och trycker ner det. Dörren är trög, men den går upp.

Förra gången han var här var det tänt i taket; nu är det släckt. Rummet innanför är som en svart grotta, bara enstaka röda lampor på elmätare och tvättmaskiner lyser som röda djurögon i mörkret. Fläktar susar dovt i bakgrunden, luften är varm och tung.

Jan kliver in, med Legéns karta i handen.

Han letar efter en bred dörr, men vill inte tända ljuset. Jo, han *vill* tända, men vågar inte. Han trevar sig fram, förbi rader av plåtskåp med hänglås och ett bord täckt av odiskade kaffemuggar. Sedan kommer han in i ett mindre rum helt utan lampor, och då är han till slut tvungen att tända lampan igen.

Ljuset faller på en enorm tvättmaskin med stålansikte och en gapande rund mun i mitten. Bredvid den löper långa hyllor med tvättbylten längs väggarna, och uppe i taket sitter någon sorts stålräls där galgar med linnen hänger på rad som smala vita änglar.

Jan fortsätter söka med lampstrålen och till slut hamnar den rakt på en bred svart ståldörr.

Dörren till torkrummet, enligt kartan. Några meter till vänster om den finns en smalare trädörr med en rund knopp som dörrhandtag, och det är den som Jan går fram till och drar upp.

Rummen i tvätteriet har blivit mindre och mindre, och det här är minst av alla. Ett släckt förråd med stenväggar. Det finns en gammal strömbrytare vid dörren, och han slår på den för att spara på Ängeln. En dammig glödlampa lyser upp ett fönsterlöst rum fyllt av skräp: gamla trälådor, tomma tvättmedelskartonger och en trasig klädhängare. Men bredvid en hylla finns det som Legén utlovade: en hissdörr med järnhandtag. En liten dörr – eller snarare en stor lucka. Den är knappt en meter bred och inte mycket högre, och när Jan går fram och drar upp den ser han att det inte är en personhiss. Det här är en trähiss byggd för många årtionden sedan för att skicka korgar med tvätt mellan våningarna på Sankta Psyko.

Det är trångt därinne – omöjligt att stå upprätt. Jan stirrar mot öppningen och tvekar. Sedan böjer han på ryggen och sticker in huvudet och axlarna.

Det är som att krypa in i bagageutrymmet på en buss. Eller i en stor koffert.

Klaustrofobiskt, och ändå tar han sig in.

Luddigt damm virvlar undan från hans händer och knän när han sätter sig i hissen. Det är omöjligt att ställa sig upp, men med lite möda kan han få runt benen och vända sig om.

Innan Jan stänger om sig kastar han en blick ner på Ängeln. Vad gör han om ett av barnen vaknar och ropar på honom nu? Men han kan inte tänka på det, han är för nära Rami.

Fjärde våningen, sjunde fönstret.

Han knäpper på lampan igen. Träväggarna trycker sig mot honom, och hans egen skugga dansar i taket. I lampljuset ser han ett antal svarta punkter framför sig. Sju hissknappar. De är gamla och spruckna, kanske gjorda av bakelit, och en av dem är märkt NÖDSTOPP. De andra sex är inte numrerade, men när luckan har stängts om honom chansar han och trycker på den fjärde knappen från höger.

Något dunkar till ovanför honom i hisstrumman, och så börjar hissen röra sig. Uppåt. Väggen framför honom glider sakta nedåt, hissen rasslar och skakar.

Jan är på väg genom sjukhuset. Målet är ovisst, men han hoppas att det är den fjärde våningen.

Han blundar. Han vill inte tänka på det, men hissen känns som en träkista.

BANGEN

Efter mer än en vecka på Bangen började Jan berätta varför han hade hoppat ner i dammen. Inte för någon psykolog, men för Rami. Det var en lång bekännelse, bakom hennes stängda dörr.

Rami var rastlös den kvällen. Hon hoppade upp i sin obäddade säng, innan hon la sig ner med kudden över ansiktet. Sedan klev hon upp från sängen med gitarren, ställde sig på yttersta kanten av madrassen och tittade på rummets svarta draperier, som om hon såg en publik framför sig.

”Jag gillar *kaos*”, sa hon. ”Kaos är *frihet*. Jag vill hylla otryggheten när jag sjunger … som att man står precis på kanten av scenen, och faller över kanten ibland.”

Jan satt på golvet nedanför henne, men sa ingenting. Rami tittade inte på honom, hon bara fortsatte:

”Om jag nån gång får spela in en skiva ska den vara som ett självmordsbrev. Men utan självmordet.”

Jan var tyst en stund till, innan han tittade ner i golvet och sa:

”Jag har gjort det.”

Rami slog ett ackord på sin gitarr, hårt och mörkt.

”Gjort vadå?” sa hon.

”Jag försökte ta livet av mig”, sa Jan igen. ”I förra veckan.”

Rami slog ett ackord till.

”Folk borde dö för musiken”, sa hon. ”En låt ska vara så bra att folk vill *dö* när de hör den.”

Jan sa:

”Jag ville dö innan jag kom hit … Och det gick nästan.”

Rami var tyst nu, hon verkade lyssna till slut. Hon tog ett par steg bakåt, och lutade sig mot väggen.

”Så du vill *dö*? På riktigt?”

Jan nickade försiktigt.

”Jag ville det … Jag skulle ändå ha dött.”

”Varför då?”

”De skulle ha dödat mig.”

”Vilka då?”

Jan höll andan och tittade inte på Rami. Bara att berätta om det som hade hänt var jobbigt, trots att dörren var stängd, trots att stängslet skyddade honom. Han tyckte att Torgny Fridman satt och lyssnade bakom väggen.

”Ett gäng”, sa han till slut. ”Det är killar på min skola … De går i nian och kallar sig De fyras gäng, eller också är det alla andra som kallar dem det. De är kungar på skolan, i alla fall i korridorerna. Lärarna fattar inget. De gör inget … Folk fjäskar bara för dem.”

”Men inte du?”

”Jag var dum, jag tänkte inte efter.” Jan suckade. ”Torgny Fridman sa åt mig att flytta på mig i en kö till aulan en gång. Han ville gå före, men jag släppte inte förbi honom … Jag stod kvar, och till slut kom en lärare och sa till honom, så han fick gå längst bak i kön. Det glömde han aldrig.”

Jan suckade igen.

”Så efter det var det bara *terror*, det var krig mellan mig och Torgny. Han skulle knäcka mig varje gång han såg mig, antingen genom att ropa vilken värdelös liten skit jag var, eller bara dra omkull mig.”

Jan var tyst.

”Så jag höll mig undan från gänget. Jag räknade dagarna och trodde jag skulle klara mig.”

Fredag eftermiddag, en iskall dag i mars. Sista lektionen för Jan den här dagen har varit gymnastik, men den lektionen är över. Skolveckan är nästan slut, och den har faktiskt varit ganska lugn. Inga bråk.

Han är sist kvar i killarnas omklädningsrum. Kanske helt ensam i sporthallen. Den ligger några hundra meter bort från resten av skolan, och alla andra har dragit iväg. Alla killar i klassen har väntat på sina kompisar, ingen har väntat på Jan.

Det får gå, det är alltid så.

Han tar sin sladdriga handduk, sveper den runt sig och går ut i duschrummet, där vattnet droppar med ekande ljud i de fyra små kabinerna. Han hänger upp handduken och kliver in i duschen närmast bastuns furudörr.

Han vrider om varmvattnet i den innersta kabinen, duschar och tvålar in sig.

”Jag stod där i duschen och var trött i benen efter gympan och helt tom i huvudet”, berättade Jan för Rami. ”Jag tänkte inte på nånting … Ibland när man duschar i varmvatten är det lite som om man drömmer, eller hur? Jag tänkte kanske på helgen, för jag skulle vara ensam hemma. Pappa och mamma skulle vara borta någonstans … Så hade jag duschat klart och vände mig om för att ta min handduk – men då kände jag cigarettrök i luften. Och så såg jag att någon stod utanför duschen. Det var Torgny Fridman.”

Torgny är fullt påklädd, i jeans, jeansjacka och kängor.

Han står vid duschkabinen, han blockerar öppningen. Han tittar på Jan och ler.

Torgny är inte gängledaren, utan den som vill imponera på Peter Malm. Peter är ledaren för gänget, han har aldrig gett sig på Jan. Men Torgny är farlig.

Han verkar jätteglad att ha en naken åttondeklassare framför sig.

Jan tittar tillbaka. Han gör inget annat. Han skulle kanske kunna räta på ryggen och tränga sig förbi Torgny, men då skulle han vara någon annan än Jan Hauger.

Så Jan står kvar, och han börjar le.

Han ler alltid i hotfulla lägen, trots att han inte vill det. Ju räddare han är, desto mer ler han.

Torgny ler faktiskt också, segervisst. Han visar tänderna i ett brett leende mot Jan. Sedan vrider han huvudet mot höger och ropar till någon. Han ler och ropar flera namn, och när han ropat klart blir det tyst några sekunder.

Då öppnas dörren till bastun och hans tre vänner kommer ut.

Flocken, De fyras gäng. De har glödande cigaretter i händerna.

Går det att tränga sig förbi dem och nå friheten?

Nej, det är för sent.

”Satt de i bastun?” frågade Rami. ”Varför då?”

”De gömde sig för lärarna”, sa Jan. ”De satt och tjuvrökte. Bastun var avstängd, så de satt där och rökte och väntade på att helgen skulle börja ... Det var Torgny, Niklas, Christer och så ledaren Peter Malm. Och allihop klev ut ur bastun, och när jag såg dem drog jag mig bakåt.”

Men vart kan Jan fly? Han står i en dusch, naken i en pöl iskallt vatten. Det går inte att backa genom en kakelvägg.

Torgny säger ett enda ord:

”Hauger.”

Hans namn låter som en beskyllning.

”Vad gör du här, Hauger? Smyger du på oss?”

Jan svarar inte, han fortsätter le mot Torgny för att visa att han är helt ofarlig. Och det är han ju. Det är fyra femtonåringar mot en fjortonåring. Det är lagom motstånd för gänget.

Torgny var den som upptäckte bytet, nu fäller han det. Han sätter sin cigg i mungipan, tar tag i Jans arm och sparkar till med skon på hans smalben. Jan åker ner i kaklet. Ner i duschvattnet.

Han försöker resa sig, men känner händer över kroppen. De håller fast honom. Inte Peter Malm – han bemödar sig inte – men de andra. Tre par händer trycker ner honom.

Genom rädslan nere på golvet vet Jan att Peter är ledaren. Han är hussen, de andra tre hans vilda hundar. Jan försöker få ögonkontakt.

Släpp dem inte lösa, tänker han.

”Vad gör vi med honom?” frågar Torgny.

”Gör nåt kul”, säger Peter.

Torgny nickar, och får en idé:

"Vi fimpar på honom!"

Peter står bakom de andra och röker vidare, medan undersåtarna släcker sina cigaretter. En efter en, mot Jans hud. Det blir en tävlan att hitta det värsta stället.

Christer släcker sin cigg mot Jans bröst, mellan bröstvårtorna.

Niklas släcker sin egen mot hans ljumske.

"Hörde ni?" ropar Niklas. "Ciggen fräste! Hörde ni det?"

Peter Malm nickar och röker vidare.

Torgny ler och tar tid på sig.

Till slut väljer han den tunnaste huden, på halsen.

Då blundar Jan.

"Det värsta är inte smärtan, när man blir bränd med cigaretter", sa Jan till Rami. "Det är klart det gör ont, det känns lite som att få en spik genom huden ... men det går över."

"Vad är värst, då?"

"Det är lukten. Den hänger kvar. Man känner lukten av bränt kött ... och det är ens eget."

Nu när han pratade om det kände han lukten igen, som om den fortfarande satt kvar inne i näsborrarna efter en vecka.

Han hade vetat att han skulle dö där i duschen. Ensam med De fyras gäng – det fanns inget hopp för honom.

Cigaretterna är fimpade. Jan har brunröda punkter på huden, som nya födelsemärken. Händerna som håller honom lossnar lite, fingrarna börjar tröttna.

Snart. Snart är det över, tänker Jan. De sticker snart.

Men då kommer en ny order från Peter Malm:

"Släng in honom i bastun."

"Ja, fan", säger Torgny. "Sen låser vi den!"

"Vadå låsa?" säger Niklas. "Bastun har inget lås."

Besviken tystnad i duschrummet. Jan är också tyst.

"Släng in honom ändå", säger Peter, och det hörs att han börjar bli uttråkad nu. "Vi slänger in honom, så drar vi sen."

Greppet hårdnar om Jans armar igen. De räknar med att han ska kämpa emot, och det gör han. Det här är slutstriden, men den förlorar han lätt. Sex armar drar iväg honom mot bastun, och Peter håller upp dörren.

En sekund under striden trycks Jans ena lår hårt mot Torgnys underliv, och han känner att Torgny har ett stenhårt stånd.

Sedan kastar armarna in Jan i bastun. Han hamnar på rygg med en smäll på trätrallorna därinne, och dörren slår igen.

Tystnad.

Det är ljust i bastun, glödlampan lyser i taket. En svag doft av cigaretter finns kvar i luften, från tjuvrökarna.

Deras skratt hörs genom dörren.

"Nu drar vi på värmen, Hauger!"

Precis efter det slocknar lyset. De fyras gäng har knäppt av det.

Torgny fortsätter ropa:

"Vi tar dina kläder!"

Niklas röst fyller i:

"Vi slänger dem i dammen, Hauger, så tror folk att du har drunknat!"

Jan svarar inte. Han ligger kvar som en mus i mörkret. Han är tyst, han väntar.

Han vet att De fyra håller för dörren, men de måste gå snart. Förr eller senare kommer plågandet av en liten åttondeklassare att bli tröttsamt, att kännas som ett jobb, och då ger de upp. Han väntar på det.

Det börjar klicka i bastuaggregatets svarta stål. De har verkligen gjort det, förstår han – de har vridit om reglaget utanför bastuns dörr från läge AV till PÅ. Men hur högt har de ställt in värmen? Femtio grader? Sextio? Eller mycket högre?

Det spelar ingen roll. Gänget går snart.

Till slut hörs ingenting utanför dörren, och då vågar han röra sig.

Han reser sig upp. Bastun är redan varmare. Inte het, men varm.

Han lyssnar igen, och trycker handen mot dörren.

"Jag fick inte upp den", sa han till Rami. "Den borde ha svängt upp, men den satt stenhårt. De hade blockerat den på nåt sätt. Så jag var inlåst i bastun, och det klickade i aggregatet ... Värmen bara steg och steg.

LODJURET

Jan såg gatljus skimra framför sig och förstod att han var på väg att lämna skogen.

Han hade irrat runt i stigande panik och letat mellan granarna i tre kvart nu – till och med varit nere vid sjön – men inte hittat några spår av William. En femåring borde inte hunnit så långt, men William kunde ha gått i vilken riktning som helst.

Jan hade tappat kontrollen. Han var trött och mer och mer desperat, och lite arg. Några gånger fick han för sig att pojken gömde sig för honom, att han stod och fnissade bakom en gran.

Varför hade William klättrat ut ur bunkern? Förstod han inte att han var säkrare därinne än ute i skogen? Han hade haft massor av mat och dricka, och skulle bara ha varit inlåst i knappt två dygn. Sedan skulle Jan ha befriat honom, vad som än hände.

Hans plan. Hans genomtänkta plan.

Jan stannade till i riset. Skorna var blöta, han var trött och tom.

Inlåst i en bunker – med en leksaksrobot som enda sällskap. Jan såg sig omkring i skogen och insåg plötsligt hur *fel* allt hade varit. Det måste få ett slut nu. Ett lyckligt slut.

Han stod länge och tvekade i skogsbrynet. Det kändes tryggt att inte synas, men till slut gick han ut mellan granarna och ner mot gatljusen. Det här var ett område med långa rader av hyreshus och stora asfalterade innergårdar som hade gjort sig redo för den kommande vintern. Det lyste i många fönster, men gatorna var tomma.

Jan gick ner på den närmaste trottoaren och såg sig om. Han kände en impuls att börja ropa Williams namn, men höll ihop läpparna.

Om jag var fem år, tänkte han, *och hade lockats ut ur skogen av gatlampornas ljus, vart skulle jag ta vägen?*

Hem, så klart. När man har varit fångad och rymt vill man hem. Men Jan visste var William bodde, och det var i en helt annan del av Nordbro. Han skulle knappast hitta dit.

Några hundra meter längre bort fanns en fyrfilig genomfartsled och Jan drog sig ditåt. Egentligen ville han också bara hem nu, gå hem och lägga sig, men då skulle han lämna William. Inte bara lämna – han skulle *överge* honom.

Längre fram fanns en busshållplats, några tonåringar satt och hängde där. På samma sida av vägen var en familj ute och vandrade, en äldre man och hans två barn som gick på trottoaren mot Nordbros centrum.

Nej, det var ingen familj. När Jan kom närmare såg han att det minsta av barnen faktiskt var en hund, en långbent pudel i ett kort koppel. Och det andra ... det andra barnet var en ljushårig pojke.

Mannen som höll pojkens hand såg ut som hans morfar – en pensionär i keps som vaggade fram på asfalten mellan pojken och pudeln. Pojken hade ingen mössa, men han var klädd i en mörkblå höstjacka med vita reflexränder.

Jan kände igen den, och satte fart.

”William!”

Hans rop fick pojken att stanna och se sig om. Mannen drog i honom, men pojken kämpade emot för att stå kvar och se vem som ropade.

Jan kom fram med andan i halsen och böjde sig ner.

”Minns du mig, William?”

Pojken såg på honom, utan att röra sig. Allting hade stannat till mitt i en rörelse. Mannen som höll i handen stod still och såg förvånat på Jan, till och med pudeln hade vänt sig om och stod blickstilla.

Sedan nickade William.

”Lodjuret”, sa han med hes röst.

”Just det, William ... jag jobbar på Lodjuret.” Jan tittade upp på pensionären och försökte låta trovärdig, med full kontroll. ”Jag heter

Jan Hauger, jag jobbar på Williams daghem. Han har varit försvunnen … Vi har letat efter honom."

"Jaha, ja. Jag heter Olsson." Mannen verkade slappna av. Han släppte Williams hand och pekade bakom sig. "Han bara dök upp här för en stund sen, när vi var ute och gick, jag och Charlie … Han verkade vilsen, så jag sa att vi kunde gå och leta efter hans föräldrar."

Jan tittade på William, som såg ner i asfalten. Han verkade lite hängig, men frisk. Inte undernärd. I vänsterhanden höll han plastarmen från roboten.

"Bra", sa han. "Men de bor ganska långt bort … så jag tror vi måste ringa efter hjälp."

"Hjälp?" sa Olsson.

"Jag tror vi måste ringa polisen. De letar efter William."

"Polisen?" Mannen såg orolig ut, men Jan nickade bestämt och tog fram sin mobiltelefon. Han slog larmnumret, och väntade.

Mannen började dra sig bortåt med pudeln, men Jan lyfte handen mot honom.

"Du och Charlie får stanna här", sa han så bestämt som möjligt. "Jag tror att de vill prata med dig också."

Så klart att polisen ville. Jan hade inga onda aningar om den här gamle mannens avsikter, men han visste att polisen skulle ha det. Som tack för att han hade tagit hand om William skulle Olsson förmodligen förhöras, misstänkt för barnarov.

Signalerna gick fram, och han fick svar.

"SOS alarm", sa en kvinnas röst. "Vad har inträffat?"

"Det gäller en försvunnen pojke", sa Jan. "Han har hittats nu."

Han kopplades vidare till polisen och såg samtidigt ner på William igen. Jan log mot honom och försökte se lugn och pålitlig ut. Han ville sträcka ut handen och klappa pojkens bara huvud, men avstod.

"Slutet gott", sa han. "Nu får vi hålla oss borta från skogen."

42

DEN RASSLANDE FÄRDEN UPPÅT i den gamla sjukhushissen tar en timme – så känns det i alla fall. Jan håller cellskräcken borta genom att hålla ögonen slutna och se Rami framför sig, mana fram ansiktet och minnas hennes ögon under den blonda luggen. Hon var den enda han kunde berätta för om De fyras gäng.

Men golvet och väggarna skakar och han påminns hela tiden om var han är. Om något kugghjul skulle gå sönder nu och hissen skulle fastna mellan två våningar… Han vill inte tänka på det. Trummorna dunkar i hans huvud,

Plötsligt stannar hissen, mycket tvärt.

Allt blir tyst.

Jan släcker lampan i Ängeln och sträcker ut handen mot hissluckan framför sig. Först går den inte att rubba. Skräcken slår till direkt i honom, innan luckan sakta ger vika och glider upp.

Dörren öppnas fyra eller fem decimeter, sedan tar det stopp. Något tungt står i vägen. Jan kikar ut. Ett svagt ljus möter honom, men allt han ser är grå plåt.

Långsamt trycker han upp hissdörren och krånglar sig ut. Det känns som om han har vaknat upp inne i en kista i ett stort hus, precis som Viveca i Ramis barnbok.

Han är ute med överkroppen nu. Det är ett plåtskåp som står i vägen, inser han. Rummet utanför verkar vara ett medicinförråd, med bandagerullar och läkemedelsförpackningar på hyllorna. Ljus kommer in genom en smal glasruta i förrådsdörren.

Tystnad råder.

Jan sätter försiktigt ner benen på golvet bredvid skåpet. Så reser han sig upp och tittar bort mot utgången. Han tar tre steg dit, och sträcker ut handen.

Den är låst, men öppnas inifrån med ett vanligt låsvred. Han drar upp den tre eller fyra centimeter, känner frisk luft strömma in och lyssnar efter ljud. Ingenting hörs.

Sankta Psyko sover.

Jan öppnar dörren ännu mer. Han ser en lång och bred sjukhuskorridor med ljusgula väggar. Det finns taklampor utanför, men de lyser med ett dämpat gult sken – kanske för att det är natt. Ingen människa syns till. Ingen kameralins heller. Det luktar friskt av rengöringsmedel, det finns alltså städare här.

Och patienter.

Och vakter, förstås. Rettig och Carl och deras vänner.

Jan samlar sig och kliver ut.

Korridoren sträcker sig bortåt åt båda hållen, med rader av stängda dörrar på båda sidorna. Snett ovanför dörren sitter en stor rund klocka, de svarta visarna visar kvart i tolv.

Jan tar upp några av pappersbitarna som är kvar, och lägger dem i dörröppningen för att hålla låset öppet.

Sedan tar han ett par steg ut på plastgolvet, så tyst som möjligt.

Plötsligt känner han sig som en fjortonåring igen, tillbaka i Bangens korridorer. Det är samma tystnad, samma kalla väggar och stängda dörrar.

Han blir förvånansvärt lugn. Att vara här i De stängda dörrarnas korridor är nästan som att komma hem.

Han tittar åt höger och börjar räkna de omärkta dörrarna. Den sjunde dörren ser ut som de andra – men inför Jans ögon verkar den lysa vitare än resten, och den väntar på honom sju eller åtta meter bort.

Han går sakta dit, förbi alla de andra dörrarna. På var och en av dem sitter ett stålhandtag, och bredvid finns en liten lucka av plåt.

Han är nästan framme vid dörr nummer sju, den är lika stängd som de andra.

Ska han knacka på Ramis dörr, eller försöka öppna den?

Jan bestämmer sig – han ska knacka på.

”Hallå? Vem är du?”

Jan rycker till av rösten.

Han är upptäckt. Det är en vårdare som har öppnat dörren längst ner i korridoren och stirrar på honom. Men inte Rettig eller Carl – det här är en äldre kvinna.

Hon tar ett par steg framåt.

”Var kommer du ifrån?”

Jan blinkar spänt, och letar efter ett svar.

”Från tvätteriet.”

”Du ska inte vara här”, säger vårdaren. ”Vad gör du här?”

”Jag gick fel”, säger Jan.

Vårdaren stirrar men säger inget mer; sedan vänder hon plötsligt om genom dörren och skyndar iväg, med snabba steg. För att hämta hjälp?

Jan måste fly.

Han kastar en sista blick på Ramis dörr. Så nära, men det är inget han kan göra nu. Han kan inte ge henne något.

Jo, kanske en sak.

I väggen bredvid dörren finns en likadan plåtlucka som vid de andra dörrarna, men den här öppnar Jan. Han kikar in i den – det ligger bara ett par pappersark därinne. En matsedel, ser han, och så information om den kommande brandövningen.

Snabbt knäpper han loss sin Ängel från bältet och stoppar in den i brevlådan, gömd under papperen. Så stänger han luckan igen.

Korridoren är fortfarande tom och Jan tar sig snabbt tillbaka till förrådsrummet. Han tar med sig pappersbitarna som höll dörren olåst, men petar in en av dem i låset för att hålla kolven intryckt.

När han tyst drar igen dörren hör han klampande steg ute i korridoren. Vakterna är på väg.

Tvätthissen bakom skåpet är lika trång som förut, men nu kryper han in i den utan att tveka. Han trycker på knappen längst till höger.

Hissen lyder, den rasslar igång igen.

Jan blundar hela färden ner.

När hissen stannar öppnar han snabbt dörren. Han är otålig och mindre försiktig nu, klockan är långt efter midnatt och han vill ut från sjukhuset.

Han trevar sig fram, hittar ut genom tvätteriet, och går genom sjuksalen. Nu har han ingen Ängel att lysa med, men någonstans framför sig anar han ett fladdrande ljus.

Och sång. Är det mässande psalmsång som ekar i salarna igen?

Han trevar sig fram och spanar längs kakelgolvet.

Var är pappersbitarna? Han ser inga i mörkret.

In genom de långa korridorerna. Ljuset lyser starkare här. Till slut kommer han runt ett hörn, och där finns en upplyst dörröppning: Då ser han att det är stearinljus som brinner. Levande ljus från ett par trästakar på väggarna.

Jan står i ett smalt rum med en rad träbänkar. Några grå tygsäckar har slängts på golvet längst fram. Det är ett litet kapell, och längst fram hänger en altartavla. En sprucken gammal bild på en kvinna, milt leende.

Han tar ett par steg närmare, tittar på tavlan och ser namnet PATRICIA målat med kantiga bokstäver på ramen.

Patricia, skyddshelgonet.

Så vänder han sig om – och då har säckarna börjat röra sig.

Det är patienter. Tre män i grå träningsoveraller och med grå ansikten. En äldre med tunga kinder och två yngre med rakade huvuden. De stirrar på Jan, och deras blickar är blanka och tomma. Kanske av mediciner.

Den äldste pekar mot altartavlan. Hans röst är mekanisk:

”Patricia vill ha lugn och ro.”

”Vi också”, säger en annan.

”Jag med”, säger Jan lågt.

”Hör du hemma här?” frågar en patient.

”Ja”, säger Jan. ”Jag hör hemma här nere.”

Den äldre nickar, och då tar Jan ett steg förbi dem. Sakta och försiktigt, Rettig har varnat honom. Men patienterna sitter helt stilla, orörliga igen, och Jan går tillbaka ut i korridoren.

Till slut hittar han en av sina lappar på golvet. Och sedan en till. De visar vägen, han skyndar fram längs det vita spåret. Röster hörs i kapellet bakom honom – männen har börjat sjunga psalmer igen. Jan ökar farten på sina steg, mot korridorens slut.

In i en ny korridor, runt flera hörn i labyrinten – och till slut är han tillbaka i skyddsrummet.

Han slår igen ståldörrarna bakom sig. Så går han tillbaka genom den välkända gången, förbi djurtavlorna och uppför trappan. Vandringen är över.

Det sista han gör innan han stänger källardörren är att lyssna efter steg från underjorden. Men ingen förföljer honom.

Han låser dörren och andas ut, men slappnar inte av. Han tittar in till barnen, och hajar till.

Bara ett huvud sticker upp från sängarna därinne. Det är Leo. Men Miras säng är tom.

Jan fylls av panik, han står orörlig. *Din svikare. Ett barn är borta igen. Borta, borta –*

Sedan hör han att toaletten spolar ute i badrummet.

Mira är nästan sex, hon har lärt sig hur man torkar sig själv, utan att ropa på en vuxen.

Hon kommer ut från badrummet och går rakt förbi honom, halvsovande. Hon har inte ens märkt att han var borta.

"God natt, Mira", säger han bakom henne.

"M-m", svarar hon och lägger sig igen.

Några minuter senare verkar hon ha somnat, och då kan Jan sakta slappna av. Han smyger in hos barnen igen och hämtar den andra Ängeln. Han låser in den i sitt skåp – om allt fungerar är den hans länk till sjukhuset. En sändare av hemliga budskap.

43

"Mår alla bra?" frågar Marie-Louise.

"M-m."

Alla svarar lågt. Vintern är på väg. Det är senhöst, en gråtrött måndagsmorgon på förskolan med mycket mörker och ont om ljus.

Jan säger ingenting, men ingen verkar märka hans tystnad. Hans nattpass slutade egentligen för en timme sedan, men trots tröttheten har han dröjt kvar för att vara med på morgonmötet. Han vill veta om hans tur genom sjukhuset har upptäckts – om det har kommit en rapport från doktor Högsmed om ett *intrång*. Vårdaren stod långt bort, hon kan inte ha sett hans ansikte så tydligt, fast …

Marie-Louise säger ingenting om det. Hon beter sig som vanligt, bara lite mer dämpat. Det är kanske höstmörkret utanför fönstret.

Mest hängig vid bordet är Lilian. Hon har sänkt ner huvudet över sin kaffekopp så att det röda håret döljer ansiktet, och halvsover nästan. Hon möter inte Marie-Louises blick när hennes chef vänder sig mot henne.

"Lilian", säger Marie-Louise försiktigt. "Vad är det du har där?"

"Vadå? Var då?"

Lilian lyfter på huvudet, och Jan ser att hon har kvar sin orm på kinden. Hennes helgtatuering.

"På kinden … Har du målat något där?"

"Den här?" Lilian stryker med fingrarna i ansiktet, och topparna blir svagt svarta. "Oj då, det är min partymålning … Jag glömde ta bort den. Ursäkta *så mycket*."

Hon hostar högt och sväljer en rapning, och en lukt av alkohol sprider sig över bordet. Marie-Louise får en rynka mellan ögonen.

”Lilian … får jag prata med dig i enrum?”

Lilian stänger munnen.

”Varför då?”

”Därför att du är onykter.”

Marie-Louises röst är inte mjuk längre. Lilian tittar på henne några sekunder, sedan reser hon sig och går från bordet med hoppressade läppar. Ut ur rummet. Hon vrider på huvudet mot de andra.

”Jag är inte full”, muttrar hon. ”Jag är *bakfull*.”

Marie-Louise följer snabbt efter henne.

”Snart tillbaka.”

De båda kvinnorna verkar gå ut i kapprummet, för deras röster kommer därifrån. Samtalet börjar som en dämpad diskussion, men ökar snabbt i styrka. Marie-Louises röst är lågmäld, men Lilian svarar med högljudda frågor.

”Får man inte gå ut och *koppla av* efter jobbet? Och *varva ner* lite? Eller ska man *viga sitt liv* åt barnen, som du har gjort?”

”Lugna dig, Lilian, barnen kan höra …”

”Jag är för fan lugn!”

Inne vid bordet är det knäpptyst. Hanna och Andreas sitter med sänkta blickar och Jan kommer inte på något att säga.

Genom dörren fortsätter ropen:

”Du är sjuk! Du borde gå i terapi!”

Är det Lilian eller Marie-Louise som ropar? Jan hör inte, rösten som skriker är för gäll:

”Och du är så jävla *perfekt*! Jag orkar inte vara som du längre … Psykona kan passa sina egna jävla barn!”

Det ropet måste ha kommit från Lilian, inser Jan. Marie-Louises svar är kort och kallt:

”Lilian, du är hysterisk.”

Hysteri är inte längre en godtagbar diagnos, hör Jan doktor Högsmed säga inuti sitt huvud.

Grälet bakom dörren får Andreas att se illamående ut, och ruska på kroppen. Han reser sig.

”Jag går till barnen.”

Han går ut till lekrummet, och Jan hör att han snabbt sätter på glada visor på skivspelaren för att dränka ropen i hallen.

Men som de flesta gräl tar det här snabbt slut. Efter några minuter smäller ytterdörren igen, hårt. Sedan följer tystnad – och så kommer Marie-Louise tillbaka från kapprummet, och nu ler hon igen.

”Lilian gick hem för dagen”, säger hon. ”Hon ska vila lite.”

Jan nickar tyst, men Hanna ser på sin chef och frågar med mjuk röst:

”Får hon någon hjälp?”

Marie-Louise slutar le.

”Hjälp?”

”Att dricka mindre”, säger Hanna lugnt.

Jan känner spänningen i luften, och ser Marie-Louise korsa armarna.

”Lilian är inget barn … Hon har ett eget ansvar.”

”Men arbetsgivaren har också ansvar”, säger Hanna. Hon låter som om hon citerar en lagbok när hon fortsätter: ”Om någon på en arbetsplats dricker för mycket ska det finnas en behandlingsplan, för rehabiliteringen.”

”För *rehabiliteringen*”, säger Marie-Louise. ”Det låter ju bra.”

Hanna ser inte road ut.

”Finns det en rehabiliteringsplan för Lilian?”

Marie-Louise tittar på henne.

”Vi har många ögon på oss här”, säger hon sedan. ”Tänk på det, Hanna.”

Sedan vänder hon om och lämnar personalrummet.

Nu är de bara två vid bordet. Hanna himlar med ögonen mot Jan, men han skakar på huvudet.

”Jaha”, säger han lågt. ”Nu ser hon dig som en bråkstake.”

Hanna suckar.

”Jag bryr mig om Lilian”, säger hon. ”Gör du det?”

”Visst … Det är klart.”

”Varför dricker hon så hårt då? Har du funderat på det?”

Jan har inte funderat på det.

”För att bli full”, säger han till sist.

”Men varför vill hon bli det?”

Jan rycker på axlarna.

”Hon är väl olycklig”, säger han. ”Men det finns olycka överallt. Eller hur?”

”Du vet inget… du fattar ingenting”, säger Hanna och reser sig.

Jan reser sig också. Det känns skönt att gå från bordet, och lika skönt att snart få lämna förskolan. Det här var ingen fin måndagsmorgon – dagens må bra-stund handlade mer om att må dåligt.

Han vill bara gå hem och sova nu. Han vill vara normal. Han vill se framåt, skaffa ett liv.

Aldrig mer instängd, tänker han.

Han har ingen att skaffa ett liv med. Det är kanske värst av allt. Inte att vara med om otäcka saker, utan att sakna någon som lyssnar.

BANGEN

Rami hade klivit ner från sin säng, och satt sig på golvet vid Jan. Till slut hade hans berättelse om De fyras gäng fångat henne.

"Hade de låst in dig i bastun?"

"Inte låst … den gick inte att låsa", sa han. "Men de hade satt något för dörren … Jag visste inte vad det var, men den satt fast. Stenhårt."

"Så du var inlåst i värmen", sa Rami.

Han nickade.

"Hur kom du ut, då?"

"Jag kom inte ut", sa Jan. "Det var ju fredag … Alla hade gått hem."

Tystnaden i bastun fortsätter för Jan. Inga dörrar smäller. Ingen vaktmästare sticker in huvudet och ropar "Hallå?" i duschrummet.

Dörren sitter fast.

Och bastun är varm nu. Luften kan bli hetare, men det är varmt nog nu. Varmt som i öknen. Fyrtio grader kanske, eller femtio.

Allt han kan göra är att treva sig runt i mörkret, över furuplankorna. Hans hand stöter emot en plasthink på golvet, vatten skvalpar till.

I en bastu finns det trä överallt. Obehandlat trä på golvet och på väggarna, och långa träplankor på två avsatser längs väggen. Det är där man sitter när man bastar, eller tjuvröker.

Jan sätter sig där ett tag. Han svettas nu.

Någon måste komma.

Sedan tänker han inte så mycket, han känner sig rätt tom i huvudet. Huden över skinkorna svider lite när han sitter, men han är lugnare nu. De fyras gäng är borta.

Ingen annan kommer. Allt är tyst utanför dörren.
Och värmen ökar.

Jan satt med böjt huvud på golvet i Ramis rum nu. Hon höll hans hand och han kände henne bredvid sig, men i sitt huvud var han ensam. Han var fortfarande kvar i bastun.

”Jag hade otur”, sa han. ”Det var fredag, och gymnastikhallen skulle inte öppna igen förrän på måndagen.”

”Hur gick det då?” sa Rami.

Jan såg på henne.

”Vet inte.”

Han mindes inte så mycket, men nu tänkte han efter. Hur gjorde han egentligen? Hur gör man för att överleva flera dagar i en ångande varm bastu?

Banka på dörren. Banka och banka, ända tills du är säker på att ingen kommer. Peter Malm och hans gäng kommer inte att återvända. De har blockerat dörren och dragit vidare, och nu har de redan glömt dig.

Då kan du ropa och banka lite till, innan du ger upp. Händerna värker och svider, bastudörrens sträva trä har lämnat flisor i dem.

Treva dig runt, och inse att du faktiskt kan se lite i mörkret – det kommer in en svag strimma ljus under dörren, och det finns en liten skimrande punkt i en luftventil under taket. Så du är inte helt blind. Du kan se dina händer som ljusgrå fläckar framför dig.

Du sträcker ut dem och klättrar uppåt. Värmen ökar under taket. Plötsligt stöter du till något med fingrarna, något runt och avlångt, med en slät aluminiumyta.

En ölburk. Här i mörkret går det inte att se vilket märke det är, men det skvalpar i burken när du lyfter den. Du känner att den är halvfull, men när du för den mot näsan slår en sur och vidrig stank upp ur det lilla drickhålet. Någon besökare har lämnat kvar den på sätet i bastun, den kan ha stått bortglömd i flera dagar, kanske veckor.

Ställ snabbt undan burken. Sätt dig på översta trähyllan och tänk. Försök tänka. Hur ska du ta dig ut?

Räkna inte med att någon i De fyras gäng kommer tillbaka och öppnar, för det gör de inte.

Räkna inte med dina föräldrar heller. De skulle resa bort ihop med din lillebror, till någon moster. De kommer kanske att ringa dig, men när du inte svarar tror de bara att du är hos en kompis – fast du inte har någon vän att vara hos. De lever i en drömvärld där deras son är lycklig i skolan, och du vill inte väcka dem.

Nej. Räkna med att du är fast här, förmodligen till måndag morgon. Var glad att det serverades köttbullar med potatismos i skolmatsalen, och att du satt för dig själv vid ett bord och åt tio stycken.

Det blir ingen mer mat på flera dagar.

Var glad över en sak: att du inte har några kläder. Det kändes hemskt att stå naken ute i duschrummet, du var en blekfrusen gris därute, naken och omringad av De fyras gäng i nya tröjor och dyra jeans. Men härinne är dina kläder inget du saknar.

Fast det är varmt uppe på träbänken, riktigt stekhett. Värmen stiger uppåt, och du svettas mer och mer.

Kliv ner från bänken, och sätt dig på den nedre avsatsen med fötterna på golvet. Här är det lite svalare.

Sitt där, med böjt huvud.

Tänk inte, bara vänta.

Blunda.

Fortsätt vänta.

Lyft på huvudet, och fundera över om luften kommer att ta slut. Det är svårt att andas... beror det bara på värmen? Du läste en historia någon gång om någon som var levande begravd i en träkista, och höll på att dö av syrebrist. En bastu är en sorts träkista.

Du drar in andan och försöker lukta på luften – luktar den dåligt? Inte än. Det kommer nog in frisk luft från dörren och från ventilen uppe i taket. Inte mycket, men du hoppas att det räcker.

Lägg dig raklång på bänken.

Blunda.

Tänk inte.

Bara vänta.

Vänta...

Vakna med ett ryck!

Har du sovit?

Det är fortfarande mörkt. Hur lång tid har gått nu, sedan de låste in dig? Du har ingen aning. Du har en självlysande klocka som du fick i tioårspresent av din farmor, men den ligger i byxfickan ute i omklädningsrummet.

Om nu inte De fyras gäng tog med sig dina kängor och kläder och slängde dem uppe i dammen, för då åkte klockan också med.

Bastun är fortfarande på.

Känn hur svettig du har blivit i hettan. Känn hur otroligt törstig du är nu.

Kryp ner på golvet. Tillbaka till hinken, den som bastubadare använder för att hälla vatten på aggregatet och fylla bastun med het ånga.

Det finns faktiskt lite vatten kvar på botten – du rör på den och hör hur det skvalpar.

Tveka länge. Precis som med ölburken har du ingen aning om hur länge vattnet har stått där. Varje upptäcktsresande vet att stillastående vatten kan vara giftigt, men till slut tar du ändå en klunk. Det är inte gott. Det är ljummet och smakar unket, men du tar en klunk till. Och en till.

Sedan sätter du ner hinken, för du måste ransonera dina tillgångar.

"Ransonera dina tillgångar." Det låter som ett äventyr för en hjälte, men det är du inte. Du är helt maktlös, du kan inte andas. Du kryper ihop på golvet och väntar och väntar och väntar. Gymnastikhallen står en bit bort från skolan, vid utkanten av staden – man går inte förbi här om man inte måste.

Du hör inga ljud, bara ett susande i öronen, och då och då ett svagt knäppande från bastuaggregatet. Du ställer dig ändå upp och bankar på dörren, ropar och bankar och ropar. Dörren till bastun är tjock och stadig, den rubbas inte en millimeter.

Sedan kryper du ihop på golvet igen. Men träplankorna därnere blir hetare och hetare. Under avsatserna finns det bara ett cementgolv som borde vara svalare, men du vill inte krypa in där. Du vet hur skitigt det är därinne. Tusentals bastubadare har suttit på bänkarna ovanför, år efter år, och låtit sin svett rinna ner på golvet. De har spottat genom träspringorna, kastat ner snus, tappat hår och hudflagor.

Men du måste bort från hettan vid bastuaggregatet, och till slut kryper du in där ändå. Du är en naken liten gris som kravlar in i den fuktiga smutsen under bänkarna. Och det är svalare därinne. Smutsigt, men du kan andas.

Du väntar på cementgolvet, du drömmer om en vän. En tuff kompis. En man som börjar inse att något är fel. Ni kanske bestämde möte på en restaurang i staden – varför har du inte dykt upp? Du vet inte hans namn och du har inget papper att rita honom på, men du börjar mana fram en man inne i huvudet.

Han kallas Den Skygge. Den Skygge väljer att inte visa sig, han smälter in i omgivningen. Tittar man noga finns han där, men i en folkmassa ser man honom inte.

Nu vet du att Den Skygge har tröttnat på att vänta. Han reser sig från bordet, betalar för sin whisky och bestämmer sig för att leta reda på dig. Så han förvandlar sig. Han blir Hämnaren, med glödande ögon och stålhårda nävar. Du vet precis hur han ser ut. Se upp för honom, Torgny!

Du domnar bort, och vaknar igen.

Du svettas mindre nu, men törsten är lika svår. Du kravlar bort och dricker lite mer vatten. Det skvalpar i botten på hinken, det finns kanske tio eller elva klunkar kvar. Du dricker tre av dem, sedan lägger du dig på den svala cementen igen.

Du blundar, du drömmer i mörkret. Tiden går. Ibland lyfter du på huvudet och tror verkligen att Den Skygge är på väg, att han på något sätt har hittat De fyras gäng och spöat upp dem för att få veta var de gömt hans bäste vän – men oftast vet du att ingen kommer att rädda dig.

Du sover, och nu kan du inte styra drömmarna. Efteråt minns du inte om de var fridfulla resor ut ur kroppen eller mardrömmar, men de kan ändå inte ha varit värre än att vara vaken i mörkret.

Förr eller senare är du vaken igen, och totalt uttorkad. Du vet inte om det är morgon nu, men frukosten består i alla fall av lite vatten från hinken. Bottenvattnet är grusigt. Hårstrån flyter omkring i det, men du dricker ändå. Varenda droppe.

Ett bullrande ljud? Du ställer ner hinken och lyssnar. Nej, det är inte

Den Skygge som håller på att öppna dörren. Kanske var det en bil som for förbi på baksidan av gymnastikhallen.

Du ska dö här i bastun. Du vet det nu. Vattnet är slut. Det är lite som att ligga i en mörk öken. En natt med tropisk värme. Du håller på att torka ut.

Kan man dricka svett? Det spelar ingen roll, för du är så torr att din svett har slutat rinna – den är bara en oljig film som täcker huden.

Kan man dricka urin? Du är naken och behöver kissa, så det är inte svårt att testa, bara att släppa ut lite i handen.

Det smakar bittert, men du tar en klunk ändå. En klunk. Det är allt du får ner.

Du kryper fram till dörren. Springan under den är bara millimeterstor, men du lägger huvudet på sned och kikar ut. Det lyser därute fortfarande. Duschrummet ser ut som vanligt, med lysrör i taket och blänkande kakelgolv. Därute låtsas hela världen som om ingenting hemskt har hänt, som om De fyras gäng inte finns.

Till slut, någon gång när du är nästan medvetslös, klättrar du sakta uppför träavsatserna till burken däruppe – den som är halvfylld med någon okänd vätska. Och då dricker du den med. Den är varm och sur och trögflytande, men du dricker och dricker och tömmer burken. Du är för törstig för att bry dig om vad det är som rinner ner i halsen.

När allt är nere sväljer du igen, hårt.

Pressa ihop munnen, du får inte kräkas. Du måste behålla vätskan i magen, annars dör du.

Men du vill ju dö nu. Så varför kämpar du här i mörkret, minut för minut?

Du lägger dig på golvet igen. Är det lördag eller söndag? Du har gett upp, du bara ligger där.

”Jag kanske dog där på golvet”, sa Jan. ”Bangen kanske är himlen.”

Han hade på något sätt lagt sig på golvet, med sitt huvud i hennes knä. Han tittade upp på Rami, men hon skakade på huvudet.

”Du dog inte.”

Hon böjde ner sitt eget huvud, och öppnade munnen. Jan såg hennes tungspets och väntade sig sitt livs andra kyss, men Rami siktade mot hans ögon.

Hon slöt igen hans ögonlock med sin tunga; först det högra, sedan det vänstra.

Och sedan när han blundade stack hon in tungan i hans mun. Den här kyssen kändes bättre än den första, som en minutlång resa över himlavalvet. Han kände hennes överkropp mot sin egen. Den var mjuk, inte hård som han hade väntat sig.

Rami släppte hans läppar till slut, andades ut i en stilla suck och såg på honom.

"Men du blev ju räddad? Eller hur?"

Jan nickade tyst. Han ville ligga kvar här resten av livet, han ville inte tänka på bastun.

Till slut hör du ett ljud genom trädörren. Det slamrar till ute i omklädningsrummet.

Du öppnar ögonen. Bastun är lika varm som förut, men du fryser ändå.

Fler ljud. Skor klampar fram över kakelgolvet.

"Hallå?" ropar en mansröst.

Du försöker resa dig och kommer upp på knäna, sedan orkar du inte mer. Du faller framåt, rakt mot bastudörren. Dina armar möter träpanelen, din panna också. Du håller dig kvar där, lutad framåt, och försöker banka.

Då dras dörren upp.

Det går så snabbt att du tappar balansen. Du faller framåt, rakt ut på kaklet.

Luften är iskall i duschrummet. Chocken är så stor att du försvinner bort igen, utan att vilja det, i ett mörkt illamående. Det är bara några sekunder, för när du vaknar så står mannen kvar. Han som har befriat dig.

En tennisspelare. Han har grått hår, grå buskig mustasch och en vit träningsoverall. Han håller en lång sopborste i handen – sakta förstår du att det måste ha varit borsthandtaget som De fyras gäng hade kilat fast i dörren innan de stack.

Mannen tittar häpet på dig, som om du har utfört något slags trick för att dyka upp ur bastun.

"Var du därinne?" frågar han.

Du hostar och drar in luft, men svarar inte. Din hals är för torr. Du kravlar bara förbi din räddare på kakelgolvet, förbi hans vita skor, och reser dig långsamt upp.

Du lever nog.

Du stapplar fram till tvättstället vid ingången och vrider på kallvattnet, med en darrande hand. Så dricker du, dricker och dricker. Fem djupa klunkar, sex och sju. Till slut börjar magen värka, vattnet är för kallt.

"Låste nån in dig?"

Det är tennisspelaren, han ger sig inte.

Han väntar på svar. Förklaringar. Men du skakar på huvudet och stapplar ut ur duschrummet.

Äntligen är du ute. Du fryser så du skakar nu, men har inte en tanke på att ställa dig i en duschkabin och vrida på varmvattnet. Du vill bara ut för att se om dina kläder finns kvar.

Det är de. Jeansen och tröjorna och jackan hänger kvar i ett av skåpen – gänget tog inte med dem.

Du drar på dig tröjorna. Först den tunna av bomull, sedan ylletröjan. Så tar du upp jeansen. Du ska dra dem på dig snart och ge dig iväg ut i vintern, men du vill ha fram klockan först.

Tennisspelaren har kommit ut i omklädningsrummet.

"Vad heter du?"

Du svarar inte på det heller, men du tittar på honom och säger hest:

"Vilken dag är det i dag?"

"Söndag", säger han. "Vi ska spela match här nu."

Du lyfter klockan. Den är fem över halv två.

Halv två på söndag eftermiddag.

Blunda och räkna efter. Du har varit inlåst i bastun nästan två dygn – i fyrtiosex timmar.

LODJURET

Var det ett lyckligt slut för alla inblandade? Jan antog det. William Halevi var återfunnen, och föräldrarna kunde andas ut efter två dagars tortyr.

Daghemmets personal mådde också bättre.

Alla utom Sigrid, som var sjukskriven i en vecka efter Williams försvinnande. Hon hade börjat gå i kristerapi, hörde Jan.

Och själv blev han på nytt förhörd av polisen.

De sa det inte rent ut, men de misstänkte något. Dagen efter att William var återfunnen kom två civila poliser hem till Jan och tittade runt i hans lägenhet, och han lät dem hållas. Det fanns inget här. Han hade varit uppe i skogen kvällen innan, städat ur bunkern och slängt eller bränt allt som funnits därinne.

Två dagar senare kallades han till polishuset.

Förhörsledaren var samma inspektör som hade pratat med honom tidigare. Hon var inte gladare den här dagen.

”Du såg pojken sist av alla i skogen, Jan”, sa polisen. ”Och du hittade honom också.”

”Det stämmer inte”, sa Jan tålmodigt. ”Det var den där pensionären … jag minns inte vad han heter.”

”Sven Axel Ohlsson”, sa polisen.

”Ja … det var i alla fall han som hade tagit hand om William. Och sen hittade jag dem.”

”Och innan dess?”

”Innan?”

”Var tror du William höll hus innan ni hittade honom?”

”Jag vet inte... Jag har inte tänkt på det. Han gick väl omkring i skogen?”

Polisinspektören såg på honom.

”William säger att han var inlåst.”

”Jaså?” sa Jan. ”I vilket sorts rum?”

”Jag sa inte att det var i ett rum.”

”Nej, men det är väl...”

”Har du någon idé vem som kan ha låst in honom?”

Jan skakade på huvudet.

”Tror ni på honom?”

Polisen svarade inte.

Olidlig tystnad i förhörsrummet. Jan fick anstränga sig för att inte bryta den och börja babbla och spekulera om olika teorier som skulle tolkas som erkännanden.

Men tankarna irrade och han var tvungen att säga något, så han frågade:

”Hur mår Torgny nu?”

”Vem då?” sa polisen. ”Vem är Torgny?”

Jan stirrade på henne. Han hade sagt fel namn.

”William, jag menar William... Hur mår han? Är han hos sina föräldrar?”

Inspektören nickade.

”Han mår bra. Förhållandevis.”

Till slut släppte inspektören iväg honom, utan några ursäkter. Det enda han fick var en sista lång blick av henne.

Han struntade i den. William var tillbaka oskadd och han själv var fri.

Jan kunde lämna polishuset och gå vart han ville, men han gick ut i friska luften med en känsla av besvikelse.

Alltihop hade gått så fort. Han hade planerat att det skulle vara längre – i fyrtiosex timmar.

44

LEGÉN DRICKER GULT VIN ur en sprucken vit kaffemugg. Han häller upp en rejäl mugg även åt Jan, som sitter i röran vid hans köksbord.

”Här ska du ha.”

”Tack, tack.”

Jan är törstig, men inte efter ljummet gult vin. Han tar emot muggen med vätskan och funderar på hur han ska tömma ut den, utan att grannen ser det.

Legéns lägenhet är ingrodd och stökig, men Jan tycker faktiskt om de här stillsamma stunderna. Han har ringt på hos grannen efter jobbet för att prata med någon. Men hur mycket litar han på Legén? Vad vågar han egentligen berätta?

”Jag tror att vi får snö snart”, säger han.

”Jo”, säger Legén och dricker sitt vin. ”Det är nu man ska hugga upp veden, om man har någon. Vi hade en bod när jag var liten, men där ställde vi undan allt möjligt, så veden fick inte plats. Men man kunde sitta därinne, och vara ifred en stund …”

Vinet gör grannen pratsam. Men till slut blir det tyst, så Jan fortsätter:

”Jag var nere och tittade i sjukhuskällaren i söndags … Det var patienter där.”

”Det har alltid varit en del spring därnere”, säger Legén. Han dricker en djup klunk vin, och fortsätter: ”Men jag var aldrig orolig. Vi skötte oss själva i tvätteriet, i trettio år”, säger han. ”Tvätten kom ner och vi skickade tillbaks den … Man kunde hitta allt möjligt. Plånböcker och pillerburkar, allt möjligt.”

”Det finns ett kapell i källaren”, säger Jan. ”Vet du det?”

”Jo, men vi gick aldrig dit”, säger Legén. ”De gör ju lite som de vill där, när de höga herrarna har gått hem.”

När Jan kommer tillbaka till sin lägenhet försöker han rita lite, för att få klar *Prinsessans hundra händer*. Det är den sista barnboken som saknar riktiga bilder, Ramis fjärde bok.

Han ritar färdigt fyra teckningar i boken och färglägger tre av dem, sedan ger han upp. I stället tar han fram sin gamla dagbok.

Han bläddrar sakta igenom den och läser sina tankar som tonåring, och minns nästan hur det var då – och när han viker upp mitten av boken hittar han en gammal bild som han klippt ur en lokaltidning.

Jan minns det urklippet också. Han råkade hitta det sex år efter händelserna på Lodjuret. Det är en bild från sportsidorna; det hade varit en fotbollsturnering för juniorer och det vinnande laget var fotograferat efter finalen. Ett dussin elvaåringar hade samlats framför kameran. I mitten stod målvakten med en boll under armen, och log under luggen mot Jan.

Det var William Halevi. Hans namn fanns med i bildtexten, men redan innan han läste den kände Jan igen ansiktet.

Han tittar länge på bilden. William ser glad ut, avslappnad och omärkt av några dåliga minnen från skogen. Han var elva år när bilden togs, han var fotbollsspelare, han verkade ha gott om vänner. Det skulle gå bra för honom i livet.

Jan kan inte veta, men han hoppas att det är så.

Han reser sig.

Borta på hyllan vid hallen står Ängeln. Den ena av dem, sändaren – mottagaren lämnade han ju på Sankta Psyko. Standby-knappen blinkar klart och tydligt – han har satt in nya batterier. Han har funderat på att slå på sändaren några gånger, men vet att avståndet till mottagaren är för stort. Han skulle behöva komma mycket närmare.

Jan tittar på Ängeln och funderar någon minut till. Sedan reser han sig och går för att hämta ryggsäcken och ytterkläderna. Mörka ytterkläder.

Han cyklar inte den här kvällen, och han tar inte bussen. Han går till fots. Han väljer samma väg till sjukhuset som han gick i söndags – en lång omväg genom skogen och över bäcken som rinner förbi sjukhusområdet, och sedan fram till sluttningen på baksidan, ett par hundra meter från stängslet.

Molnen jagar fram över inhägnaden.

Jan är nära. Nu är det mörkt, novembermörkt, och han behöver inte gömma sig bland granarna. Han kan gå upp på krönet av sluttningen, ovanför bäcken. Smyga fram som ett lodjur.

Stängslet runt Sankta Patricia är upplyst som en teaterscen av strålkastarna, men längre in i trädgården ser han breda fält av skuggor. På fasaden är bleka ljus tända i många av de smala fönstren, men de flesta har neddragna persienner. Patienterna gömmer sig.

Jan känner sig iakttagen – men inte av ögon. Av själva sjukhuset.

Sankta Psykos orörliga stenfasad stirrar kallt mot honom och han huttrar till. Han vill dra sig tillbaka in i skogen igen, men fortsätter framåt på kanten av sluttningen, fram till ett stort klippblock som inlandsisen lämnat i skogsbrynet. Det finns en upptrampad stig här – vilket betyder att folk har gått förbi sjukhuset i många år, kanske för att stå och fundera över vilka odjur som sitter därinne.

”Har ni inga bananer med er, till aporna?”

Jan minns att Rami hade ropat det inne på Bangen, en kväll när en grupp kostymklädda äldre män hade gjort något sorts studiebesök där. Kanske var de politiker. Varenda kostym hade tittat på henne med rädda blickar, och rusat vidare i korridoren.

Räckvidden för Änglarna är trehundra meter. Jan är närmare sjukhuset än så nu, hoppas han, men fortfarande utom räckhåll för strålkastarna.

Till vänster bakom sjukhusområdet finns förskolan, men den döljs av stängslet och barrträden. Jan tittar på klockan, den är kvart över nio. Dags att jobba. Han sätter ner ryggsäcken i lingonriset och drar upp blixtlåset. Så tar han upp Ängeln och slår om den från standbyläge till sändning.

Jan lutar sig mot klippblocket och tänker efter. Han vet inte vad han ska säga och vet inte om Rami lyssnar därborta. Och han kan inte säga hennes namn, om Ängeln har hamnat hos fel person.

Men till slut lyfter han mikrofonen mot munnen:

"Hallå?" säger han lågt. "Hallå, ekorre?"

Ingen svarar. Inget händer.

Han tittar bort mot sjukhuset, och räknar tyst bland raderna av fönster. Fjärde våningen, sjunde fönstret. Det är ett av dem där det lyser, om han har räknat rätt. Ett blekt lampljus i taket. En glödlampa täckt av skyddsgaller, för att ingen ska slå sönder den?

Han drar in andan och provar igen.

"Om du hör mig", säger han, "så vill jag att du visar det."

Han tittar på det sjunde fönstret, och väntar sig att få se en gestalt kliva fram i ljuset bakom gallret. Det får han inte. Men något annat händer – lampan i rummet slocknar plötsligt. Fönstret där borta är helt svart några sekunder, sedan tänds ljuset igen.

Jan känner en ilande kyla löpa längs ryggraden.

"Gjorde du det där, ekorre?"

Ljuset slocknar igen. Nu är det bara mörkt ett par sekunder, sedan tänds det.

Jan höjer Ängeln.

"Bra", säger han. "En släckning betyder 'ja'. Och två betyder 'nej'."

Ljuset slocknar igen. Han har fått kontakt.

"Vet du vem jag är?"

Ljuset släcks snabbt.

"Jan Hauger… Det är jag som har skickat breven till dig. Och som satt på barnpsyk en gång i tiden. På Bangen."

Nu släcks inte ljuset, men det är förstås ingen fråga.

"Och du heter Maria Blanker?"

Ljuset släcks igen.

"Har du haft ett annat namn tidigare?" frågar Jan.

Ljuset släcks. *Ja.*

"Alice Rami? Hette du det?"

Ljuset släcks igen.

Äntligen.

Jan sänker Ängeln. Nu pratar han med Rami till slut. De har fått kontakt.

Vad kan han säga nu? Han har många frågor, men ingen som kan besvaras med ja eller nej.

Sekunderna tickar, trummorna dunkar. Jan känner sig stressad av sin egen tvekan, han kastar ur sig en fråga:

"Rami, kan vi träffas igen? Bara du och jag?"

Framför ett sex meter högt stängsel är det en absurd fråga. Men ljuset lyser några sekunder, sedan blinkar det till.

"Bra ... Vi hörs snart. Tack."

Vad tackar han Rami för? Han tittar bort mot sjukhuset, mot alla de lysande fönstren och känner sig kall och frusen, men mest av allt utestängd. Just nu skulle han själv vilja sitta där, ihop med Rami.

Han påbörjar vandringen tillbaka genom skogen. Tillbaka hem, där han ska försöka teckna klart bilderböckerna, så att han kan visa dem för henne. När de träffas.

Vem är Rami nu? Hon är djurskaparen. Hon har skapat Jan för att hitta vägen över stängslet och hjälpa henne komma bort från stenhuset. Bort från djurskaparens öde ö, ut ur skogen där den sjuka häxan ligger och dör.

BANGEN

Jan satt tätt intill Rami och hon höll sin hand runt hans arm, ovanför bandagen på handlederna. De höll i varandra. Han hade berättat klart om dygnen i bastun för henne, och om hoppet ner i dammen. Det kändes inte mycket bättre, men han hade gjort det nu.

Och Rami hade lyssnat, som om berättelsen betydde något. Sedan hade hon frågat med låg röst:

"Har du sagt det här till någon annan?"

Han skakade på huvudet.

"Men *de* tror säkert det", sa han. "En av dem ... Torgny, han ringde mig för tre dar sen. Han var rädd, jag hörde det. De tror nog att jag har tjallat på dem redan, men det har jag inte." Jan såg ner i golvet och fortsatte: "Jag vet att de väntar på mig i skolan när jag kommer tillbaka dit ... De tänker fortsätta."

Han tystnade. Här satt han och var rädd bara av tanken på De fyras gäng. Han kurade ihop sig bakom Bangens stängsel, och visste att gänget var ute på gatorna, fria och lyckliga. De hade varandra, de hade massor av kompisar. Själv hade han bara Rami.

"Och det vore okej", fortsatte han. "Jag tycker det ibland, att det vore skönt om det fanns en knapp att trycka på, så att allt tog slut. Jag kämpade inte så mycket när de slängde in mig i bastun ... jag tyckte att det var något sånt jag förtjänade."

"Nej", sa Rami.

"Jo", sa Jan.

Det var helt tyst i rummet, innan Rami plötsligt sa:

"Jag tar hand om dem."

"Hurdå?"

"Vet inte än ... När jag är borta härifrån."

"När blir det?"

"Snart."

Jan såg på henne. Rami pratade knappast om att bli utsläppt från Bangen – hon pratade om att rymma.

"Hur ska du göra?"

"Jag känner folk."

Rami reste sig plötsligt och gick fram till ett av de svarta draperierna.

"Jag hittade den här i förrådet", sa hon.

Hon lyfte på draperiet, och Jan såg att det stod en gammal svart telefon på golvet.

"Fungerar den?" sa han.

Hon nickade.

"Vill du ringa nån?"

Jan skakade på huvudet. Han hade ingen att ringa.

"Jag brukar ringa min syster i Stockholm", fortsatte Rami. "Jag kan ringa vem som helst."

Hon lät så säker, tyckte Jan, och det smittade av sig.

"Jag har skolkatalogen", sa han. "Du kan få bilder på dem, med namn och adresser."

"Okej."

Det blev tyst. Jan såg på henne och ville säga något djupt och ärligt, men Rami fortsatte:

"Du kan göra en sak för mig också."

"Vadå?"

Hon reste sig.

"Jag ska visa ... Kom."

Hon ledde ut honom i korridoren, såg sig om och gick vidare mot personalrummet. Klockan var halv sju, dagpersonalen hade gått hem och dörren var stängd. Bredvid den fanns en rad namn och färgbilder uppsatta, med överskriften:

HÄR ÄR VI SOM ARBETAR PÅ AVDELNING 16

Rami pekade på en bild av en leende kvinna med sned lugg och stora glasögon.

"Det är hon."

Jan kände igen henne, det var kvinnan som Rami hade kallat Psykobabblaren, som hon hade slagits med i teverummet. Under bilden stod hennes namn; *Emma Halevi, psykolog.*

”Hon avbröt vår spelning”, sa Jan. ”Och hon låste in dig i Hålan.”

”Jo”, sa Rami. ”Och sen tog hon min dagbok.”

Jan nickade, han mindes.

”Hon *läste* den”, sa Rami. ”Jag hade en sån bok som jag gav dig… Jag hade skrivit femtio sidor, men hon tog den.”

Jan tittade på bilden. Han hörde Ramis låga röst i sitt öra:

”Jag ska rymma i morgon. När jag är borta, så kan du göra något mot Psykobabblaren… Smyga in och pissa på hennes skrivbord, eller klottra på hennes dörr eller vad som helst. Göra henne rädd, liksom.”

”Okej”, sa Jan.

”Vill du göra det?”

Han nickade långsamt, som om han sa ja till ett hemligt uppdrag. Han skulle göra Psykobabblaren riktigt rädd, för Ramis skull.

45

"Skulle jag tycka synd om patienterna?" säger Lilian och skrattar över sin öl. "Det gör de ju så bra själva, allihop. De sitter däruppe bakom muren och tycker synd om sig själva... och påstår att de är *oskyldiga*."

"Gör de?" frågar Jan.

"Ja. Alla pedofiler och mördare är helt oskyldiga, det vet du väl... Ingen som sitter inspärrad tar nånsin på sig skulden för något."

Jan håller inte med om det, men han säger inget.

Han har gått ner på Bills Bar, kvällen efter Lilians gräl med deras chef på förskolan.

Självklart satt Lilian där, vid ett bord långt in i lokalen. Självklart hade hon ett stort ölglas på bordet, och sättet som hon vaggade sitt huvud över det som en orm framför en ormtjusare visade att hon hade suttit här ett bra tag.

Hon upptäckte inte Jan när han kom in på baren. Hon var inte ensam – Hanna satt på andra sidan bordet, med ett glas vatten framför sig. Som vanligt såg de ut som om de satt och delade hemligheter, lågt viskande med böjda huvuden.

Kvällens bartender på Bills Bar heter Allan. De är inte vänner – Jan har inte lyckats få en enda vän här i Valla, men han har lärt sig bartendernamnen nu.

Jan beställer alkoholfritt av Allan. Han får sitt glas och funderar på att smyga bort och sätta sig längre in i lokalen – men på väg dit skulle han förmodligen bli upptäckt av Hanna. Och varför ska han smyga?

Han går rakt fram till kollegornas bord.

”Hallå”, säger han.

”Jan!”

Lilian ler mot honom, hon verkar glad över avbrottet.

Hannas blanka ögon visar ingenting. Hon nickar bara kort, och Jan sätter sig.

”Vad dricker du?” frågar Lilian.

”Lättöl”, säger han. ”Jag ska jobba i morgon, så jag kan inte...”

”Lättöl?” Lilian skrattar hest och lyfter sitt glas. ”Det här är inte lättöl.”

Jan skålar inte, både han och Hanna ser tyst på när Lilian böjer nacken bakåt och tömmer halva glaset.

Sedan sänker hon huvudet och Jan ser att henne grundläge är dystert den här kvällen. Lilian stirrar ner i glaset och fortsätter sedan med en utläggning om sjukhuset som Jan hörde henne påbörja första gången de träffades på Bills Bar, ”lyxhotellet” som hon kallar det.

”Jag var nyfiken på dem som satt där när jag kom hit, men jag har aldrig tyckt synd om dem. Jag menar, om nån säger att han är oskyldig, att han inte alls har mördat eller förgripit sig på nån... Hur ska man då kunna bota dem?”

Ingen svarar. Hon dricker igen. Jan tycker att hennes blick börjar likna patienternas drogdimmiga ögon i källaren på Sankta Psyko.

Lilian sätter ner glaset.

”Måste på toa.”

Hon har problem att ta sig upp från bordet – bordskanten håller fast henne – men till slut vinglar hon iväg.

Jan och Hanna sitter kvar och ser henne försvinna.

”Hur många har hon druckit?” frågar Jan.

”Vet inte. Hon var typ redan igång när jag kom hit, men... Tre stora öl, efter det.”

Jan nickar bara.

”Det är synd om Lilian”, fortsätter Hanna.

”Det är många det är synd om”, säger Jan. ”Det är synd om Leo.”

”Jo, du har sagt det.” Hanna ser på honom. ”Du tänker mycket på barnen, eller hur?”

”Jag bryr mig om dem.” Sedan minns Jan att han har berättat för

Hanna om Williams försvinnande, och blir rädd att han ska verka suspekt. Så han tillägger: ”Alla borde bry sig om barnen, Hanna.”

”Det gör vi.”

”Jaså? Du bryr dig väl mer om Ivan Rössel?”

Hon skakar på huvudet.

”Nej. Eller jo, jag bryr mig om Ivan, men … Du förstår inte vad det här handlar om, Jan.”

”Nej”, säger han. ”Det handlar inte om mig, i alla fall.”

Hans öl är redan slut, och han reser sig. Kanske är det lika bra att han går hem.

Men Hanna tycks bestämma sig för något. Hon böjer sig över bordet och sänker rösten:

”Det handlar om Ivan Rössel … och om Lilian.”

”Om Lilian?”

Hanna tittar på honom, och verkar ta sats för att avslöja något:

”Jag tog kontakt med Ivan för Lilians skull.”

Jan sätter sig igen.

”Ursäkta … vad sa du?”

”Ivan *vet* saker. Så jag försöker få honom att berätta.”

”Berätta vadå?”

”Färdig!” ropar en röst. ”Har ni saknat mig, barn?”

Det är Lilian. Hon är tillbaka vid bordet, med en ny stor öl i handen. Hon vinglar till och ler brett.

”Det satt en tjej och storgrät på toan”, säger hon och sätter sig bredvid Jan igen. ”Fan, det sitter alltid nån och bölar på damtoan … eller hur, Hanna? Varför gör det alltid det?”

Hanna har stängt munnen igen. Hon kastar bara en snabb blick på Jan.

”Vi ska åka hem nu.”

Lilian ser förvånad ut.

”Redan?”

Hanna nickar.

”Vi åker med och släpper av dig … Jag ringer efter en taxi.”

”Men … ölen då?”

”Vi hjälper dig.” Hanna sträcker sig efter glaset, tar ett par klunkar och räcker över det till Jan. ”Här.”

Han är inte sugen, men tar också en sur klunk.

”Nu går vi, Lilian.”

En kvart senare hjälper de in kollegan i en taxi utanför baren, och åker med. Hanna guidar chauffören till ett litet radhus i kvarteren norr om centrum, det lyser i fönstren och Jan skymtar en man i fyrtioårsåldern som kikar ut på taxin från köket.

Jan känner igen honom; det är mannen som lämnade av Lilian en kväll på förskolan.

”Ni är så goa ... så snälla ...”

Lilian tackar flera gånger för färden, kramar om Jan, pussar Hanna på båda kinderna och vinglar iväg mot sin dörr.

”Okej.” Hanna vänder sig mot chauffören. ”Vi kan köra ner till centrum igen ... till Kasinot.”

”Kasinot?” säger Jan.

”Det är inget kasino. Det bara heter så.”

Kasinot ligger på en bakgata. Det är ett ödsligare ställe än Bills bar, och det är herrarnas kväll där. Jan gissar att det alltid är det. Några hopsjunkna män i femtioårsåldern sitter framför storbildsteven vid baren och stirrar surt på en italiensk fotbollsmatch, som om deras lag håller på att förlora. Ute i resten av lokalen är de flesta av borden tomma.

Hanna beställer två glas juice och sätter sig längst från baren, i ett hörn där det är helt folktomt.

”Bills Bar är typ, inte säker”, säger hon till Jan. ”Jag såg folk från Sankta Psyko där.”

”Jaså?”, säger Jan. ”Hur ser de ut?”

”Vaksamma.”

Det blir tyst, innan Hanna säger:

”Ivan Rössel behöver kontakt med någon ... Är det fel?”

”Kanske inte”, säger Jan. Han minns plötsligt något som doktor

Högsmed sagt om sina patienter och tillägger: ”Men om man ger sig ut efter någon som är vilse i skogen kan man lätt gå vilse själv.”

Hanna pressar ihop munnen.

”Jag är inte vilse”, säger hon. ”Jag vet vad jag gör.”

”Vad gör du då?” frågar Jan. ”Med Ivan, alltså?”

Hanna ser åt sidan.

”Jag försöker få honom att … att berätta saker.”

”Vilka saker?”

”Vad han vet om John Daniel.”

”John Daniel …”

Jan känner vagt igen namnet. Från någon tidning?

”John Daniel Nilsson försvann för sex år sen”, fortsätter Hanna. ”Han gick upp i rök efter en skoldans i Göteborg, sista året på gymnasiet. Ingen har sett honom sen dess, men Ivan har … han har antytt att han vet saker om John Daniel.”

Jan nickar, han minns. Han bodde i Göteborg då, bara fem eller sex kvarter från skolan där dansen hade ordnats. Rössel var misstänkt för försvinnandet, men hade aldrig erkänt.

”Men vad har John Daniel med dig att göra?”

”Inte med mig”, säger Hanna. ”Men med Lilian. Jag sa ju det.”

Jan ser på henne.

”Lilian är inblandad?”

”John Daniel var hennes lillebror”, fortsätter Hanna. ”Hon tog jobbet på förskolan för att försöka få kontakt med Ivan Rössel. Och det gick ju till slut, när hon bad mig om hjälp … Men det håller på att knäcka henne.”

46

Jan sitter och läser kriminalartiklar på nätet till halv tre den natten, för att få veta mer. Han läser att John Daniel Nilsson var nitton år när han försvann från skoldansen i utkanten av Göteborg. Han hade blivit bjuden på insmugglad sprit av en kompis och blivit berusad och fyllesjuk. John Daniel hade gått ut ensam vid halv tolv på natten för att antingen försöka nyktra till eller gå hem – ingen visste säkert – och sedan dess hade ingen sett honom. Familjen hade letat, polisen och många frivilliga hade letat, men John Daniel var spårlöst borta.

Det hade varit ett olöst mysterium. Rössel var misstänkt, men har hållit tyst. Ända tills nu, när han enligt Hanna har börjat antyda att han var den person som sist såg pojken i livet.

Jan läser och läser, ända tills ögonen svider och han börjar se William Halevis pojkansikte framför sig, i stället för den försvunne nittonåringen. Då stänger han av datorn och lägger sig.

Nästa morgon går han till jobbet, med tungt huvud. Lilian är där och båda nickar trött mot varandra.

”Allt väl, Lilian?”

”M-m”, mumlar hon bara.

Hon ser bakfull ut i dag och är det säkert också, men Jan betraktar henne med nya ögon nu. Lilian är syster till en försvunnen pojke. Hon är ett offer.

Han vill försiktigt börja prata med henne om det – men då hörs ett rop från köket:

”Jan? Kan du åka upp och hämta Matilda?”

Det är Marie-Louise.

”Jajamän”, säger Jan.

Han vet rutinerna. Alla måste hållas sysselsatta.

Hämtningarna och lämningarna på Patricia avlöser varandra hela dagen för honom, men nu känns vandringarna nedför källartrappan nästan som vardag. Han åker upp med barnen till besöksrummet utan att tänka på det.

Men med Leo är det inte rutin. Jan nuddar med fingrarna vid pojkens axel när de åker upp för hans timslånga umgänge med sin pappa.

”Vad ska ni göra?” frågar Jan.

”Spela kort”, säger Leo.

”Vet du det?”

Leo nickar.

”Pappa vill alltid spela kort.”

”Be honom berätta historier”, säger Jan.

Leo nickar, men ser tveksam ut.

Jan känner ingen glädje eller förtröstan när han kommer tillbaka till förskolan, och han får ingen chans att prata med Lilian den här dagen. Hon pratar inte heller, tittar inte på honom – hon är hela tiden med något av barnen. Men hon leker inte med dem nu, hon sitter mest och ser på dem med trötta ögon, eller klappar något barn på huvudet med en orkeslös hand.

Hanna verkar också undvika Jan, hon håller mest till i köket. Det är bara Marie-Louise som vill prata med honom.

”Visst är det skönt att det är över, Jan?”

”Vadå?” frågar han.

”Att nattpassen är slut. Att alla barnen har kommit i ordning nu … att vi har hittat bra hem till dem. Jag är så glad för det.”

”Kommer de att klara sig?” frågar Jan.

”O ja. Det vet jag.”

”Jag är bara lite orolig för Leo … Han är så rastlös.”

”Leo kommer också att klara sig”, säger Marie-Louise.

Jan tittar på sin chef. Klarar sig verkligen alla barn? De flesta gör det, men inte alla. Några barn blir vuxna med psykiska problem, några blir fattiga, några blir kriminella. Det är statistik, inget att göra åt.

Men då är ju deras arbete på Gläntan lönlöst?

Kvart i sex står Jan i köket. Alla barn har hämtats och han har kört en sista disk. Arbetsdagen är slut, och när Lilian stänger sitt skåp ute i kapprummet skyndar han sig att göra färdigt i köket. Han släcker ljuset och lyckas komma iväg någon minut senare, när Lilian har gått ut genom dörren.

Jan låser förskolan och följer snabbt efter.

Det är novemberkallt ute nu, blåsigt och frostigt. På gatan ser han en figur i mörk jacka på väg mot centrum. Han ökar takten och springer ifatt den.

”Lilian?”

Hon vänder sig om utan att stanna, och ser trött på honom.

”Vad är det?”

Hans första impuls är att fråga om hon vill gå med till Bills Bar, men han hejdar sig. Han vill inte gå dit mer.

”Kan vi prata lite?” frågar han.

”Om vadå?”

Jan ser sig om. Borta vid muren kommer två gestalter ut genom ståldörren; han ser inte deras ansikten men gissar att det är dagvakter på väg hem. Och vid busshållplatsen står ännu fler personer och väntar. Ögon som ser, öron som lyssnar.

”Vi går en bit bara”, säger han.

Lilian ser inte glad ut, men följer ändå med. De passerar de väntande vid busshållplatsen och fortsätter gå, innan han säger:

”Vi kan prata ju om förskolan … om vad vi kan göra för barnen.”

Lilian skrattar trött.

”Nej tack. Jag vill bara hem.”

”Ska vi prata om Hanna, då?”

Lilian bara fortsätter gå, så Jan frågar:

”Eller om Ivan Rössel?”

Hon tvärstannar på trottoaren.

”Känner du honom?”

Jan skakar på huvudet, och sänker rösten:

”Men Hanna har berättat en del.”

Lilian är tyst, och kastar en blick mot sjukhuset.

”Jag kan inte prata här”, säger hon till slut. ”Inte nu.”

”Vi kan träffas senare.”

Hon verkar fundera.

”Är du ledig i morron kväll?”

Jan nickar.

”Kom hem till mig, vid åtta.”

”Kan vi prata då?” säger Jan. ”Om allt?”

Lilian nickar. Sedan tittar hon på klockan.

”Jag måste hem nu, min storebror väntar... Min man är ju borta.” Hon börjar gå, men vrider på huvudet: ”Vill du veta varför vi skilde oss?”

Jan svarar inte, men hon fortsätter ändå:

”Han tyckte att jag var för besatt av Ivan Rössel.”

47

VINTERNS FÖRSTA SNÖFLINGOR ÄR stora och blöta och börjar falla över Gläntan efter lunch den här torsdagen. De landar tungt på marken runt förskolan och lägger sig som en vitgrå ludd över sanden i sandlådan och på gungornas bildäck.

Jan ser flingorna genom fönstret men känner ingen förväntan av snöfallet, som han gjorde när han var liten. Vintervädret betyder bara ännu fler klädlager på barnen. Undertröjor, yllesockor, galonbyxor och mössor med öronskydd – det tar längre och längre tid att komma ut på gården. Barnen blir som små burkar, tycker Jan, som dvärgrobotar av tyg som lufsar fram med stor möda över gården.

Han hjälper dem på med kläderna och går ut. Andreas och Marie-Louise håller fortfarande ihop som ett team, och skämtar och skrattar bakom honom.

Hanna och Lilian är redan ute på gården, och har tagit en rökpaus. De skrattar inte, de lutar sig bara mot varandra och viskar.

Marie-Louise och Andreas. Hanna och Lilian.

Jan släpps inte in i någon av de andras gemenskap, så han ägnar sig som vanligt mest åt barnen.

"Titta på mig!" ropar de. "Titta på mig!"

Barnen vill visa hur duktiga de är, när de gungar och hoppar och bygger bräckliga sandslott i sörjan av sand och snö. Jan hjälper dem, men sneglar ibland bort mot Lilian och Hanna och önskar att han kunde höra vad de pratar om.

När Marie-Louise kliver ut på yttertrappan tystnar samtalet, cigaretterna fimpas och Hanna och Lilian hjälper till att samla ihop barnen. Men Jan ser att de ger varandra snabba blickar när de går tillbaka in i förskolan, som konspiratörer.

Marie-Louise verkar inte märka något, hon står på trappan ihop med Jan och småler mot barnen när de marscherar in i huset igen.

”Så duktiga de är”, säger hon.

Sedan ser hon bort mot muren runt sjukhuset och slutar le, innan hon fortsätter:

”Var du någonsin rädd när du var liten, Jan?”

Han skakar på huvudet. Inte när han var liten. Han var aldrig rädd, inte ens för atombomben, innan han mötte De fyras gäng.

”Var du rädd?” frågar han.

Marie-Louise skakar på huvudet.

”Jag bodde i en småstad när jag var liten och ingen låste om sig där”, säger hon. ”Det fanns inga tjuvar eller rånare... inga farliga brottslingar alls. Ingen pratade om dem, i alla fall. Men det fanns ett sjukhem i stan med dårar som hade frigång ibland... De hade konstiga kläder, så man såg var de kom från. De såg snälla ut, och jag tyckte det var roligt att hälsa på dem i bussen, för de blev så glada av att prata med någon... Alla andra människor satt stela som eldgafflar och såg rakt framför sig när en gammal dåre kom ombord på bussen, men jag tyckte de var snälla.” Hon tittar på Jan och tillägger: ”Så jag hejade, och gubbarna hejade glatt tillbaka.”

”Så bra”, säger Jan.

Marie-Louise tittar bort mot sjukhusets höga mur igen, och tycks prata för sig själv:

”Men allt har blivit så hemskt nu... Det finns så farliga människor i världen.”

”Eller också är vi bara räddare”, säger Jan lågt.

Men hans chef verkar inte höra.

Samma kväll gör Jan ett nytt försök att få kontakt med Rami. Han låtsas gå hem i mörkret när förskolan stänger, men tar en promenad genom villakvarteren och väntar på att det ska bli lugnt runt sjukhuset. Sedan går han en omväg upp till det stora klippblocket ovanför forsen. Han sätter ner sin ryggsäck, plockar upp Ängeln och slår på den, med blicken bort mot sjukhuset.

Fjärde våningen, sjunde fönstret. Det lyser där nu, men ingen människa syns till bakom gallret.

Jan försöker ändå få kontakt:

"Ekorre?" säger han lågt.

Inget händer. Ljuset i rummet fortsätter lysa.

Jan anropar flera gånger, men får inget svar ur Ängeln. Om Rami inte är där, eller om hon sover, varför lyser då ljuset? Är det alltid påslaget?

Till slut stänger han av och lämnar skogen ovanför stängslet. Han känner sig misslyckad och bortstött av alla den här torsdagskvällen. Kanske inte riktigt av alla – barnen gillar honom fortfarande, men leker han för mycket med dem verkar han konstig.

Jan vill inte verka konstig. Då skulle han få Marie-Louises ögon på sig, precis som Lilian har fått.

Han tänker på hennes och Hannas låga samtal på förskolan den senaste veckan, viskande röster som har tystnat varje gång han kommit in i rummet.

Från skogen går han tillbaka ner mot staden. Men inte hem. Han har ju ett möte med Lilian den här kvällen, om Ivan Rössel.

48

Jan ringer på Lilians radhusdörr och väntar. Han lyssnar. Ljud av röster kommer från Lilians hus, men det låter som mummel från en teve.

Det är inte Lilian som öppnar, det är hennes storebror. Jan har aldrig fått veta hans namn. Brodern nickar bara mot honom och ropar över axeln:

”Minti?”

Teveljuden skruvas ner. Lilians röst svarar något otydligt, och brodern fortsätter:

”Din dagiskompis är här.”

Han vänder om och går ut ur hallen, utan att titta på Jan.

”Kallas du Minti?” säger Jan till Lilian.

”Ibland.”

”Varför då?”

Hon rycker på axlarna.

”Jag äter minttabletter. För att lukta friskt.”

Lilians röst är livlös. Men hon är i alla fall inte berusad. Hon har tagit med Jan ut till köket och öppnar kylen. Jan ser gröna flaskor därinne, men Lilian tar bara ut ett paket mjölk.

”Vill du ha varm choklad?”

”Visst.”

Hon sätter på en kastrull med mjölk på spisen och tar med Jan bort till köksbordet. Fest-Lilian från Bills Bar är helt borta nu, hon är tröttare än någonsin när hon sätter sig vid bordet med två muggar choklad.

”Så Hanna har berättat om Ivan Rössel”, säger hon.

”Jo”, säger Jan.

”Och att han sitter på Sankta Psyko?”

Jan nickar.

”Jag har läst en del också.”

”Det är klart att du har, han är ju kändis.” Lilian suckar. ”Men brottsoffren blir aldrig kända… Ingen vill prata med någon som bara gråter hela tiden, det beror väl på det. Så vi drar oss undan och sörjer, medan mördarna blir idoler.”

Jan säger inget, men hon fortsätter:

”Har du pratat med Marie-Louise om det här?”

”Nej… Bara med Hanna.”

”Bra.” Lilian tycks slappna av, och lyfter muggen. ”Det är bra… Marie-Louise skulle larma sjukhusledningen direkt om hon visste vad som pågick.”

Köket blir tyst igen.

”Vad pågår då?” frågar Jan.

Lilian verkar fundera över vad hon ska berätta.

”Ett möte”, säger hon till slut. ”Vi ska ha ett möte med Rössel. Hanna har ordnat det, ihop med en vakt på sjukhuset.”

”Ett möte om vadå?”

”Vi vill få svar”, säger Lilian. ”Få Rössel att börja prata.”

”Prata om vad?”

”Om John Daniel.”

”Din bror”, säger Jan lågt.

Lilian nickar sorgset.

”Han är borta.”

”Jag vet… Jag har läst om John Daniel också.”

Hon suckar.

”Man vill ha ett svar på varför det hände”, säger hon och ser ner i köksbordet. ”Men man får inget svar. Allt är bara… mörker. Och man tror att man drömmer, jag kände så i flera månader för sex år sen, när John Daniel hade försvunnit. Och sen när jag insåg att jag var vaken och att han fortfarande var borta så trodde jag att jag skulle komma över det, men det går inte över, det bara gnager och gnager…

Och det är värst för min pappa. Han tror att John Daniel lever. Han sitter och väntar vid telefonen, varje dag."

Jan lyssnar och låter henne prata, han känner sig som en psykolog. Som Tony.

"Men Rössel har inte erkänt något", säger han lågt. "Eller hur?"

Lilian skakar på huvudet.

"Rössel är en psykopat. Han saknar förmågan att känna skuld, så han erkänner ingenting. Han berättar halvsanningar, sen tar han tillbaka dem. Det enda han vill ha är uppmärksamhet... Det är som en lek för honom."

"Hatar du honom?"

Hon tittar skarpt på honom, som om svaret är självklart.

"John Daniel dog ju, han fick bara nitton år av liv. Men Rössel fick inget straff... Han togs om hand och får gratis mat och husrum. Han bor hur fint som helst på Patricia."

Jan tänker på de långa tomma korridorerna och frågar:

"Är det så fint där?"

Lilian nickar bestämt.

"Jo, speciellt för en kändis som Rössel. Han får vård i lugn och ro. Mediciner och terapi och allt möjligt stöd. Läkarna vill ju sola sig i hans glans. Men John Daniel, han..." Hon tittar ner i bordet. "Han ligger mördad och gömd någonstans. Och själv får jag ett förkortat liv... Det är vad sorgen och hatet gör med en. Man torkar ut."

Jan frågar nästan: *Är det därför du dricker så mycket?* Men han är tyst. Han kan ana vad Lilian har varit med om och vad hon tycker om Rössel – han har känt liknande saker för Torgny Fridman och De fyras gäng.

"Så du jobbar på förskolan för John Daniels skull?"

Lilian nickar.

"Jag trodde att jag skulle få kontakt på egen hand med Rössel... men det gick inte. Till slut bad jag Hanna, och henne gick det bättre för."

"Men är du inte orolig för henne?"

"För att hon går upp till sjukhuset?" säger Lilian. "Hon träffar inte Rössel själv, hon brevväxlar med honom. Det är riskfritt."

Jan säger inget. Till slut fortsätter hon:

”Det är bara Hanna som vet vem jag är... att jag är släkt med John Daniel. Jag gick aldrig ut i tidningarna när det hade hänt, det var mina föräldrar som gjorde. De ställde upp framför fotograferna och höll upp skolbilder och grät rakt in i linsen. De bönade och bad att den som visste något skulle höra av sig till polisen. Men det gjorde ingen. Och nu är vi som sagt bortglömda.”

Hon suckar.

Jan tänker på allt Hanna har berättat, och frågar:

”Vad vill Rössel då? Vill han bli fri?”

Lilian pressar ihop munnen. Hon har mer energi nu.

”Rössel ska inte bli fri. Han kanske tror det, men så blir det inte. Han ska bara prata med oss.”

”När då?” frågar Jan.

”Nästa fredag. På kvällen, när det är brandövning på Sankta Patricia.”

Jan nickar.

”De ska öva på utrymning då”, fortsätter hon. ”Så alla patienter måste lämna rummen. Det blir trängsel i korridorerna.”

Jan får en minnesbild av de gamla patienterna nere i källaren. Deras tomma blickar.

”Och vad händer med Rössel då?” frågar han.

”Vakten som Hanna har kontakt med... Carl... han ska släppa ut Rössel från vårdavdelningen, till besöksrummet.”

”Där ni väntar?”

”Vi ska träffa honom där, och prata med honom. Så ska han berätta var John Daniel är begraven.”

”Tror du det?”

”Jag vet det”, säger Lilian. ”Han har lovat Hanna.”

Jan vill säga något, men tvekar.

”Saker kan gå fel”, säger han lågt.

”Jo, men vi tar inga risker med Rössel”, säger Lilian. ”Vi är fyra stycken, jag och min bror och två vänner. Vi har gått igenom allt. Jag har släppt in min bror på Gläntan ett par gånger, för att rekognoscera.”

”På kvällarna?”

Lilian nickar.

”Då har barnen sett din bror”, säger Jan.

”Jaså?”

”Mira såg en man stå vid sin säng en natt … Ni är inte så försiktiga som ni tror.”

”Vi är försiktiga nog.” Lilian tittar på honom. ”Men då vet du … Är du med oss nu?”

”Jag?” säger Jan. ”Vad ska jag vara med på?”

”Vi kan behöva hjälp. Någon som håller vakt.”

”Kanske”, säger han till sist. ”Jag får fundera.”

På väg hem tänker han på vad Lilian sagt om brandövningen. *Utsläppta patienter. Trängsel i korridorerna.* Och Rami kommer förstås att släppas ut ur sitt rum, som de andra.

Jan har tvättid nästa morgon. Han går ner i källaren och lägger in en ljus och en mörk tvätt, och sätter på maskinerna.

På väg upp tittar han på skylten LEGÉN och stannar i trappan. Han borde inte springa mer hos grannen. Men Jan har insett att han gillar Legén. Legén är sig själv.

Han ringer på dörren, och efter någon minut öppnas den. Jan vinkar.

”Hallå, det är bara din granne … Hur är läget?”

”Jodå.”

Legén står kvar, han varken bjuder in eller stänger dörren.

”Vill du ha kaffe?”

Det är Jan som frågar. Det känns som att det är på tiden att bjuda tillbaka något till grannen nu. Men Legén kliar sig fundersamt i nacken.

”Är det mörkrostat?”

”Jo … jag tror det”, säger Jan.

”Visst.”

Han plockar upp en plastpåse från golvet och går sedan direkt ut i trapphuset, som om han väntat länge på en inbjudan. Jan visar honom uppför trappan och in i lägenheten.

”Här var det trångt”, säger Legén och tittar nyfiket på alla möbler.

Jan suckar.
”De är inte mina.”
Han går ut i köket, och tio minuter senare är kaffebryggaren i full gång. Legén har satt sig vid bordet och Jan har tagit fram några skorpor.
”Hur går det med vinet?”
”Starkt … Det blir starkt.”
Legén låter nöjd. Jan tar en liten klunk kaffe, och funderar på hur gammal Legén egentligen är. Sjuttio år, kanske. Han hade ju varit pensionär från Patricia i fyra eller fem år, så det borde stämma.
De dricker tysta sitt kaffe, sedan tittar Jan på klockan. Den är fem minuter över tio – han har glömt tvätten.
”Sitt kvar”, säger han till Legén.

Jan går ut i hallen och öppnar ytterdörren, och ser en person i trapphuset. En granne. Det är en äldre kvinna, liten och mager och med en överfull tvättkorg i händerna. Hon ska tydligen ta över efter Jan och ser mycket sur ut.
”Jag är ledsen … jag glömde tiden.”
Tanten nickar bara. Jan har inte ens hunnit stänga dörren, men plötsligt säger hon:
”Så du och han är vänner?”
”Han?”
”Verner Legén.”
”Vänner?” säger Jan lågt, för att Legén inte ska höra. ”Jag vet inte, men jag har pratat lite med honom.”
”Och du har varit inne hos honom?” frågar tanten.
”Visst … jag har lånat socker”, säger Jan.
Han ler, men får inget leende tillbaka. Grannen bara tittar på honom.
”Har han något vapen därinne?”
”Vapen?”
”Knivar, gevär …”, säger tanten. ”Det är ju sånt man är orolig för, som granne.”
Jan förstår inte, men han skakar på huvudet.

”Nej, det är väl lugnt numera”, säger tanten för sig själv. ”Han är ju till åren.”

Det blir tyst i trapphuset. Grannen börjar gå ner mot tvättstugan, men Jan står kvar. Till slut måste han fråga, med låg röst:

”Har Legén haft vapen förr?”

Hon stannar igen.

”Inte här, inte som han har visat någon.”

”Men någon annanstans?”

Tanten tittar på honom.

”Har du inte hört om vad han gjorde i Göteborg, Legén?”

”Hört om vadå?”

”Han mördade ju en massa folk. Blev tokig. Sprang ut och högg ihjäl dem på öppen gata, en efter en.”

Jan lyssnar, han kan inte göra något annat. Han kan inte röra sig.

”Legén?” säger han bara. ”Han dödade folk?”

Tanten nickar.

”Det vet alla här i huset.” Hon suckar och tillägger: ”Ingen vill att han ska bo här. Han borde hållits kvar uppe på Sankta Psyko… Det var ju där de spärrade in honom.”

Jan stirrar på henne.

”Men han *jobbade* ju där? I tvätteriet.”

Tanten nickar igen.

”På senare år, ja. Men de har ju tidigare patienter som jobbar där, har jag förstått… Det är en salig blandning av tokar och doktorer däruppe.”

Grannen suckar igen, och fortsätter nedför trappan med sin tvättkorg.

Jan går efter henne och plockar snabbt ihop sin egen tvätt i källaren. Sedan går han tillbaka upp genom trapphuset – och ser att dörren till hans lägenhet står på glänt. Han har glömt att stänga den.

Hörde Legén hela samtalet med grannen?

Han stannar vid tröskeln och funderar på vad han ska göra. Men till slut går han in.

Legén sitter kvar vid köksbordet och har fyllt på sin kaffekopp. Han ser på Jan.

”Jaha du”, säger han.

Grannen har tänt sin pipa också, men ser inte glad ut.

”Jag hörde kärringen”, säger han till Jan. ”Hon hördes i hela huset.”

Jan går tyst fram till bordet. Han vet inte vad han ska säga, och hela tiden tittar han på Legéns händer, som håller kaffekoppen. De som höll kniven den där gången, när han sprang ut på gatan.

Jan öppnar munnen för att säga något.

”Trivdes du uppe på sjukhuset?”

Legén suger bara på pipan, så Jan fortsätter.

”Jag menar … Du var där väldigt länge.”

”Hela livet”, säger Legén. Han puffar på sin pipa och säger: ”Men jag mördade inte någon. *No, nein, njet* … Det var för morsans skull jag var där.”

Jan tittar på honom.

”Morsan var osedlig, som de sa … hon fick barn med flera karlar på trettiotalet och festade för mycket ute på gatorna. Och hon skämdes inte för det. Så det var henne de spärrade in, på den tiden Patricia var mentalsjukhus och allmän uppsamlingsanstalt. Jag var barn, jag följde bara med på köpet. Och blev kvar.”

”Så du … högg inte ner någon?”

”Det där är bara skvaller”, säger Legén. ”Rösterna går runt, runt hela tiden … och slutar aldrig snacka.”

Jan nickar tyst. *Lita på folk*, tänker han.

Han sätter sig vid bordet igen.

”Jag har en fråga”, säger han. ”Om brandlarmet går uppe på sjukhuset … vad händer i tvätteriet då?”

”Det har vi övat på”, svarar Legén, som om han fortfarande jobbar där. ”Vi har våra order … Om vi inte har dött av röken så ska vi stänga ner maskinerna och gå upp till entrén.”

”Så ni tar inte hissen?”

”Ingen tar hissen”, sa Legén. ”Inte om det brinner.”

Det blir tyst. Legén tar pipan ur munnen och böjer sig ner mot sin plastpåse. Så drar han upp en literflaska med ljusgult vin och ställer den framför Jan.

”Ta en pava. Det är inte bästa satsen jag har gjort, men den duger … Och allt blir ju till piss ändå, till slut.”

”Tack.”

Det blir tyst.

”Ska du släppa ut nån?” frågar Legén.

”Inte alls.” Jan nekar automatiskt. ”Nej, jag vill bara …”

”Om du gör det”, avbryter Legén, ”så välj nån som förtjänar det. … En del av dem däruppe borde få byta plats med vissa dårar härnere.”

BANGEN

Ramis rymning lyckades inte – Jan förstod det när han hörde skrik och rop och krossat glas ute i korridoren.

Han lyssnade men gjorde ingenting, han satt bara kvar på sitt rum och fortsatte på serien om Den Skygge. Ropen och skriken följdes av en klirrande krasch längre bort i korridoren, och sedan ljudet av springande skor.

Jan gick bort till dörren. Han hörde en dörr smälla igen och ännu fler höga röster. En hel kör.

Sedan blev det tyst.

Han väntade lite till, sedan kikade han försiktigt ut i korridoren. Allt var lugnt och tomt, men när han gick bort till Ramis dörr och knackade på fick han inget svar.

Den här gången visste han var de hade tagit henne, så han gick ner till källaren. Till Hålans låsta dörr.

”Rami?” ropade han.

Hennes röst kom lågt genom dörren:

”Ja.”

”Vad hände?”

”Ett av spökena såg mig, och tjallade på mig. Så jag slog till henne.”

Jan antog att hon pratade om de bleka tjejerna på avdelningen.

”Så vårdarna tog ekorren”, sa han.

”De tog mig direkt”, sa hon. ”Jag hann inte ens ut på gården ... Jag bet dem, men de var fyra stycken. Precis som ditt gäng.”

Jan visste inte vad han skulle säga. *Man kan inte vinna mot någon, Rami.* Det var ju vad han själv hade trott, i alla fall innan de träffades.

Han öppnade munnen och ställde en fråga:

”Hur länge ska du sitta här?”

”Det sa de inte”, sa hon. ”Kanske flera år… Men det spelar ingen roll, för jag vet vad jag ska göra när de släpper ut mig.”

Jan frågade inget mer, för han visste att Rami aldrig skulle ge upp. Han satt kvar utanför dörren och väntade, som ett stöd. Till slut pratade han igen:

”Om du gör om det… så hänger jag med dig.”

”Gör du?”

”Ja.”

Och det var sant – han ville inte lämna Bangens trygghet, men han kunde följa med Rami vart som helst.

”Vet du vart jag ska?”

”Vart då?”

”Till Stockholm. Jag måste dit… min storasyster bor där.”

”Okej”, sa Jan.

”Vi bildar ett band där”, sa Rami. ”Vi kan ge konserter på Sergels torg och spela in låtar för pengarna vi får… och så kommer vi aldrig tillbaka hit mer.”

”Pakten då?” sa Jan.

Rami verkade tänka efter.

”Du får ordna din del av den senare… så ordnar jag min, om du ger mig din adress.”

”Okej”, sa Jan, och fortsatte: ”Jag måste gå nu, Rami… Jag ska ha samtal.”

”Med din psykobabblare?”

”Jo… Men det är okej, han lyssnar.”

”Jag lyssnar också”, sa Rami.

”Jag vet.”

”Kommer du in till mig i kväll? Om de släpper ut mig?”

Han rodnade, och var glad att hon inte kunde se honom.

”Jag…”, sa han.

Men han kunde inte fortsätta. Han tänkte bara tyst de tre sista orden: *Älskar dig, Rami.*

”Varför spärrar ni in oss?” frågade Jan.

”Spärrar in?” sa Tony.

”Nere i källaren. I det där låsta rummet.”

”Det är om någon är våldsam”, sa Tony. ”För deras egen skull... så att de inte ska skada sig själva. De får sitta där tillfälligt, tills allt är bra igen... precis som att alla bor här tillfälligt.”

Det blev tyst, så psykologen lutade sig framåt:

”Hur mår du nu, Jan?”

”Bra.”

”Har du fått några kompisar här?”

”Kanske.”

”Bra. Och hur är det med de självdestruktiva tankarna du hade? Är de borta nu?”

”Jag tror det”, sa han igen.

”Då är det dags att åka hem nu, kanske?”

De ville bli av med honom, förstod Jan. Allt var *tillfälligt*. De behövde väl hans rum för någon annan.

”Vet inte”, sa han.

”Du vet inte. Men du kan ju inte stanna här?”

Jan svarade inte.

Men om inte Ramis flyktplan fungerade var det en lockande tanke; att stanna kvar bakom stängslet resten av livet och aldrig behöva komma tillbaka ut i världen igen. Att aldrig mer behöva möta De fyras gäng.

”Det blir bra att komma hem”, sa psykologen. ”Du ska åka hem och börja gå i skolan igen... skaffa vänner och börja leva. Och fundera på vad du vill bli.”

”Vad jag vill bli?”

”Ja... vad vill du jobba som?”

Jan funderade. Han hade inte tänkt på det, men svarade:

”Kanske lärare.”

”Varför då?”

”För att... jag vill ta hand om barn. Och skydda dem.”

Efter samtalet drev Jan omkring i korridorerna. Det var snart middag, och han hörde röster från teverummet. Han fortsatte ner till källaren, men såg att dörren till Hålan var vidöppen. Rami hade släppts ut.

En kvart senare kom hon in i matsalen, sist av alla, när Jan redan satt och åt vid ett fönsterbord. Men Rami satte sig för sig själv, vid ett hörnbord. Det hade blivit så de senaste dagarna – ju mer de hade börjat umgås desto mindre hade de ätit ihop. Det var som om deras samvaro skulle vara hemlig för alla andra på Bangen.

Men hon tittade på honom ibland, tvärsöver borden. Båda visste vad de ville.

Jan gick tillbaka till sitt rum efter maten, och stirrade in i den vita väggen.

Du ska snart åka hem.

Men han ville inte åka hem. Hemma fanns inga vänner som väntade på honom, bara De fyras gäng.

Han hörde dörren bredvid sin egen öppnas och stängas någon halvtimme senare.

Han väntade.

Klockan nio dämpades belysningen ute i korridoren och kvart över nio gick han ut från sitt rum och smög bort till Ramis dörr.

Han hörde ett lågt mumlande därinne. Rami satt och pratade i den stulna telefonen. Jan väntade tills det blev tyst, sedan knackade han på.

Hon drog upp dörren på glänt, såg vem det var och släppte in honom.

”Vem pratade du med?”

”Min storasyster. Hon säger att hon väntar på mig. Hon behöver mig.”

”Så du ska sticka till Stockholm?”

”Det vet du ju.”

”När då?”

”Tidigt i morron … Kommer du med?”

Jan nickade och tog fram en papperslapp.

”Här är min adress”, sa han. ”De säger att jag måste åka hem, så det är lika bra … Jag får inte stanna här på Bangen.”

Rami stoppade ner lappen i jeansen.

”*Vill* du stanna här?” sa hon.

”Ibland … Det är så lugnt här. Och du är här.”

”Kom.”

Hon sträckte ut armarna mot honom, och han mötte henne.

”Vi ska ta hand om Psykobabblaren, och De fyras gäng”, viskade hon i hans öra. ”Jag lovar det.”

49

VANSINNESDÅD VID SKOGSSJÖ

Jan sitter i sin lägenhet och läser den rubriken i ett gammalt tidningsurklipp – han läser den om och om igen.

Vansinnesdåd. Han funderar på det ordet. Det är något som en galning utför. Någon annan. Inte *jag* som skriver ordet och inte *du* som läser det.

Någon annan. Men vem?

Det är fredag kväll och han är hemma från förskolan. Det är exakt en vecka kvar till brandövningen nu, och Lilians plan att ställa Ivan Rössel till svars i besöksrummet ligger fast. Hon och Hanna har börjat viska till Jan nu, inte bara till varandra. Nu när han vet vad som pågår vill de tydligen vara säkra på att han är med dem.

Jan har bara lovat att inte skvallra, inget annat.

När han cyklade förbi sjukhuset på väg hem såg han chefsöverläkaren komma gående med långa steg vid betongmuren. Högsmed kände igen honom och lyfte handen; Jan vinkade leende tillbaka och såg doktorn försvinna in genom stålporten. Kanske skulle han in till kontoret och göra msstestet på någon.

Högsmed är nog en bra psykiatriker, tänker Jan, men han har ingen aning om vad som pågår nattetid på sjukhuset. Han känner inte till källarvägen in från förskolan, de hemliga breven och mötena i besöksrummet. Högsmed tror att allt fortgår på Sankta Patricia som han och ledningen har planerat.

Men det ligger i den mänskliga naturen att bryta mot rutiner, tror Jan – både barn och vuxna vill ständigt tänja på reglerna.

En vecka kvar. Tiden går inte att hejda.

Jan känner sig stressad av den tickande klockan, precis som på Lodjuret.

Han går bort till lådorna och tar fram den gamla dagboken igen – den som Rami gav honom i förrådet på Bangen.

Han tittar på bilden på framsidan: Polaroidbilden, som Rami tog första gången de såg varandra. Han är förvånad över hur ung och frisk han ser ut, med tanke på hur nära döden han hade varit dygnet innan bilden togs. Först nästan uttorkad i en bastu och sedan drogad av sömntabletter, blödande av rakblad och nära att drunkna i en damm. Ändå stirrar han rakt in i kameran, med höjt huvud.

Inne i boken finns inte bara hans egna minnen och tankar. Det finns några hopvikta tidningsurklipp också, och kanske är det de som har gjort att han sparat boken. Det är de han har tagit fram och läst ibland, sent på kvällarna.

Det första är ett helt tidningsuppslag, med en stor svartvit bild på en klippa som sticker ut några meter över en blank vattenyta och rubriken Vansinnesdåd vid skogssjö, följt av underrubriken:

Två pojkar dödade på campingutflykt

Jan har läst artikeln gång på gång i över femton år och kan nästan texten utantill vid det här laget:

Två pojkar, femton och sexton år gamla, blev i går kväll överfallna och dödade av en okänd gärningsman. Pojkarna tältade på en klippa ovanför en skogssjö tolv kilometer utanför Nordbro när de attackerades.

Mördaren verkar enligt polisen ha huggit en kniv rakt genom tältduken, därefter skadat de båda pojkarna med ett flertal knivhugg innan han eller hon rullade ihop deras tält och knuffade ned det från klippan i vattnet. De svårt sårade pojkarna kunde inte ta sig ut ur tältet, utan drunknade.

Artikeln fortsatte två spalter till, med uttalanden av en poliskommissarie och olika spekulationer.

Det fanns ett annat gammalt klipp hopvikt i boken, från dagen efter:

TREDJE OFFER HITTAT
Pojke låg vid landsväg med svåra skallskador

En smitare i en personbil har troligen kört på den 16-åriga pojke som tidigt på onsdagsmorgonen hittades i ett grunt dike utanför Nordbro. Pojken var medvetslös med skallskador, sårskador och flera brutna ben. Han transporterades till Västersjukhusets akutintag utan att ha återfått medvetandet.

Polisen utesluter inte ett samband mellan den här tragiska händelsen och dubbelmordet på två pojkar vid en skogssjö någon kilometer bort.

– Tydligen var de tre pojkarna ute på en gemensam övernattning vid sjön när någon attackerade dem med en kniv under natten, säger kommissarie Hans Torstensson vid länspolisen.

Om det var samma person som mördade pojkarna och sedan körde på den tredje pojken som eventuellt försökte fly från platsen längs landsvägen vill han inte kommentera eller spekulera om.

– Undersökningen fortsätter tills alla frågetecken är borta.

Mindes någon annan de här händelserna efter femton år? Det undrar Jan. Pojkarnas familjer mindes dem förstås, men de har väl gått vidare nu. Föräldrar och syskon har bitit ihop och långsamt kommit över sorgen – om det inte är som med Lilian. Polisens utredare har i alla fall säkert lagt undan fallet, trots kommissariens löfte. De har satt in de sista uppgifterna om de olösta brotten i någon pärm och placerat dem på någon arkivhylla.

Det är kanske bara Jan som fortsätter att grubbla över dem.

Två döda, en svårt skadad.

Men av vem?

Frågorna om gärningsmannen hade funnits kvar hos Jan i alla år, långt efter att lättnaden försvunnit.

Jan har inte skrivit i dagboken på någon vecka nu, så han viker upp en blank sida och börjar skriva en lägesrapport till sig själv. Han skriver om Gläntan, om personalen och om hans hemliga utflykter på sjukhuset. Sist av allt skriver han:

Jag kom hit till Valla för att få kontakt med Rami igen – men inte bara det. Jag skulle arbeta med utsatta barn, och jag ville få dem att må bra.

Jag kom hit för att försöka skaffa ett riktigt liv också, och få vänner. Men det går inte. Kanske är det Ramis fel. Kanske har jag använt henne som ett skydd mot resten av världen...

Det här är bekännelser han aldrig skulle kunna säga direkt till Rami. Men han vill prata med henne, så fort som möjligt.

Han tittar på klockan. Den är kvart över nio. Det är inte för sent för en cykeltur.

Lilian har sina förberedelser inför brandövningen, och det har Jan också.

50

SVARTA MOLN HAR SAMLATS på natthimlen, de hänger ovanför sjukhuset och släpper ett tunt duggregn över skogen. Jan stryker bort iskalla vattendroppar från pannan, kryper ihop i riset och försöker hitta skydd under en björk.

Han hukar sig ner med Ängeln i handen. Sjukhuset höjer sig framför honom, och Jan har en vän därinne. Då spelar regnet och kylan ingen roll.

”Är du där, ekorre?” viskar han i mikrofonen, med blicken bort mot den orörliga fasaden. Bort mot ett fönster på våning fyra.

Ljuset slocknar i fönstret. Sedan tänds det igen.

En klar och tydlig signal – Rami är tillbaka i rummet nu.

Jan andas sakta ut, och frågar:

”Vill du fortfarande komma ut?”

Ljuset blinkar till.

Ja.

”Komma ut så fort som möjligt?”

Ja.

Båda blinkningarna kommer snabbt, utan tvekan. Det här är ingen förvirrad eller drogad kvinna som svarar. Jan lyfter Ängeln igen:

”Jag vill träffa dig också, och höra vad som hände efter Bangen. Jag väntade på ett svar från dig, men det kom ju aldrig… Jag vet bara att du höll din del av pakten. Du stoppade De fyras gäng.” Jan tystnar igen, samlar sig och fortsätter: ”Men *hur* gjorde du det? Du sa till mig att du kände folk som kunde ta hand om dem, så jag har undrat i alla år… Vem var det?”

Den Skygge, tänker han. Men vem var Den Skygge?

Han får inget svar nu. Lampan i fönstret fortsätter lysa.

"Jag kunde i alla fall inte tycka synd om Niklas, Peter och Christer. Det gick inte ... Och nu finns det bara en medlem kvar i De fyras gäng. Han heter Torgny, Torgny Fridman. Jag berättade om honom för dig för femton år sen ... Han äger en järnhandel uppe i Nordbro där jag växte upp. Och han har fru och barn och ett lyckat liv ... Men jag har svårt att glömma det han gjorde."

Lampan borta i rummet släcks inte, men han tror att Rami lyssnar. Han fortsätter:

"Jag måste berätta en annan sak till ... Jag är utbildad barnskötare nu, jag blev det för tio år sen. Och på ett av mina första vikariat fick jag hand om en liten pojke som hette William ... Och när jag såg Williams mamma kände jag igen henne. Det var Psykobabblaren från Bangen, din psykolog. Du kommer väl ihåg henne? Du bad mig ju göra något med henne. Att straffa henne, som du sa."

Tystnad. Jan har kommit fram till hjärtat av sin bekännelse. Han hade tänkt låta triumferande – men hans röst saknar kraft nu, som om han ber om ursäkt:

"Så ... så en dag när vi var i skogen så lurade jag bort William från resten av gruppen, och låste in honom i en gammal bunker. Han hade det bra där, så bra som det gick. Det var värst för hans föräldrar ... för Psykobabblaren. Hon fick oroa sig i flera dagar."

Bekännelsen är klar, men Jan har en sak kvar:

"Vägen ut, Rami. Jag ska berätta om den nu."

Han tittar bort mot fönstret, och fortsätter:

"Nästa fredag, när det är brandövning på kvällen ... då ska alla patienter släppas ut. Alla rum öppnas. Det vet du om?"

Ljuset blinkar.

"Du måste gå undan från de andra", fortsätter han. "Det finns ett medicinförråd på din avdelning. Dörren dit ska vara olåst ... jag har stoppat papper i kolven. Och därinne i förrådet, bakom ett skåp, finns en bortglömd tvätthiss. Den går direkt ner till källaren."

Ljuset blinkar, Rami förstår.

”Jag väntar på dig därnere”, säger Jan. ”Så tar vi oss ut tillsammans.”

Kan han verkligen lova det? Han vill inte tänka på saker som kan gå fel, han väntar bara på ett svar.

Och det kommer: Ljuset blinkar till en sista gång.

”Bra... Vi ses snart, Rami.”

Jan knäpper av Ängeln.

Han är glad att lämna skogen: det är en ensam plats. Men snart kommer han inte att vara ensam mer.

Han ringer på hos Lilian tjugo minuter senare, och hon öppnar. Hennes bror syns inte till. Lilian släpper in honom, men inte längre än till hallen. Hon är spänd, och vill inte småprata.

”Har du bestämt dig?”

Jan nickar, med minnet av Ramis blinkande fönster i huvudet.

”Jag gör det.”

”Du är med?”

Jan nickar igen.

”Jag kan vakta inne på förskolan”, säger han. ”Om ni går upp till Rössel i besöksrummet, så väntar jag därnere.”

”Vi behöver en chaufför också”, säger Lilian. ”Du har väl bil?”

”Jo.”

”Då lånar vi gärna den”, säger Lilian, ”så får vi upp alla på samma gång, och sen tillbaka hem när vi är klara.”

Hon är fokuserad nu, och nykter. Jan hör steg från övervåningen, någon rör sig däruppe.

”Och ni ska prata om din bror med Rössel?” säger han. ”Bara det?”

”Bara det.”

Lilian ser honom i ögonen. Jan tittar tillbaka och minns plötsligt vad doktor Högsmed sa om hur svårt det är att bota psykopater.

”Varför tror du Rössel sa ja till att träffa er?” frågar han. ”Vill han bekänna för att må bättre? För att han har blivit en god människa?”

Lilian sänker huvudet.

”Jag bryr mig inte om vad Rössel har blivit”, säger hon. ”Bara han säger sanningen.”

På förskolans må bra-möte påminner Marie-Louise om fredagens brandövning.

”Det blir ett stort larm med poliser och räddningspersonal inblandade”, säger hon. ”Men den är på kvällen, så den berör inte oss. Förskolan håller stängt, som vanligt.”

Inte helt stängt, tänker Jan.

Han får en snabb blick av Lilian från andra sidan bordet. Hon ser sammanbiten och trött ut den här måndagen, och luktar av minttabletter.

Arbetsveckan börjar, går framåt en dag i taget, och så är det plötsligt fredag.

Det sista barnet som Jan hämtar från besöksrummet är Leo.

Jan får en skymt av pappan när han kommer upp med hissen – en kortvuxen man med vit sjukhuströja och grova armar som kastar en blick mot hissen innan han går in genom dörren till sjukhuset igen. Det sista han gör är att höja handen mot sin son, och Leo vinkar tillbaka.

Leo är lugn och tyst på vägen tillbaka till förskolan.

”Tycker du om att träffa pappa?” frågar Jan när de kliver ut ur hissen.

Leo nickar. Jan lägger handen på hans axel och hoppas att Sankta Patricia ska vaka över honom när han växer upp. Helgonet, inte sjukhuset.

Marie-Louise ler mot Jan när han har lämnat över Leo till fosterföräldrarna.

”Det går så bra med dig och barnen, Jan”, säger hon. ”Du blir aldrig nervös, som flickorna.”

”Vilka flickor?”

”Hanna och Lilian … de är spända när de är uppe på sjukhuset, och det är ju inte så konstigt." Hon ler mot honom. "Man är inte van vid den sorten."

"Den sorten ... Du menar patienterna?"

"Just det", säger Marie-Louise. "De inspärrade."

Jan tittar på hennes leende, men orkar inte le tillbaka.

"Jag är van vid dem", säger han. "Jag känner dem."

"Hur menar du?"

"Jag har också suttit inspärrad, i tonåren."

Marie-Louise slutar le. Hon ser bara frågande ut, så Jan fortsätter:

"Jag satt på barnpsyket. Vi kallade det för *Bangen*, Barn- och ungdomspsykiatrin. Men det var en inhägnad klinik, precis som Sankta Patricia ... De farliga och de rädda satt på Bangen tillsammans."

Marie-Louise stänger sin öppna mun, hon verkar inte veta vad hon ska säga.

"För vad?" frågar hon till slut. "Varför var du intagen?"

"Jag var en av de rädda", säger Jan. "Jag var rädd för världen utanför."

Det blir tyst i köket.

"Det visste jag inte", säger Marie-Louise till slut. "Det har du aldrig sagt, Jan."

"Det blev aldrig av ... men jag skäms inte för det."

Marie-Louise nickar förstående, men hon tycks studera honom med helt nya ögon. Flera gånger resten av dagen sneglar hon på honom, med vaksam blick. Jan har förstört ett förtroende, verkar det som – han har svikit sin chef genom att visa upp sprickorna i själen.

Men det spelar ingen roll längre. Sprickor släpper in ljus.

Det sista han gör den här arbetsdagen är att ta upp Ramis bilderböcker och hans egen dagbok från ryggsäcken och låsa in dem i sitt personalskåp. Det är trångt därinne med jackor, paraply och böcker, men till slut lyckas han pressa in dem.

När Rami kommer ut från Sankta Psyko den här natten ska han öppna skåpet och visa alla böckerna för henne. Och de nya tuschteckningarna.

För Jan *ska* hjälpa henne ut från kliniken nu. Det ska lyckas den här gången, hela vägen.

BANGEN

Det fanns bara en enda olåst väg ut från Bangen, visste Jan, och det var fönstret ovanför köksspisen. Vårdarna ville kunna vädra ut matoset. Köket låg på baksidan av huset och saknade lås på dörren – men det var nästan alltid någon där på dagtid, så ville man rymma fick man vara tidigt uppe.

Jan vaknade vid sex. Han hade ställt sin klocka, och när den surrade och han slog upp ögonen kände han en lång och smal kropp bredvid sig.

Det var Rami som låg där, och hennes ögon var öppna.

Jan stack snabbt ner handen och kände på lakanen under sig, men de var torra.

Rami lyfte på huvudet och kysste honom i pannan.

"Stockholm", sa hon.

Jan ville ligga kvar här, inte rymma. Men han nickade, och de gick upp.

De tände inte ljuset, de klädde på sig och smög ut i korridoren som två grå skuggor. Jan hade en liten väska med kläder, dagboken och sitt överkast med sig under armen, och bakom honom kom Rami med en egen väska och något stort och svart i handen. Ett fodral, såg han.

"Ska du ha *den* med dig?" viskade han.

Hon nickade.

"Jag sa ju det… Vi ska sjunga och spela på gatorna i Stockholm, så får vi pengar."

Jan kunde inte sjunga, men sa inget. Han följde bara efter henne.

Alla dörrar var stängda. I slutet av korridoren låg dörren till personalens vilorum, och den var också stängd. Jan tittade länge på dörren när de smög förbi den.

Köket saknade dörr, och Jan såg direkt att det var tomt och släckt därute.

"Jag öppnar", sa Rami.

Hon ställde ner gitarrfodralet vid diskbänken och drog upp fönstrets reglar. Det gled upp på vid gavel, och en isande morgonkyla svepte in. Hon drog in luften i näsan.

"Stockholm", sa hon igen, som om det var en magisk plats.

Hon klev snabbt upp på spishällen och hoppade ut genom fönstret. Utanför fanns en stenlagd veranda med ett bord och några trästolar.

Jan såg Rami ta en av stolarna och bära bort den över gräsmattan, fram till stängslet. Halvvägs dit tittade hon över axeln och han nickade till henne – men stod fortfarande kvar i fönstret.

Jävlar, tänkte han.

Så vände han snabbt om, utan att tänka, och rusade tillbaka ut i korridoren.

Jan sprang åt höger, mot alla sovrum, men stannade vid personalens stängda dörr. Där lyfte han näven och bankade hårt, tre gånger.

Han visste inte om någon fanns därinne och han väntade inte på svar. Han återvände direkt till köket.

Rami väntade på honom utanför fönstret.

"Vad gjorde du?"

"Gick på toa", ljög han.

Sedan klev han upp på fönsterkarmen och hoppade ut till henne.

"Bordet", sa han.

Jan och Rami hade gått igenom flyktplanen; de tog tag i varsin kant av bordet på verandan och bar bort det till stängslet. Sedan ställde Rami stolen på bordet och Jan klättrade upp och snärtade upp deras bruna sängöverkast mot toppen av stängslet. Två gånger missade han, men den tredje gången la sig tyget hela vägen över taggtråden, och låg kvar.

Det var iskallt vid stängslet, men Jan svettades ändå. Han kastade en snabb blick bakåt mot Bangen och såg att det fortfarande var släckt i alla fönster utom ett. Det var personalrummet, där ljuset just hade tänts.

Två gestalter syntes därinne. En ung assistent som han inte visste namnet på, och så Jörgen, som höll på att dra på sig sin skjorta. De måste ha sovit ihop, precis som han och Rami.

Jan tittade på henne igen.

"Du först."

Hon var lättare än han, och tog ett språng från stolen upp mot stängslet. Rami var en ekorre nu och fick ett bra grepp om öglorna genom tyget. Hon fick upp benet ovanför taggtråden, svingade upp resten av kroppen över krönet och kom ner på andra sidan.

De såg på varandra genom stängslet. Jan lyfte upp gitarren och lyckades få över den till Rami. Hon nickade.

"Din tur."

Jan hoppade upp. Han var ingen ekorre, men höll sig kvar av ren vilja. Ståltaggarna hade börjat sticka igenom överkastet och repade hans handflator, men han klättrade ändå upp till krönet och kom över.

I samma stund bankade det hårt på glasrutan bakom honom – de var upptäckta.

En dörr öppnades, någon ropade mot dem.

Jan svalde nervöst men såg sig inte om – han följde bara efter Rami ner på marken.

De var utanför stängslet, och plockade upp sina saker. Så satte de fart på gångstigen, sida vid sida. Klockan var tio i sju nu, inga människor syntes men solen var på väg upp.

Inga planer alls, bara att ge sig iväg. Jan hade inga extra kläder och bara femtio kronor i sin plånbok.

"Vi är fria nu", sa Rami, och ropade rakt ut: "Stockholm!"

Här utanför stängslet var första gången som Jan såg Rami upprymd, nästan glad. Hon såg på honom med röda kinder och han log tillbaka mot henne och visste plötsligt vad det betydde att bli glad i sällskap med en speciell person.

Han var fjorton år och hopplöst kär.

Bangens personal kom ikapp dem efter bara tio minuter. Gångbanorna runt sjukhuset var folktomma; Jan och Rami syntes tydligt av alla som letade efter dem.

Motorljud bröt morgontystnaden.

En bil kom körande; en vit liten folkvagn som kom från baksidan av Bangen, svängde runt och satte fart. Rami slutade le.

”Det är *dom*!”

Det stora gitarrfodralet saktade ner henne lite, så Jan tog över det. Så satte de fart. Gångbanan svängde till vänster och smög upp längs en liten å. Asfalten och vattnet ringlade sida vid sida ett hundratal meter till, sedan dök en smal träbro upp.

”Dit!” ropade Rami.

Det fanns en skogsdunge på andra sidan, och bakom den skymtade stadens centrum.

Jan behövde inte säga något – både han och Rami sprang mot bron, och över den.

Hon sprang fortast och var halvvägs framme vid träden när folkvagnen bromsade in på andra sidan vattnet. Jan var långsammare, han hade för mycket att bära på. Han vred på huvudet och såg Jörgen snabbt kliva ur bilen från förarplatsen, och från andra sidan den unga tjejen som såg mer tveksam ut.

Den Skygge skulle ha sprängt bron, men Jan hade ingen dynamit.

Jörgen var redan halvvägs över ån, och han tog dubbelt så långa kliv som Jan kunde göra.

Det var kört nu, de skulle inte lyckas. Jan hade nog vetat det hela tiden.

”Rami!”

Hon stannade inte, men saktade farten och såg på honom. En tunn figur i morgonljuset, hans livs stora kärlek.

Jans lungor värkte. Han hade knappt några krafter kvar nu, men tog ändå tio eller tolv långa löparsteg fram till henne.

”Här!” flämtade han, och lämnade över gitarrfodralet. Han fick ner handen i jeansen och drog upp sin femtiolapp också. ”Och här … Spring nu!”

Ingen tid fanns, men Rami lutade sig ändå fram, pressade sin kind mot hans och viskade:

”Glöm inte pakten.”

Sedan flög hon fram över gräset och försvann in i skogen, med ny energi. Gitarrfodralet verkade inte väga någonting i hennes hand.

Jan tog några steg efter henne – men hans vilja var borta, och bara några sekunder senare grep två händer tag i hans axlar.

”Ge dig nu.”

Det var Jörgen. Även han var trött efter sprinterloppet, det hördes på andetagen i Jans öra. Men hans grepp var hårt, och Jan följde med. Över ån, tillbaka mot Bangen.

”Tar ni ner mig till Hålan nu?”

”Hålan?”

”Den där cellen i källaren … som ni låser in folk i.”

”Nej, den slipper du”, sa Jörgen. ”Det är bara folk som river och biter som hamnar där … Och du slåss väl inte, Jan, eller hur?”

Jan skakade på huvudet.

”Var det du som bankade på dörren nyss?” sa Jörgen.

Jan nickade.

”Varför då?”

”Vet inte.”

Jörgen tittade på honom.

”Varför då? Ville du åka fast, Jan?”

Han svarade inte.

De gick bort mot bilen, men Jan spanade hela tiden bakåt. Jörgens kollega hade försvunnit in i skogen.

Jörgen placerade honom i folkvagnens baksäte, sedan gick han tillbaka över bron och ropade efter henne.

Det var tyst i bilen, Jan hörde bara sina egna andetag.

Ville du åka fast? tänkte han. *Vill du att Rami ska åka fast?*

Efter någon minut såg han assistenten komma fram ur skogen igen, och hon skakade på huvudet mot Jörgen. De stod vid bron och pratade några minuter, Jan såg Jörgen ta upp telefonen och ringa någon. Sedan kom de tillbaka till bilen.

”Nu åker vi”, sa Jörgen.

Och det gjorde de. De körde tillbaka till Bangen. Tillbaka till tryggheten på insidan av stängslet.

Jan var infångad och glad över det.

Han visste att Rami var lika glad att hon var fri.

51

VÄNTAN I MÖRKRET, FEMTON ÅR efter flykten från Bangen.

Jan är ensam, men inte länge till. Han står nere i sjukhuskällaren och väntar på Rami. Han har tagit sig längst in i tvätteriet, till förrådet med den gamla tvätthissen.

Klockan är tjugo i tio på fredagskvällen, och egentligen borde Jan vara kvar uppe på förskolan. Lilian väntar sig det, men han har lämnat sin vaktpost och gått in i källaren genom skyddsrummet. Han hittar här nu och tvätteriet bortom sjuksalarna var helt tomt när han kom fram, precis som Legén hade sagt. Det enda ovanliga därinne var små gula lampor som blinkade på väggen, kanske som någon sorts signal om den kommande brandövningen.

Jan lyssnar efter ljudet av hasande steg i källaren bakom sig, eller av sjungande röster från kapellet. Men allt är tyst i underjorden.

Det är bara han själv här – och snart Rami. Han hoppas det i alla fall, och om han blundar hör han henne sjunga: *Jag och Jan, Jan och jag, varje natt, varje dag…*

Han blinkar och ruskar på sig framför hissen, för att hålla sig vaken.

Trummor hade dunkat dovt i hans huvud när Jan körde Lilian och tre män till Gläntan i sin bil en halvtimme tidigare.

En av männen var Lilians tyste storebror. De andra presenterade sig inte, men såg ut att vara några år yngre än Lilian. Jan antog att de var vänner till hennes försvunne bror, John Daniel.

Hanna var inte med den här kvällen, och Lilian verkade extra spänd utan henne. Hon hade sminkat sig, såg Jan, med rött läppstift och mörk ögonskugga. Det såg absurt ut, och för vem hade hon egentligen gjort sig fin? För vårdaren Carl, eller för Ivan Rössel?

Jan parkerade i skuggorna under en stor ek, en bit bort från förskolan. Utom synhåll för sjukhusets alla vaktkameror.

Ingen pratade när de klev ut.

Lilian rökte snabbt en sista cigarett ute på gatan, innan hon låste upp och gick in på förskolan. Jan följde med, ihop med de tre männen.

De kom in i förskolans mörker, men tände inte ljuset. Lilian vände sig om mot honom.

"Då stannar du här, Jan. Blir det bra?"

Han nickade.

"Ring direkt… om någon kommer."

Jan nickade igen, och Lilian log spänt. Sedan hämtade hon ett magnetkort från köket, öppnade dörren och försvann nedför trappan.

De tre tysta männen följde med henne och Jan stängde dörren.

Fyra personer ska alltså möta Ivan Rössel i besöksrummet. Han kommer att vara i underläge när Carl smugglar ut honom från den slutna avdelningen. Jan hoppas att Lilian och hennes familj ska få kontakt med Rössel, få honom att prata – men det är inget han kan styra över.

Han har sitt eget möte att tänka på.

När Lilian och männen var borta hade Jan väntat en kvart i kapprummet utanför källardörren. Absolut ingenting hände. Han gick fram till fönstret och spanade upp mot sjukhuset. Det lyste däruppe, men inga människor syntes till.

Till slut hade han gått ut i köket och hämtat reservkortet. Så öppnade han källardörren. Ljuset var fortfarande tänt därnere.

Det var dags.

Jan står orörlig i tvätteriet och funderar på vad han ska säga till Rami när hissluckan öppnas.

Hej, Alice. Välkommen ut ur Hålan.

Och sedan? Att han har tänkt på henne i alla år? Ska han berätta hur kär han hade blivit i henne redan de första dagarna på Bangen?

Så kär var han i Rami, men så rädd för yttervärlden, att han hade försökt få personalen att stoppa dem, den där morgonen när de rymde.

Jan hade åkt fast, men Rami kom undan. Hon måste ha lyckats med tågresan till sin syster i Stockholm, för under veckan som Jan var kvar på Bangen kom hon inte tillbaka.

Ingen pratade om henne, heller – hon var inte personalens problem längre.

Och veckan efter flyktförsöket skrevs Jan ut från avdelningen. Han hade inte pratat med sin psykolog efter rymningen, men simsalabim – Tony måste ha friskförklarat honom.

”Du ska hem nu”, var allt Jörgen hade sagt när han öppnade Jans dörr.

Sedan var det bara att packa ihop. Ta med sig kläderna och dagboken som Rami hade gett honom, och den påbörjade serien om Den Skygge.

Trummorna fick han förstås ställa tillbaka i förrådet, men han tog med pinnarna.

Jan hade klivit ut från Bangen med sin lilla väska och hämtats av sin far. Fadern log inte.

”Har de plockat isär dig nu?” sa han bara.

Jan svarade inte, och de körde hem i tystnad.

Måndagen efteråt hade Jan börjat skolan igen. Han sov knappt natten innan, han låg vaken och tänkte på skolkorridorerna och De fyras gäng, och såg sig själv springa som en liten mus längs väggarna.

Han gick till skolan ensam, precis som förr. Han hade fortfarande inga vänner. Det spelade ingen roll.

Klasskompisarna stirrade på honom, men ingen frågade hur han mådde eller var han hade varit de senaste veckorna.

Kanske visste alla. Det spelade heller ingen roll.

Förr eller senare skulle Jan träffa De fyras gäng i korridoren, det visste han. Men på något sätt hade hans rädsla försvunnit. Det var vår, slutet av april, och bara veckor kvar av skolan. Jan tog en dag i taget. På kvällarna trummade han tyst för sig själv med trumpinnarna mot en telefonkatalog, eller tecknade på serien om Den Skygge.

Från Rami kom inga livstecken – inga telefonsamtal eller vykort från Stockholm.

Den sista veckan i maj var den traditionella aktivitetsveckan, och niondeklassarna gav sig ut på resor och hajker.

På torsdagsmorgonen den veckan kom Jan till skolan och såg grupper av elever stå samlade i korridorerna. Viskande samtal hördes om något otäckt, *ett vansinnesdåd.*

”Är det sant?” frågade folk. ”Är det verkligen *sant*?”

Ingen talade direkt med Jan, men han förstod ändå att något hade hänt i skogarna utanför staden. Någon hade dött. Hade *dödats.*

Sedan berättade en lärare för klassen om morden på två niondeklassare, och efter det följde ännu mer surrande rykten och tidningsartiklar om *vansinnesdådet.* Surrandet fortsatte ända fram sommarlovet.

Jan tog in allt som hänt med en sorts mörk förundran. En förundran över att De fyras gäng nästan var utplånat, att det nu bara var Torgny Fridman kvar.

Det var *pakten.* Rami hade på något sätt uppfyllt sin del av den.

Men själv hörde Jan aldrig mer av henne, och det dröjde fem år innan han såg namnet RAMI i fönstret på Nordbros enda skivbutik. Det var hennes debutalbum som just hade släppts, och när han gick för att köpa skivan såg han att en av låtarna hette *Jan och jag.*

Det var ett tecken från henne – det måste det vara.

Han hade börjat jobba på Lodjurets daghem då, och på hösten när Jan såg psykologen Emma Halevi och hennes son William komma gående mot dagiset var Bangen och Psykobabblaren det första han tänkte på.

Och det andra var pakten.

Minnena från tonåren får Jan att inse en sak nere i sjukhusets källare: att han inte en enda gång under hösten har funderat på *varför* Rami sitter inspärrad på Sankta Psyko.

Vad har hon gjort för att hamna här, på en sluten avdelning?

Han vet inte, och vill inte fundera på det nu. Han kan bara vänta på henne här i källaren.

Ett ljud börjar höras i tystnaden – ett ylande ljud. Det är sirener som närmar sig sjukhuset. De kommer utifrån vägen och ökar i styrka, genom de tjocka väggarna.

Brandbilar?

Nu ser Jan att en ny liten lampa har börjat lysa borta på väggen: en röd punkt som blinkar i dunklet nedanför den gula. Något slags larm?

Han tittar på klockan. Kvart i tio. Brandövningen verkar ha börjat för tidigt.

Plötsligt börjar hans mobiltelefon spela i hans ficka. Jan rycker till, men plockar snabbt upp den.

"Hallå?" säger han lågt, och väntar sig att det ska vara Lilian som ringer. Vad ska han säga till henne?

Men det är en annan kvinnoröst, och den låter orolig:

"Hej, Jan ... det är Marie-Louise."

"Hallå, Marie-Louise", säger Jan till sin chef, och håller hårdare i mobilen. "Är allt väl?"

"Inte riktigt ... det har hänt en sak. Jag ringer runt till alla i kväll, men nästan ingen svarar ... Jag undrar, har du sett Leo? Leo Lundberg från vår förskola?"

"Nej ... Hurså?"

"Leo har rymt från sin nya familj", säger Marie-Louise. "Han var ute och lekte i kväll hos sina fosterföräldrar, innan det blev mörkt ... Men när de kom ut på gården var han bara borta."

Jan lyssnar, men vet inte vad han ska säga. Han har svårt att tänka på förskolebarnen just nu, men måste ändå säga något:

"Leo är min favorit", säger han.

Marie-Louise är tyst, som om hon inte förstår.

"Det viktiga är att hitta honom", säger hon till slut. "Var är du, Jan? Är du hemma?"

Jan känner sig avslöjad i källaren, och sänker rösten ännu mer:

"Jo. Det är jag."

"Okej, men då vet du vad som har hänt nu. Polisen letar också. Hör av dig till dem eller till mig om ... om du ser något."

"Självklart. Jag hör av mig."

Jan knäpper av samtalet, och kan slappna av igen. Han tänker på

Leos oro och rastlöshet. Att han har rymt är illa, men polisen är inkopplad och Jan kan inte göra någonting. Allt han kan göra är att stå kvar här, för Ramis skull.

Och bara några minuter senare hör han ett nytt ljud: ett dovt rasslande i underjorden, ett ljud som blir starkare och starkare.

Det kommer från tvätthissens trumma.

Jans puls slår snabbare, han tar ett par steg mot den breda hissluckan i väggen. Luckan rör sig inte, men rasslandet ökar i styrka. Hissen är på väg ner.

Så stannar den bakom luckan. En låg duns hörs i förrådet, allt blir tyst – och så börjar luckan sakta tryckas upp. Det är någon inne i hissen, någon som vill ut.

Jans hjärta bultar hårt nu, han tar ett kliv fram.

”Du är framme”, säger Jan. ”Välkommen ...”

Han ser en arm komma ut under luckan, sedan ett jeansklätt ben. Men de rör sig inte. Armen och benet hänger bara mot golvet, utan liv.

”Rami?”

Jan tar ett sista steg fram till luckan och sträcker ut handen – men plötsligt rör sig allt för snabbt för honom. Luckan slås upp med en hård smäll, och Jan hinner inte undan. Han får den i bröstet, med blixtrande smärta, och sjunker ihop.

Något väser, luften blir daggvit. Och plötsligt kan Jan inte andas.

Han blundar och hostar och ryggar bakåt, benen viker sig och ryggen slår i golvet.

Tårgas, han har fått tårgas i ansiktet.

En kropp knuffas ut från tvätthissen, tung och livlös, och hamnar bredvid honom som en säck jord.

Jan blinkar med sina rinnande ögon och försöker titta upp. Han ser kroppen bredvid sig, och ett ansikte som stirrar.

En man. En vakt. Hans hals har en bred glipa; den är avskuren.

Jan rör vid honom, och får varmt blod över händerna.

Nu känner han igen vårdaren: det är Carl. Trummisen i Bohemos och Ivan Rössels ledsagare – men han är döende.

”Carl?”

Eller redan död. Carl rör sig inte, och han blöder svårt från halsen. Blodet ser svart ut, det har runnit ner över hans t-tröja.

Jan blinkar och försöker se klart, trots tårgasen. I hissöppningen bakom den döda kroppen skymtar han något som rör sig. En skugga.

Det är en person till inne i tvätthissen, inser han; någon som har pressat sig in och åkt ner i källaren, ihop med den döende vårdaren.

Skuggan slingrar sig ut i förrådet och kommer upp på fötter; en lång gestalt klädd i sjukhuskläder; grå träningsjacka och bomullsbyxor och vita träningsskor.

En patient.

Men det är inte Alice Rami, ser Jan. Kroppen är för lång och bred, håret är för mörkt.

Det är en man.

Han lutar sig över Jan på golvet och sprider en stank av rök och tårgas och något annat – tändvätska, eller bensin.

Plötsligt gör han en snabb rörelse mot Jan, vrider runt hans händer och drar till.

"Slappna av", säger mannen lågt.

Jan kan inte röra armarna. Han har fått ett plastband runt handlederna, någon sorts handfängsel.

Mannen stoppar sprejburken i fickan och lyfter upp Jan från cementgolvet. Ansiktet är skuggat, men Jan ser att han är beväpnad med mer än tårgas. I högra handen håller han en kort kniv.

Nej, det är ingen kniv. Det är ett rakblad, med fläckad egg.

"Jag vet vem du är", säger mannen. "Jag har hört dig tala till mig."

Hans röst är hes, men lugn och tydlig. Det är bara hans händer som rör sig snabbt och ryckigt när han drar i Jan.

"Du ska hjälpa mig ut."

Men Jan blinkar bara.

"Vem är du?"

Mannen för snabbt sin vänsterhand under hakan och klickar till.

"Titta här, då."

Ett vitt ljus tänds i mörkret och lyser upp hans ansikte – och Jan känner igen honom.

Det är Ivan Rössel, med en Ängel i handen. Han är flera år äldre nu än på tidningsbilderna, med svarta fåror i det långsmala ansiktet. Det lockiga håret har vuxit halvlångt ner mot axlarna, och är mörkgrått nu.

Jan hostar och blinkar.

”Rami”, viskar han, och tittar på Ängeln. ”Jag gav den där till Alice Rami.”

”Du gav den till mig”, säger Rössel.

”Rami skulle åka ner till mig och …”

”Det blir ingen mer i kväll”, avbryter Rössel. ”Bara du och jag.”

Sedan knuffar han till Jan och höjer rakbladet mot hans hals.

”Kom nu, kamrat”, säger han. ”Vi ska härifrån … och vi ska gömma den där i hissen.”

Rössel pekar på Carls kropp.

”Ta hans armar.”

Jan får en ny knuff och börjar röra sig, som i dvala. Han sträcker ut sina fängslade händer och tar tag i den döde vårdarens överkropp. Han lyfter upp den, tillbaka in i tvätthissen.

”Knuffa in honom.”

Jan böjer sig in i hissen och kämpar med den tunga kroppen. Livlösa armar, hängande ben. Allt ska in.

Han ser Carls bälte. Hållaren för tårgasburken är tom, men i bältet bredvid den sitter vita plastband. Det är fler koppel, redo att knäppa igen över någons handleder.

Jan sträcker ut händerna och trycker in kroppen i hissen – och drar samtidigt bort ett par av plastbanden från bältet.

Han stoppar snabbt ner dem innanför sin tröja, osedd. Sedan tar han ett steg bakåt, och Rössel slår igen hissluckan.

”Kom nu”, säger han.

Jan kan ingenting göra, han leds framåt. Ut ur tvätteriet, ut i sjuksalarna. Han kan inte stanna; han får snabba knuffar i ryggen och känner rakbladets spets mot halsen, varje gång Rössel rör högerhanden.

Jan tvingas framåt som en sömngångare genom källaren. Hans ögon svider, hans händer är blodiga.

Vad har hänt? Vad hände egentligen?

Ivan Rössel satt inklämd i hissen ihop med vårdaren Carl. Och Carl var död, slaktad av Rössel.

Och Rami? Det var hon som skulle ha kommit ner, men …

”Gå inte vilse”, säger Rössel när han leder in Jan i en dörröppning. ”Följ pappersbitarna, om du inte hittar.”

Men Jan hittar. De tar sig tillbaka genom källargångarna, och möter ingen. Sedan rakt genom skyddsrummet och ut i gången mot förskolan, där lysrören är påslagna.

Jan hejdar sig vid hissdörren. Han vrider på huvudet.

”De väntar på dig däruppe”, säger han. ”Det vet du väl? En familj … De vill prata med dig, om deras försvunne bror. John Daniel …”

Rössel skakar på huvudet.

”De vill inte *prata*”, säger han. ”De skulle döda mig däruppe, det var planen. Carl sålde ut mig till dem.”

”Nej, de vill bara veta var …”

”De ska mörda mig, jag vet det.” Rössel knuffar till honom, föser honom bort från hissen, mot trappan till Gläntan. ”Jag litar bara på dig nu, kamrat. Och vi ska ut härifrån.”

Rössels röst är hela tiden låg och tydlig. En lärarröst, van att styra och förklara.

Han trycker Jan framför sig uppför trappan, till Gläntans dörr.

”Öppna den.”

Jan tvekar, men tar fram magnetkortet och låser upp.

Rössel trycker upp dörren och tar dem genom förskolan – förbi personalskåpen där Ramis bilderböcker ligger gömda. Och Jans dagbok. Han skulle ha visat allihop för henne i kväll, han hade längtat efter det.

På en krok hänger Andreas kvarglömda kläder, en regnjacka och en keps. Rössel drar dem på sig.

Sedan slänger han upp ytterdörren och leder ut Jan på gården. Nattluften är kall, kallare än Jan minns. Men den får hans ögon att svida mindre.

Han blinkar bort ett par tårar och ser sig om. Borta på sjukhusets parkering pulserar röda och blå lyktor. Polisbilar, brandbilar, ambulanser. Brandövningen är igång – om det nu fortfarande bara är en övning. Rössel luktar ju rök.

Rössel stannar inte, han tittar inte ens mot fordonen.

”Har du bil?” frågar han bara.

Jan nickar. Den står parkerad inom synhåll från förskolan, olåst.

”Då går vi dit.”

Framme vid Volvon klappar Rössel över Jans byxor, och drar upp hans mobiltelefon. Den försvinner ner i regnjackan.

Sedan gör han en snabb rörelse igen, han skär med rakbladet – och Jan kan plötsligt röra händerna.

”In i bilen nu, kamrat.”

Rössel öppnar förardörren, trycker ner Jan bakom ratten och slänger Ängeln på sätet bredvid honom, innan han stänger. Sedan öppnas bakdörren, och Rössel sätter sig bakom Jan.

Stanken från Rössel – av rök och bensin och tårgas – är skarp i bilen.

”Kör nu”, säger han.

Rami? tänker Jan och ser sina händer på ratten. Han öppnar munnen.

”Jag kan inte köra. Jag ser ingenting.”

”Du ser vägen”, säger Rössel. ”Kör bort från sjukhuset. Kör bara rakt fram, tills jag säger till.”

Jan gör ett sista försök att förstå vad som har hänt.

”Var är Rami?”

”Glöm henne”, säger Rössel. ”Det finns ingen Rami på sjukhuset… Det var mig du pratade med. Hela tiden.”

”Men Rami måste ha…”

Rössel pressar rakbladet mot hans luftrör. Bladet darrar.

”Kör *nu*”, säger han. ”Annars blir det som med Carl… Från öra till öra.”

Jan säger inget mer. Han startar bara bilen och trycker till på gasen.

Rössel håller rakbladet nedanför hans käke och det är hotet från den som tar Jan bort från Sankta Patricia, från muren och förskolan. Från möjligheten att någonsin få återse Alice Rami.

Bort från stadens ljus, in i mörkret.

52

Jan kör en mördare genom natten. En mördare som håller ett rakblad mot hans hals. Men som samtidigt bryr sig om honom, inser han. Rössel har sträckt fram sin fria hand och vridit upp värmen, innan han frågar:

”För varmt?”

”Nej.”

Det susar av värmefläkten i bilen, ett sövande ljud. Ute på gatorna är det vinterkallt, men i bilen varmt som på sommaren. Rössel håller kvar rakbladet.

”Sväng här”, säger han vid en korsning.

Jan svänger till höger. Hans ögon svider fortfarande, men synen blir sakta bättre.

Det är få bilar ute på gatorna, allt de möter är ett par taxibilar.

”Fortsätt rakt fram”, säger Rössel, och Jan fortsätter.

De kör bort från centrum och rakt genom ett öde industriområde. Jan tänker inte, han bara kör, och till slut är de ute på motorvägen som leder mot Göteborg. Den är också tom.

”Öka farten”, säger Rössel.

En lastbil dundrar förbi dem på väg ut ur staden och på båda sidor skimrar ljus från bondgårdar mellan granarna, men det är de enda spåren av människor den här kvällen. Det är fredag, och folk är hemma. Motorvägen är helt obevakad.

”Nu är vi ute ur stan”, säger Rössel. ”Ute i ödemarken.”

Jan svarar inte. Han håller jämn fart på motorvägen, men efter tio minuter lutar sig Rössel framåt med en ny order:

”Sväng in därborta.”

Det är infarten till ett rastställe, upplyst med ett par lampor vid infarten och utfarten, men tom på andra bilar.

Jan svänger och bromsar in direkt – han vill hålla bilen nära lamporna, och Rössel protesterar inte.

”Slå av motorn”, säger han bara.

Jan lyder, och det blir tyst på parkeringen. Helt tyst.

Han hör Rössel sucka djupt, innan han säger:

”Lukten är borta nu … Sjukhuslukten.”

Men Jan känner fortfarande den sura stanken av tårgas och tändvätska från hans kläder, och frågar lågt:

”Vad hände på sjukhuset?”

Rössel drar in andan.

”Det var en riktig brand”, säger han. ”Jag hade smugglat undan thinner från måleriet, och en tändare. Jag hällde ut alltihop i korridoren, och tände på.”

Rakbladet dras undan några centimeter när Rössel svarar, så Jan ställer en ny fråga:

”Hur gick det?”

”Kaos, förstås. Det var ingen övning längre. Det blir alltid kaos när planer inte fungerar. Men jag höll mig lugn, jag gick bort till förrådet. Det var öppet, bara att kliva in … Men jag fick ändra lite på planen i sista stund.” Han suckar. ”Någon försökte stoppa mig.”

”Han heter Carl”, säger Jan.

”Jag vet det”, säger Rössel. ”Men han behöver inget namn nu.”

Jan är tyst. Han inser att Rössel inte har sagt hans förnamn heller. Inte en enda gång.

Rössel suckar igen, och rör sig på sätet.

”Ingen mer lukt. Det är ensamheten som luktar på sjukhus … Långa korridorer av ensamhet, som i ett kloster.” Han lutar sig framåt. ”Och du, kamrat? Är du också ensam?”

Jan ser ut på den tomma parkeringen. Han motstår reflexen att skaka på huvudet – Rössels rakblad är för nära hans hals igen.

”Ibland.”

”Bara ibland?”

Jan kan svara vad som helst, men han säger sanningen:

”Nej … Ofta.”

Rössel verkar nöjd med svaret.

”Jag trodde det … Du luktar ensamhet.”

Jan vrider försiktigt på huvudet. Inga hastiga rörelser.

”Jag väntade på någon annan i kväll”, säger han. ”Hon heter Rami … Alice Rami.”

”Det finns ingen Rami på kliniken.”

”Hon kallar sig Blanker där … Maria Blanker, på fjärde våningen.”

Men Rössel rör sig irriterat i baksätet.

”Du vet ingenting”, säger han. ”Maria Blanker är *inte* Rami. Det är hennes syster. Och Blanker sitter på tredje våningen.”

”Ramis syster?”

”Jag vet *allt*”, säger Rössel. Han låter mycket säker, bakom ryggen på Jan: ”Jag lyssnar, jag läser brev, jag lägger små pussel … Jag vet allt om alla.”

”Jag skrev brev till Maria Blanker”, säger Jan. ”Och hon svarade.”

”Vem vet var brev hamnar?” säger Rössel. ”Du skrev brev, men det var mig du skrev till. Jag gav Carl lite pengar, han lät mig läsa breven, och jag läste och läste … Och ditt var annorlunda, jag blev lite nyfiken. Så det var jag som svarade och skrev att mitt rum låg på fjärde våningen. Du lämnade den där lilla mottagaren i min brevlucka, och anropade ekorren. Och jag svarade med taklampan … Blink, blink. Minns du?”

Jan minns. Rössels ord börjar sjunka in.

Ingen Rami. Bara Rössel, hela tiden.

Vad har han skrivit i breven? Vad har han berättat i Ängeln?

Allt. Jan trodde att han pratade med Rami, och därför pratade han om allt. Han hade haft så mycket att berätta för henne.

”Då är det slut nu”, säger han.

Han är trött och tom. Men han rör sig inte – han har fortfarande Rössels rakblad riktat mot huden under högerörat.

”Det slutar inte alls”, säger Rössel. ”Det fortsätter.”

Plötsligt sänker han vänsterarmen. Rakbladet försvinner ur Jans synfält. Han hör Rössel andas ut och tala lågt, som till sig själv:

”Den här känslan just nu, med en bred väg i mörkret ... Känslan av frihet. Jag har haft väggar och murar omkring mig i fem år. Och nu har jag bara lämnat allt.”

Jan vrider någon centimeter på huvudet:

”Och alla som skrev brev till dig ... har du lämnat dem också?”

”Självklart.”

”Hanna Aronsson också?”

”Hanna, ja”, säger Rössel, och låter nöjd. ”Hon är inte här, eller hur? Hon är nån annanstans i kväll.”

Jan förstår. Rössel har lurat alla.

Han är en psykopat, utan skuldkänslor, hade Lilian sagt. *Hans drivkraft är att få uppmärksamhet.*

Jan försöker tänka sig Rössel som lärare. Med en så mjuk röst måste han ha ingett förtroende i klassrummet. Och inte bara där – han måste ha verkat pålitlig för många människor som han mötte på gatan, på vägarna, på campingsemestern. Helt ofarlig.

Hej, jag heter Ivan, jag är sommarledig lärare ... Du, skulle du kunna hjälpa mig att bära in det här bordet i min husvagn? Den som står lite för sig själv där borta? Just det, ett kaffebord, det är jättebra om vi kan få in det ... Jag vet att det är sent, kamrat, men du kanske vill ha en kopp när vi är klara? Eller något starkare? Jag har både öl och vin ... Visst, du kan gå in först. Se upp, det är mörkt här, man ser knappt någonting. Bra, gå bara rakt in ...

Jan huttrar till, trots värmen i bilen.

På sätet bakom honom rör sig Rössel. Hans röst ljuder nära Jans öra:

”Vi ska åka snart, nu när vägen är så bred ... Vi ska göra en resa ihop.”

Jan tänker en enda sak, och till slut säger han den:

”Vi borde åka tillbaka till sjukhuset.”

”Varför då?”

”För att ... folk däruppe blir oroliga om du är ute på vägarna.”

Rössel ger ifrån sig en hostning, eller kanske ett skrockande.

”De har annat att tänka på än mig nu.” Han är tyst innan han fortsätter: ”Men det är det här jag talar om, vägens valfrihet. Jag vill göra saker härute. Skriva böcker, och bekänna synder ... Jag har lovat att visa var en försvunnen pojke är gömd, det vet du väl? Det vore väl en bra sak?"

"Jo", säger Jan. "Det vore bra."

"Eller också ...", fortsätter Rössel "... eller också kan vi göra andra saker. Saker som ingen vill prata om. Saker som du tänker på, hela tiden."

Jans mun är torr, han lyssnar på den mjuka rösten och känner Rössels ord krypa in i sig. Men till slut vrider han på huvudet mot baksätet:

"Du känner inte mig."

"Jo, det gör jag. Jag känner dig. Du har berättat allt för mig. Och det är bra ... Det är skönt att slippa ha hemligheter."

"Jag har inte ..."

Men Rössel avbryter honom:

"Så du måste välja nu."

"Välja vadå?"

"Ja, du vill göra saker, eller hur?"

"Vilka saker?"

"Fantasier som du vill kliva in i", säger Rössel. Han pekar på Ängeln i framsätet och fortsätter: "Jag hörde dina drömmar i den där ... Någon gav dig ett djupt sår när du var liten, och du har drömt om hämnd ända sen dess."

Jan ser ut på den tomma vägen och hör Rössel i sitt öra:

"Om du fick välja mellan gott och ont ... mellan att rädda en familj, eller att hämnas det här såret. Vad skulle du välja?"

Jan säger inget. Bilen känns mycket kall nu, och mörkret tränger på.

"Det är tillfället som gör hämnaren", fortsätter Rössel. "Men innan tillfället kommer måste det finnas fantasier ... fantasier som dina."

"Nej."

"Jo. Du drömmer om att låsa in någon. Att låsa in en pojke."

Jan skakar snabbt på huvudet. Men han säger inget.

Och mörkret är totalt, och vägen och natten lockar.

"Inte en pojke", säger han.

"Jo", säger Rössel. "Den fantasin spelar som en film i huvudet, eller hur? Vi har våra favoritfantasier."

Jan nickar, han vet.

”Fantasier är som en drog”, fortsätter Rössel med låg röst. ”Fantasier *är* en drog. Ju mer man fantiserar, desto starkare blir de. Man har lust att göra någon illa. Utföra en ond ritual. Man slipper aldrig ifrån de här tankarna, inte förrän man gör något åt dem.”

Rössel lutar sig framåt igen.

”Vad skulle du välja?” frågar han. ”Att göra ont eller gott?”

Välja?

Jan sänker blicken.

”Jag kan inte välja.”

”Men du måste”, säger Rössel. ”Ska du försonas eller hämnas? Titta ut på vägen, den delar sig snart … Du måste välja nu.”

Jan blinkar.

Han ser ut på den mörka vägen. Han blundar.

Välj nu, tänker han.

53

Jan behöver knappt trycka ner gasen eller hålla i ratten, Volvon rör sig lydigt ändå. Den glider fram på krönet av en svart våg. Bort från Sankta Psyko. Österut på breda vägar.

Han och Den Skygge far förbi svenska orter som låter lite som en barnramsa: Vara, Skara, Hova, Kumla och Arboga. Granskogen tätnar längs landsvägen.

Under färden berättar Jan för Den Skygge om hämnden på De fyras gäng. Han tror att han vet hur den gick till nu:

Det var en försommar för femton år sedan... du hade tagit ut din husvagn och körde runt i skogarna inåt landet. Du letade efter en bra plats att ställa upp den på... En undanskymd plats, som vanligt. Och plötsligt kom du till en sjö långt inne i skogen. Det enda tecknet på mänskligt liv där var ett litet tält på andra sidan sjön.

Du ställde upp husvagnen, gick en tur för att lära känna området och satte dig sedan i din vagn. Kanske drack du en del, medan skymningen föll. Drack och drack... och till slut blev du nyfiken på vem som egentligen bodde i det där tältet. Så du gick dit.

Det var tre pojkar som firade sin skolavslutning, visade det sig. Du sa att du själv var lärare, och försökte få kontakt. De skrattade åt dig, kallade dig "peddo". Så du lommade hem till din husvagn och drack ännu mer. Du låg på sängen och tänkte på killarna, medan mörkret föll. Och efter midnatt gick du tillbaka till tältet, men nu hade du en kniv med dig...

Den Skygge är tyst. Han lyssnar bara när Jan berättar om hans attack mot två av pojkarna, och hur den tredje försökte fly längs skogsvägen – men hur Den Skygge hämtade sin bil och till slut hann ikapp honom.

”Jag minns inte det här”, säger Den Skygge, ”men det kanske var så.”

”Jo.” Jan nickar för sig själv. ”Men en av dem är kvar.”

”Han är kvar”, säger Den Skygge och lyfter sitt rakblad. ”Än så länge.”

Jan kör och kör, och stannar inte förrän de närmar sig Nordbro. Då svänger han in på en parkering och stänger av motorn, och så sover de i bilen några timmar. Ingen stör dem.

Ljuset kommer sakta över horisonten. Det blir gryning, och sedan morgon.

Jan vaknar bakom ratten, väcker Den Skygge och startar bilen.

Klockan är halv tio när de kommer tillbaka till Jans barndomsstad. Gatorna är frostkalla och folktomma. Det är lördag morgon.

Bilen rullar in mot centrum, tills Jan bromsar in och svänger till vänster vid en skylt märkt NORR. Han vet vart de ska, han vrider på ratten och bilen går som på räls genom staden. Inget kan stoppa dem nu.

Och så är de framme. AKTA VÅRA BARN! står skrivet på en skylt. Det här är en vanlig villagata, och det är här Jans fiende bor med sin fru och lille son.

Tegelhus nummer sju. En brun låda som alla de andra.

Jan svänger bilen och stannar på andra sidan gatan. Härifrån kan man se in genom köksfönstret på hus sju. Det lyser därinne, men den enda person som syns är en kvinna i morgonrock. Hon sitter med böjt huvud vid frukostbordet.

Torgny Fridmans fru vet ingenting om fantasier och kollapser. Hon fortsätter äta, ensam.

”Vi missade honom”, säger Den Skygge.

Jan startar bilen igen, och den här gången följer han skyltarna ner till centrum. Inne i huvudet hör han dunkande trummor.

De parkerar på en tvärgata till Fridmans järnhandel. Jan gör allt rätt; han betalar parkeringsavgiften och rättar till jackan och håret för att se prydlig ut.

Den Skygge drar ner sin keps över pannan och sträcker fram handen. ”Ge mig bilnycklarna ... Om vi måste komma iväg fort.”

Jan lämnar över dem. Tillsammans går de längs affärsgatan, runt hörnet och in i järnhandeln. Det pinglar glatt i dörren när han och Den Skygge kommer in, men inga huvuden vrids mot dem. Det är tidigt på dagen och bara en gammal stamkund därinne.

Och en järnhandlare. Torgny Fridman står bakom disken och visar olika sorters lövkrattor för kunden. Han håller krattorna och gör små löjliga rörelser för att visa hur de används.

Jan viker tyst av åt höger, mot de större verktygen av stål och järn. Vapen, allihop är vapen. Han ser i ögonvrån att Den Skygge fortsätter inåt, mot jaktknivarna.

Det finns sju exemplar kvar av den största klyvyxan, med ett nästan meterlångt träskaft. Jan sträcker ut handen och drar upp en av dem. Han känner tyngden av stålet.

Fantasin om den sista striden mot De fyras gäng har spelats upp så många gånger i hans huvud, men det är alltid Den Skygge som haft huvudrollen. Ända tills nu.

Jan går fram till disken med yxan och väntar lugnt på att den äldre kunden ska betala för krattan och gå. Det tar någon minut – sedan står han till slut framför Torgny, med yxan i handen. Torgny småler, som mot vilken kund som helst.

Jan ler inte. Han har fjäskat för mycket för Torgny i sitt liv.

”Jag valde den här”, säger han bara, och lägger yxan på disken.

Torgny nickar.

”Bra val”, säger han. ”Är det dags för lite vedklyvning inför vintern?”

Han hinner inte längre, för ljudet av springande skor hörs plötsligt över golvet bakom Jan. Små barnskor.

”Pappa! Jag är klar med katterna, pappa!”

Jan vrider på huvudet och ser den lilla pojken, Torgnys son, komma springande med en målarbok i handen.

”Bra, Filip”, säger Torgny. ”Pappa kommer snart!”

Han nickar mot Jan igen, med den vanliga kassafrågan:

”Var det bra så?”

”Nej.” Jan lägger handen på yxan. ”Minns du inte mig?”

Torgny ser osäker ut.

"Jag kan nog inte...", börjar han, men Jan avbryter:

"Jan Hauger."

Torgny skakar på huvudet.

"Det blir trehundranittionio kronor, då."

Han har tagit fram en butikspåse till klyvyxan, men Jan håller kvar den på disken.

"Jag ville hellre dö än råka ut för er igen."

En sorts mask börjar falla av Torgny, ju mer Jan pratar. Det är butiksägarens mask som försvinner. Bakom den finns mest förvirring. Jan vill locka fram den femtonårige Torgny, mobbaren som måste finnas kvar därinne.

Han håller kvar handen på yxan och fortsätter prata, som till ett barn:

"Du och ditt gäng brände mig med cigaretter."

Torgny lyssnar, men säger ingenting.

"Sen låste ni in mig i skolbastun, och vred på värmen."

Butiksägaren öppnar munnen till slut.

"Gjorde *jag* det?"

"Du och tre andra."

"Varför då?" frågar Torgny.

Jan svarar inte. Trummorna dunkar.

"Jag vet att du minns mig", säger han bara. "Det var du, Peter Malm, Niklas Svensson och Christer Vilhelmsson."

Han ser Torgny nicka, och fortsätter:

"Dina vänner... de som dog i skogen."

"Jag minns", säger Torgny. "Jag vet vad som hände."

Jan sneglar åt sidan. Han anar att Den Skygge står någonstans bakom honom.

"Christer högg ihjäl Niklas och Peter", fortsätter Torgny lågt. "I deras tält."

Jan tittar på honom. Torgny höjer rösten lite, och pratar snabbare:

"De var ute och campade sista skolveckan. Jag var inte med så jag vet inte allt... men det blev något sorts bråk. Det var Peter, han skulle alltid testa folk, försöka knäcka dem. Christer klarade inte av det... Han knäcktes till slut, och han hade kniv med sig. Så Niklas och Peter höggs ihjäl när de sov, och sen flydde Christer genom skogen, och sprang ut framför en bil."

Jan skakar på huvudet.

"Det var inte Christer Vilhelmsson som gjorde det. Det var ..."

"Det *var* Christer", säger Torgny. "Han var med oss hela tiden, men han var alltid hackkycklingen som fick ta emot allt. Han var längst ner."

"*Jag* var längst ner", säger Jan.

"Nej." Torgny skakar på huvudet. "Du var ingenting för oss ... Du råkade bara vara i vägen."

Jan öppnar munnen igen – men vänder sig plötsligt om. Den Skygge är borta.

Torgny ser sig också om i lokalen.

"Filip?" frågar han. "Var är Filip?"

Jan släpper taget om yxan och backar bort från disken. Hans rygg stöter mot någon, en annan kund, men han stannar inte. Han flyr.

Ut i höstkylan. Fler människor på gatorna nu, med främmande ansikten.

Jan får syn på sin Volvo, den är på väg ut från parkeringen. Han ser Den Skygge sitta bakom ratten, och på sätet bredvid honom sticker ett litet huvud upp. En femårig pojke.

Jan ökar farten. Han springer över asfalten och ropar och vinkar, men Den Skygge tittar inte ens åt hans håll. Bilen svänger bara ut på gatan, ut i trafiken och bort från Jan.

"Rössel!"

Pojken i passagerarsätet verkar höra Jans rop, han vrider på huvudet och tittar bakåt, men bilen stannar inte.

Jan förstår vart Den Skygge är på väg: ut till bunkern vid fågelsjön. Han ska ta pojken till rummet med betongväggarna och låsa in honom där. Inte i två dygn den här gången, utan mycket längre. Veckor, månader, kanske för evigt. Det var det här Jan fantiserade om, eller hur? Den sista hämnden på De fyras gäng – att röva bort ett av deras barn.

"Rössel!" ropar han. "Stanna!"

Huvuden vrids mot honom, men han bryr sig inte. Han sträcker ut benen och springer i full fart längs trottoaren. Han ser Den Skygge sakta ner bilen och stanna, men bara för ett rött ljus. Volvon har börjat blinka till höger nu, snart ska den svänga ut och försvinna för alltid med Torgnys son. Spårlöst.

Jan kan inte göra någonting, och han ångrar allt nu. Ångrar allt han har fantiserat om. Han blundar, med en enda tanke i huvudet:

Fel val.

54

JAN KÖR BILEN, OCH ser ut genom vindrutan på motorvägen. Han har fantiserat om en väg genom natten, men har valt en annan. Han ska inte åka tillbaka till Nordbro med Rössel, inte träffa Torgny, inte röva bort hans son.

Det var en fantasi som fick löpa fritt till slut, men all längtan efter hämnd är borta nu. Han vet att varje våldsfantasi slutar på samma sätt när den blir verklig; med skräck och ånger och ensamhet.

Han och Rössel har åkt på motorvägen i nästan en timme, och kommit fram till Göteborgs förorter. Det är Rössel som har styrt honom hit, och när Jan valde väg försvann rakbladet från hans hals.

"Jag visste att du skulle välja det här", säger Rössel.

Han sitter fortfarande kvar som en kung i baksätet, och lutar sig framåt.

"Vi är på rätt väg. Vi ska ut i skogen ihop … vi ska hitta en grav därute. Det var det jag lovade."

"Jo", säger Jan. "Men efter det? Åker du tillbaka till sjukhuset då?"

"Visst."

"Det finns väl psykologer på Sankta Patricia?" säger Jan. "De kan hjälpa dig."

Rössel skrattar.

"*Psykologer*", säger han, och det låter som om han pratar om skadedjur. "Psykologer vill ha svar som de inte får. De frågar om min barndom, om jag har mentalsjukdom i släkten … De vill ha ett bra skäl till varför jag åkte runt med min husvagn på somrarna och plockade upp ungdomar, men det finns inga skäl. Världen är inte begriplig ... Så vet du varför jag gjorde det?"

"Nej", säger Jan. "Och jag vill inte ..."

"Jag rövade förstås bort dem för att jag var ond", fortsätter Rössel. "För att jag är Satans son och vill vara herre över liv och död ... Eller bara för att de jag valde ut var fulla och försvarslösa, och jag var stark och nykter." Han lutar sig fram. "Eller också är jag oskyldig, vem vet? Den som lever får se."

Jan vill stoppa Rössels raljerande, och tittar i backspegeln.

"Var du någonsin i skogarna runt Nordbro?" frågar han. "Campade du däruppe?"

"Nordbro? Nej ... aldrig så långt norrut."

Jan undrar om Rössel ljuger. Antagligen inte. Kanske stämmer det enkla svar som kom ur Jans undermedvetna och formulerades av en fantasifigur: att en av medlemmarna i De fyras gäng dödade två av de andra.

Världen är inte begriplig, bara mörk. Så Jan fortsätter köra, med händerna hårt om ratten. Men bensinmätaren är på väg ner mot det röda fältet nu – han har inte tankat före resan. Han ser en Statoilskylt bredvid motorvägen och pekar mot den.

"Vi måste ha bensin."

Inget svar kommer från baksätet. När han tittar i backspegeln ser han att Rössel sitter bakåtlutad och blundar. Rakbladet ligger bredvid honom, och han har en hand på tårgasburken.

Jan svänger in vid bensinstationen, rullar sakta fram mellan ett par långtradare och stannar vid en pump under kalla neonljus.

Han tar med sig kontokortet från plånboken och kliver ut i kylan. När han rör sig från bilen känner han plastband trycka mot sin mage. Handfängslen som han tog från Carl och gömde under tröjan – de ligger kvar där. Skulle han använda dem på Rössel om han fick chansen?

Och om en radiobil gled in på bensinstationen nu, skulle Jan larma poliserna då? I så fall skulle Rössel kunna gripas, och Jan vara fri.

Men Lilians bror skulle aldrig återfinnas.

Och det är därför de är här.

Jan hakar av bensinslangen och börjar tanka, med snabba blickar in i bilen. Rössels huvud och ansikte döljs av biltaket, men han ser kroppen med de grå byxorna på baksätet. Den är helt orörlig. Har Rössel verkligen somnat?

Han fortsätter tanka och ser sig om. Rader av blanka pumpar står i givakt i neonljuset, och längre bort rullar långtradare fram med dova väsanden.

Det klickar till i pumpen. Tanken är full, och Jan hänger tillbaka slangen.

Så kastar han en snabb blick in i bilen igen – och hejdar sig. Baksätet är tomt.

Rössel är borta, ihop med rakbladet och tårgasen.

Jan ser sig omkring. Parkeringen är öde. Tom på människor, men full av långtradare. De står uppställda tio eller tolv meter bort, så tätt parkerade att de bildar en labyrint på asfalten.

Har Rössel smitit in mellan dem?

Jan lämnar bilen och rör sig försiktigt bort mot långtradarna.

Han hukar sig ner och försöker titta in under dem, men ser inga grå byxben röra sig på andra sidan.

Han får en hopplös känsla i magen och går sakta tillbaka mot bilen.

”Här är jag”, säger Rössels röst bakom honom.

Jan tvärstannar och vänder sig om.

”Trodde du att jag skulle försvinna?”

Jan skakar på huvudet. Han och Rössel förstår varandra. De ska till graven nu, och ingen kommer att dra sig ur. Vad som händer efteråt, det får visa sig.

”Var var du?”

Rössel håller ett par spadar med spetsiga järnblad under armen, och något blänkande i sin fria hand. En flaska.

”Jag gjorde affärer”, säger han. ”Jag var inne i butiken och köpte ett par spadar, och sen gick jag bort till långtradarna. De kommer från hela Europa där borta … och chaufförerna har med sig sprit ibland. Så jag köpte en flaska.”

Han lyfter upp den, och Jan ser att det är vodka.

”Med vilka pengar då?”

”Med dina.” Rössel sträcker fram ett litet föremål mot Jan – det är hans egen plånbok. ”Du glömde kvar dem i bilen.”

Jan tar tyst emot plånboken.

”Jag behöver ingen alkohol.”

Rössel öppnar flaskan och tar en klunk. Han ler inte.

”Jo. I kväll behöver vi både spadar och sprit.”

De kör vidare genom natten. Rössel är mer dämpad nu, men styr fortfarande färden från baksätet. Han sträcker fram en hand och pekar.

”Sväng vänster här.”

En rondell, och sedan en smalare landsväg. Göteborg är stort och det här är en främmande del av staden för Jan, men han ser en taggig klippkedja längre bort och tror att de är någonstans nordost om centrum, vid Utby.

”Sväng till höger nu”, säger Rössel, och tar en klunk vodka. ”Och sen till höger igen.”

Jan lyder. Han kör in på en lång och rak väg där både ljusen och husen blir färre och färre, och ser en vit vägskylt flimra förbi, TRASTVÄGEN.

Skylten är det sista tecknet på stadens närhet; efter det försvinner alla hus och bara vägen finns kvar. Den blir till en skogsväg som leder uppåt, in bland branta sluttningar täckta av mörka buskar och träd.

”Här”, säger Rössel lågt. ”Vi kan inte köra längre … Parkera här.”

Jan stannar bilen. Han slår av motorn och tänder takljuset.

I backspegeln ser han Rössel öppna spritflaskan och dricka djupt. Han blundar när han sväljer.

”Medicin”, säger han sedan och lämnar över flaskan till Jan.

Jan tar en liten klunk, inte mer. Han tittar ner i dörrfacket bredvid förarplatsen, och ser pennor och några pappersark därnere. Han får en ingivelse, sträcker ner handen och plockar upp en penna och ett papper. Sedan visar han dem för Rössel.

”Gör en karta”, säger han.

”En karta?”

Jan nickar.

”Om vi skulle gå vilse i skogen … så finns den kvar.” Han minns hur han själv hade memorerat landskapet vid fågelsjön, nio år tidigare, och säger: ”Du minns väl vägen till graven. Eller hur?”

Det är första gången han ber Rössel om något. Han väntar tyst.

Men Rössel skakar på huvudet.

”Jag kan inte … Jag kan inte teckna.”

”Det kan jag”, säger Jan. Han tar papperet och drar två parallella linjer där han skriver *Trastvägen*. ”Här är vi nu … Och vart ska vi?”

Rössel tvekar.

”Rita en stig”, säger han till slut. ”Upp till vänster.”

Jan börjar rita. Linjen vindlar sig framåt, och Rössel instruerar honom att markera höjdskillnader, bäckar och större klippblock. Jan har haft rätt – Rössel har hela landskapet bevarat inne i huvudet. Han har tänkt mycket på den här platsen.

”Där, gör ett kryss där på avsatsen.” Rössel verkar ivrigare nu, han pekar på kartan. ”Och skriv att … att jag råkade hitta pojken på en parkbänk, att jag tog ut honom i skogen och begravde kroppen uppe bland klipporna.”

Bekännelsen, tänker Jan. En skriftlig bekännelse till Lilian och hennes familj, till slut.

Jan skriver färdigt texten och visar kartan för Rössel.

Han tittar på papperet och nickar.

”Bra”, säger Jan lågt, och lägger kartan på bilsätet.

”Nu går vi”, säger Rössel.

Han kliver ur bilen, och Jan gör samma sak. Nattarbetet väntar.

Spadarna väntar också. Jan går runt bilen och öppnar bakluckan, där de ligger på en gammal filt.

Han tar med sig alltihop, och den lilla Ängeln också – den kommer att vara enda ljuskällan i mörkret.

Rössel rätar upp sig, och verkar mer beslutsam. Han leder dem över ett dike, bort från vägen och upp genom riset, mellan klippor och klättrande granar.

De sista ljusen lämnas bakom dem. Vildmarken börjar.

Efter kanske trehundra meter mellan granarna kommer de upp till ett kaos av kantiga skuggor. Jan lyfter Ängeln och ser glänsande granitblock, släppta av inlandsisen för tusentals år sedan och staplade huller om buller nedanför en lodrät klippvägg. Någonstans i mörkret hör han ljudet av forsande vatten.

”Ska vi klättra här?”

”Det går inte.” Rössel skakar på huvudet. ”Vi måste gå runt... Det är mindre brant.”

De hittar en liten stig som leder runt alla blocken och börjar gå snett uppåt. Rössel leder vägen längs sluttningen; han verkar röra sig genom sin minneskarta och tvekar inte när han lutar sig framåt för att klättra uppför branten.

Jan går efter, några meter bakom Rössel. Han har bilden av den döde Carl i huvudet och vill ha Rössel framför sig, om han fortfarande har rakbladet med sig.

Efter tjugo meters klättrande stannar Rössel till och hämtar andan.

”Jag bar kroppen här”, säger han. ”Tungt jobb.”

”Levde John Daniel då?” frågar Jan. ”Dödade du honom häruppe?”

”Jag dödade honom inte.” Rössel vänder sig om och låter trött nu. ”Han dog i min bil, av all sprit han hade hävt i sig under kvällen. Han spydde och kvävde sig själv, när han låg i bakluckan. Det var inte mitt fel.”

Jan ser på honom.

”Han skulle ha levt, om du hade låtit honom vara. Som de andra.”

Rössel rycker på axlarna.

”Han kunde ha hållit sig nykter.”

Han säger inte mer. Men när de fortsätter uppåt rör sig Rössels huvud hela tiden fram och tillbaka i mörkret, som om han söker efter fiender.

Det finns en avsats några meter längre upp, och Rössel försvinner bakom den. Jan lutar sig framåt och följer honom de sista stegen uppför branten.

Marken planar ut här. De har kommit upp på en bred platå högt ovanför skogen – en del av en större klippkedja.

Rössel står där och väntar på honom, med spaden i handen. Han tar några steg framåt och ser bort mot en ensam tall som växer på platån.

”Det var hit jag kom den natten”, säger han. ”Jag hade vandrat här en del... jag kände till området. Den sista gången var efter en hård vinterstorm, och då såg jag att en tall hade vält uppe på klippan. Den hade ryckts upp med rötterna och lämnat en stor grop under sig. En rotvälta."

Jan höjer Ängeln och ser att klippavsatsen är femton eller tjugo meter bred. På den bortre sidan slutar den med en skarp kant – stupet där granitblocken ligger staplade på botten.

Det växer ris och låga buskar här uppe, och så tallen. Dess rötter har lyckats hitta en sänka fylld av jord och fått grepp om marken i mitten av klippan. Men det finns ingen rotvälta här, ser Jan. Tallen växer rakt upp, även om barren uppe i kronan inte ser friska ut.

"Var är han?" frågar Jan.

"Här." Rössel går fram till tallen, och hans röst är helt mekanisk nu: "Jag bar fram kroppen hit och välte ner den i gropen under rötterna... Sen satte jag händerna mot stammen och så rätade jag upp tallen igen. Så var kroppen borta."

Jan lyser uppåt med Ängeln.

"Den är döende."

"Nu är den det, ja."

Jan säger inget mer, han tittar bara på när Rössel tar ett steg bort från tallen och vecklar ut filten.

"Gräv där... Tätt intill stammen."

Jan tittar på den ojämna marken. Han tänker på rötter och hemligheter och olika val.

Så höjer han spaden, kör ner den i jorden och börjar gräva. Han har mycket energi i kroppen nu; han måste ha energi eftersom marken är så hård. Stenarna är få, men det är packad jord och sega rotsystem som spaden måste hacka sig genom.

Rössel har höjt den andra spaden, men står mest och tittar på marken på andra sidan tallen.

Jan tar sig nedåt. Han bygger upp en hög av jord bredvid tallens stam, och framför honom börjar ett brett hål öppnas.

Då och då tar han fram Ängeln och lyser, men ser ingenting.

"Fortsätt", säger Rössel, och Jan gräver vidare.

Några av rötterna är så tjocka att han inte kan hugga av dem, så han gräver ut jorden runt dem och fortsätter nedåt.

När han till slut tar en paus och tittar på klockan är den kvart i ett. Armarna värker nu, men han höjer spaden och gräver vidare.

Ännu en smal rot sticker fram ur jorden – det tror han i alla fall, ända tills han ser att det är något annat därnere.

Ett gulnat ben.

Jan hejdar spaden och stirrar. Han lyfter Ängeln igen, och i ljusskenet upptäcker Jan fler ben. Ben, och bitar av fransigt tyg.

Rössel ser också fynden, han nickar.

”Bra … Fortsätt gräv.”

Jan tvekar.

”Jag kan skada honom.”

”*Den*”, säger Rössel. ”Det är bara en kropp.”

Jan är tyst, han böjer på ryggen och fortsätter. Så försiktigt som möjligt hackar han bort jorden runt benen, och fler och fler bleka bitar kommer fram. Långsamt börjar de forma ett utsträckt skelett, men tallens rötter har vuxit under åren som gått, och många ben har brutits sönder eller saknas.

Efter kanske en halvtimme lossnar en stor grå sten från den fuktiga jordväggen och rullar ner på gropens botten.

Nej, det är ingen sten, ser Jan – det är ett kranium. Han vill inte titta närmare, men ser att hudbitar fortfarande sitter kvar som gammalt papper på skallen.

Rössel säger inget; han klättrar bara ner och börjar rafsa upp alla lösa ben. Han räcker dem till Jan, ett efter ett, som försiktigt lägger dem på filten. Den runda skallen hamnar också där.

Till slut har Rössel inga fler bitar att lämna över.

”Är det klart?” frågar Jan.

”Det får vara det”, svarar Rössel, och tar en sista klunk ur flaskan. ”Vi ska bara avsluta det här nu.”

Han kliver upp ur graven, stöder sig på spaden och ler mot Jan.

”Avsluta?”

Jans fråga får inget svar, men det prasslar plötsligt i riset bakom honom.

Det är ljudet av stövlar.

Rössel tittar bort mot ljudet.

”Välkommen”, säger han.

”Hej Ivan”, svarar en dämpad röst i mörkret.

Det är en kvinnas röst. Hon låter trött och andfådd.

Jan vrider på huvudet, lyfter Ängeln och ser någon han känner igen komma upp från branten.

”Hej, Jan.”

Det är Hanna Aronsson, och hon rör sig långsamt. Hon bär något, ser Jan – det är en liten viljelös kropp som hon håller i famnen. Med en bindel för ögonen.

Ett barn som sover, eller är nedsövt.

En pojke.

55

FEMTON SEKUNDER SENARE LIGGER Jan hopsjunken på klippan.

Det är Rössel som slår omkull honom, och det går fort. En enda virvlande rörelse med spaden i mörkret, när Jan fortfarande står och stirrar på Hanna Aronsson och försöker förstå varför hon är här. Och vem är pojken?

Rössel har klivit fram och siktat mot Jans högerben. Stålspaden träffar under knät, benet far undan och Jan faller rakt ner i riset. Ner i smärta och illamående.

Han domnar bort.

Sekunder går, kanske minuter.

"Gick allt bra däruppe?" hör han Rössel fråga.

Och Hannas röst svarar:

"Jo. Men jag fick vänta en stund, tills han var ensam ute."

"Bra", säger Rössel.

Rösterna och kylan får Jan att sakta vakna till i riset, och när han tittar upp ser han ett svagt ljus.

Ängeln ligger påslagen framför honom. I skenet från den ser han Rössel och Hanna som två skuggor några meter bort.

"Och han såg dig inte?" frågar Rössel.

"Nej ... Ingen såg mig."

Rössel har sänkt spaden, han verkar slappna av. Han tar tre steg fram till Hanna och ger henne en kindpuss, rör hennes ljusa hår.

"Jag har längtat", säger han.

Men hans rörelser ser stela ut. Händerna verkar ovana vid närhet.

Pojken som Hanna bär i famnen känner Jan också igen nu: det är Leo. Leo Lundberg från förskolan. Fem år gammal, försvunnen och eftersökt – Jan minns Marie-Louises kvällssamtal om att pojken var borta från sin gård.

Bindeln som täcker hans huvud är bred och svart. Han andas, ser Jan, men verkar inte vaken, han hänger slappt i Hannas armar.

Jan ser Rössel ta Leo ur Hannas famn och lägga ner honom bredvid gropen invid tallen.

”Här ska han ligga”, säger Rössel. ”Här nere.”

Det är som att titta på skuggteater. Jan känner sig bedövad och långt bort från alltihop, men smärtan i smalbenen börjar sjunka undan. Han lyfter på överkroppen.

Rössel märker det, han vrider på huvudet.

”Rör dig inte.”

Jan skakar sakta på huvudet, men sätter sig ändå upp. Han försöker få Hanna att möta hans blick.

”Vad gör ni?” frågar han. ”Varför har ni tagit hit Leo?”

”Det är inte vi”, säger Rössel. ”Du har tagit hit honom.”

Jan ser på honom.

”Jag?”

”Det här är brottsplatsen, allt slutar här”, säger Rössel. ”Du ritade till och med en karta hit … En karta med en bekännelse om vad du har gjort. Den ligger i bilen, i väntan på polisen.”

Jan lyssnar, men tittar inte på Rössel. Han ser på Hanna igen, för att försöka få kontakt.

”Vad gör du här, Hanna?”

Men hon ger honom bara en snabb blick, innan hon tittar bort, och i ljuset från Ängeln är hennes blick blank och tom.

”Tyvärr”, säger hon med sänkt blick. ”Men du passade alldeles för bra … Du kan rädda Ivan om du tar på dig skulden för brotten som han misstänks för.”

”Jag tar inte på mig dem.”

”Jo, det gör du … Du har rövat bort pojkar förr.”

Jan förstår. Hanna har valt ut honom – han är en mördare som ska hittas död av polisen bredvid ett gammalt och ett nytt offer, medan hon och hennes Rössel försvinner i natten. Rössel kan vara tillbaka på sjukhuset om en timme, och med lite tur märker ingen att han varit borta.

Folie à deux. Delad galenskap. Eller kärlek över muren. Jan minns doktor Högsmeds varning om att komma för nära en psykopat, och ser på Hanna:

”Du gick vilse i skogen.”

Hon skakar på huvudet.

”Jag vet vad jag gör”, säger hon. ”Jag gör det här för att få Ivan fri … Och du skulle göra samma sak, för din Rami.”

Jan svarar inte.

Leo, tänker han bara. Hur ska han rädda Leo?

”Gör det nu, Hanna”, säger Rössel, och vänder spadens träskaft mot henne. ”Visa hur stark du är.”

Hanna tittar länge på spaden, sedan blundar hon. Hon rör sig inte.

”Jag kan inte”, säger hon lågt.

”Det är bara en kropp”, säger Rössel och fortsätter sträcka ut spaden. ”Den känner ingenting.”

”Jag kan inte göra det.”

Det är bara Jan som ser på Leo. Han ligger kvar vid gropen, men i skenet från den lilla Ängeln ser Jan plötsligt att han rör sig. Ögonbindeln gör honom blind – men vad det än är som Hanna har sövt honom med, kloroform eller något, så börjar han vakna nu.

Men inte fort nog. Jan måste fortsätta prata:

”Rössel kan inte bli frikänd, Hanna”, säger han. ”Han dödade en vårdare i kväll när han rymde … Han skar av Carls hals.”

Hon tittar snabbt på Rössel.

”Är det sant?”

”Jag gjorde det jag måste”, säger Rössel. ”Och nu är det din tur.”

Hanna rör sig inte, men tittar på spaden.

”Det går inte.”

”Jodå”, säger Rössel, med högre röst.

Leo rör sig i skuggorna på marken nu, ser Jan – han är inte helt vaken, men på väg upp.

Någon meter från Jans ben ligger Ängeln, det enda ljuset på klippan. Och ännu närmare, strax bredvid honom, ser han sin spade.

Rössel suckar, och har plockat fram flaskan igen. Han tar en klunk och nickar.

”Jag tar hand om det.”

Jan sträcker ut fem fingrar och sluter handen runt sin spade, samtidigt som Hanna ser på Rössel.

”Ivan, vi behöver inte…”

Han avbryter henne, hårt:

”Nej, jag gör det nu.”

Men Jans tid är inne, och han rör sig till slut. I en enda snabb rörelse kommer han upp på knä och lyfter spaden med båda händerna, som en långsmal klubba.

”Leo!” ropar han bort mot pojken. ”Spring härifrån! Spring bara!”

Hanna ser vad som händer och Rössel börjar vrida på huvudet – men Jan har redan höjt spaden.

Och Leo är på benen nu. Han har börjat röra sig.

Jan slår till.

Bladet på spaden faller ner i en hård smäll mot klippan, och Ängelns lampa krasar till. Den slocknar.

Höstnatten sveper ner över klippan, det blir nästan helt svart. Det enda ljus som syns kommer från husen långt nedanför. Jan har redan släppt spaden och ropar igen:

”Spring mot ljusen, Leo!”

Trummorna dunkar i hans huvud, flera slag per sekund. Det är ont om tid nu.

Han ser en liten kropp röra sig i mörkret, på väg bort från klippan. Leo har dragit bort ögonbindeln.

”Spring!”

Jan reser sig, stödd på spadhandtaget.

”Rör dig inte!” ropar Rössel.

Han står som en svart skugga framför Jan, med sin egen spade höjd över axeln. Och så slår han till, hårt som en tennisspelare. Flera hårda slag som skakar Jans spadhandtag, och den tredje gången orkar han inte hålla det längre. Han tappar taget om spaden, den slamrar iväg över stenarna.

Men Rössels spade är också obrukbar – handtaget har spruckit och knäckts på mitten. Han släpper den och tar fram något annat ur fickan, ett föremål som han lyfter framför sig.

Det är inte tårgasen, ser Jan – det är rakbladet.

”Hoppa”, säger Rössel.

Jan backar undan med lyfta händer, men benen gör fortfarande ont och lyder inte riktigt. Han snubblar till på en sten eller en rot, farligt nära stupet. Han vill låtsas att det finns fast mark överallt, men svindeln suger tag i honom.

Rössel rör sig framåt, med höjt rakblad. Så hugger han, snabbt, och Jans hand bränner till och börjar blöda. Han har fått ett snitt över handryggen, flera ådror har kapats.

Rössel höjer bladet ännu högre.

”Hoppa”, säger han igen. ”Du kanske klarar dig.”

Men Jan backar inte mer. Han tittar på Rössels utsträckta hand, handen med rakbladet, och trevar under sin egen tröja. Han har förstås inget vapen där, men han har plastbanden som han tog från Carl. Tunna men starka öglor som kan fängsla och hålla fast.

Han drar fram ett av banden, och sträcker sig fram mot rakbladet.

Rössel är inte snabb nog. Jan fångar in hans hand ihop med sin egen, och lyckas trä öglan över båda händerna. Det är bara att dra till i plastbandet, och så sitter hans egen handled fast vid Rössels. Jan kan kontrollera rakbladet nu, och hålla det borta från sig.

Rössel andas hårt i mörkret, han rycker och drar. Han försöker flytta över bladet till vänsterhanden för att skära sig fri, men Jan hinner ta tag i den handen också.

De håller i varandra som ett dansande par på klippan, och det går inte att fly – Jan är fångad av Rössel och Rössel är fångad av honom.

Rössel kämpar, men Jan släpper inte.

Han blundar. Han hoppas att Leo kom undan. Att han hörde Jans rop och försvann nedför slänten, och sökte sig mot ljusen.

”Ge upp”, säger Rössel. ”Innan du dör.”

Hans röst är andfådd och inte det minsta mjuk längre. Rovdjuret har kommit fram nu; det som gömt sig bakom den lugne läraren.

Det går inte att hitta balansen, och Rössel kan inte släppa honom.

Jan öppnar ögonen.

Nu är de sakta på väg mot stupet. Han och Rössel, i en hård omfamning. De flämtar i djupa andetag, i samma takt.

”Nu du, kamrat!” ropar Rössel.

Jan håller på att förlora kampen, att knuffas ut i tomheten. Och det finns inget att hålla fast sig vid. Bara Ivan Rössel.

Han vrider sig om efter hjälp på klippan. Leo är borta, och han ser bara en enda gestalt vid tallen. Det är Hanna – hon står orörlig i riset och tittar på dem. Hon är fastfrusen, hon gör ingenting.

Men Leo kom undan. Han flydde från rovdjuret, ut ur skogen. Han är stark, han kommer att klara sig.

Jan är glad över den segern.

Han känner klippan ta slut bakom sig, men tvekar inte. Det är bara ett litet steg bakåt i mörkret.

Han tar det, och drar med sig Rössel över kanten.

56

”Mår alla bra?” säger Marie-Louise.

Hennes låga fråga får inget svar.

Hanna sitter stilla och är lika tyst som de andra i förskolans personalrum den här morgonen. Hon har inga ord. Hon har kommit tillbaka till jobbet och försöker se lugn ut, trots att hon knappt kan andas. Så mycket har gått fel. Det känns som att sitta i en storm, utan att veta när den blåser över.

Det är onsdag nu. Gläntan har hållits stängd sedan den kaotiska brandövningen, och under tiden har ryktena om Sankta Patricia vuxit. Tidningarna har skrivit om vad som hänt, radio har rapporterat och tv-nyheterna har visat bilder på den stängda sjukhusporten.

Marie-Louise frågar inte mer. Hon vrider på huvudet.

”Doktor Högsmed är här i dag”, säger hon, ”för att informera och fylla i lite luckor. Jag tror att vi alla behöver någon sorts…” Hon tystnar, hittar inga ord, utan säger bara: ”Varsågod, doktorn.”

”Tack, Marie-Louise.”

Högsmed har suttit vid bordet med böjt huvud, som om han knappt har sovit de senaste dagarna. Men nu rätar han på ryggen och börjar prata:

”Ja… Vi hade ju en dramatisk inledning på den gångna helgen”, säger han. ”Dramatisk och tragisk. Vi hade som bekant en stor brandövning i fredags kväll, men den blev ännu mer komplicerad än vi hade räknat med. Orsaken var att ett riktigt larm om en brand utlöstes på fjärde våningen, strax innan själva övningen skulle inledas.”

Doktorn gör en paus. Det är knäpptyst vid bordet. Hanna ser ut genom fönstret, på Sankta Psykos betongmur.

”Som en följd av branden”, fortsätter Högsmed, ”så uppstod en viss förvirring om vad som var ett verkligt tillbud och vad som var övning. Därför hade vi mycket dålig kontroll över vissa avdelningar, och patienterna kunde vandra fritt. Vi hade, kanske som följd av kaoset, en attack med dödlig utgång mot en av vårdarna på fjärde våningen, och därefter en rymning av samme man som startade branden. En av våra farligaste patienter.”

Ivan, tänker Hanna. Var han farlig? Jo, det var han. Men också kärleksfull och omtänksam. Hon sitter orörlig vid personalbordet, ihop med Andreas. De är de enda två anställda som har kommit till förskolan den här dagen.

Stolarna på båda sidor om Hanna är tomma.

Lilian brukar förstås sitta på den ena av dem, men hon är sjukskriven nu.

Den andra stolen var Jan Haugers.

Hanna hade sett Jan falla över klippkanten högt över skogen, ihop med Ivan – två mörka gestalter med ett hårt grepp om varandra. Ingen av dem släppte taget.

Hon hade stått fastfrusen och blundat och väntat på den dova dunsen av kropparna mot klippblocken nedanför, och dunsen kom.

Allt var tyst i skogen. Sedan hade Hanna hört ljud i mörkret. Kvidanden hördes nedanför klippan.

”Ivan?” hade hon ropat över kanten.

Kvidandena fortsatte, men rösten därnere lät som Jans. Sedan tystnade den.

Hanna hade vänt om på klippan, och flytt. Lille Leo var borta; han hade redan gett sig iväg i mörkret, och hon lät honom vara. Att kidnappa honom och försöka skylla på Jan Hauger hade varit Ivans idé, inte hennes. Hon var glad att Leo hade kommit undan.

Hon hade stapplat ner genom skogen, ner till sin hyrbil och tillbaka på motorvägen mot Valla.

Vid tretiden var hon hemma. Hon hade låst dörren om sig, spolat ner handskarna och sprutan och valiumampullen i toaletten – allt som kunde binda henne vid Leos kidnappning måste bort.

Sedan hade hon lagt sig i sängen och rabblat en ramsa i huvudet: *Ingenting.* Hon visste ingenting. Inget om branden, inget om Ivan Rössel, inget om Jan Hauger och hans längtan efter Alice Rami.

Men vad skulle hända nu? Ovissheten höll på att knäcka henne.

Hon hade ringt till Lilian på lördagsmorgonen.

Lilian var dämpad när hon svarade. Hanna försökte låta som vanligt, och frågade vad som hade hänt i fredags kväll.

”Det hände ingenting”, sa Lilian. ”Ingenting alls. Rössel kom aldrig till besöksrummet. Ingen kom dit från sjukhuset... så vi åkte hem.”

”Tråkigt”, sa Hanna.

Hon visste inte vad hon skulle säga mer. Egentligen ville hon inte prata med Lilian alls, men det fanns en sak som hon måste fråga:

”Har polisen ringt dig?”

”Nej”, sa Lilian. ”Varför skulle de göra det? Misstänker de något?”

”Det tror jag inte”, sa Hanna snabbt.

Men det trodde hon förstås. Lilians brors grav var ju öppnad nu. När polisen hittade Ivan och Jans kroppar vid klippan skulle de hitta John Daniel också, och hans familj skulle kontaktas. De skulle få veta, till slut. För Hanna gällde det bara att inte bli inblandad.

Ingenting, hon visste ingenting.

Lilian var tyst, innan hon fortsatte:

”Men Marie-Louise ringde i fredags. Ringde hon dig också?”

”Jo”, sa Hanna. ”Det gjorde hon.”

”Då vet du att Leo Lundberg var borta?”

”Ja.”

Lilian var tyst.

”Och du? Vad har du att berätta, Hanna?”

”Ingenting”, sa Hanna.

Hon la snabbt på luren efter det, och andades ut.

Ingenting.

Hon hade legat ensam i sängen i sin lägenhet och tänkt på Ivan. I flera månader hade hon längtat efter honom, drömt om att hjälpa honom, att få ut honom från kliniken till varje pris. Men de hade bara fått några korta samtal ihop i besöksrummet, övervakade av den mutbare vårdaren Carl. De hade älskat med varandra en enda gång, på madrassen nere i skyddsrummet.

Nu var Ivan borta. Hon saknade honom.

Men hon insåg att hon faktiskt saknade Jan Hauger också.

Högsmed har gjort en paus i redogörelsen. Han andas tyst in och fortsätter:

”Vi hade alltså flera incidenter på en och samma kväll. Men till slut redde vi ut situationen och alla patienter är inräknade nu… Alla utom rymlingen, som har påträffats död ihop med…” Doktorn tittar åt sidan, på Marie-Louise, ”… ihop med den person som vi misstänker hjälpte honom att rymma. Jag pratar alltså om er kollega Jan Hauger… han vårdas fortfarande på sjukhus. Svårt skadad, men han lever.”

Det blir tyst igen. Alla verkar hålla andan – Hanna också.

Jan lever.

Hon hör doktorn sucka tungt, innan han tillägger:

”Jag ansvarar för varje rekrytering, och jag tar förstås personligen på mig ansvaret för rekryteringen av Jan Hauger.”

Marie-Louise tittar ner i bordet, och bryter in med en kommentar: ”Det var inte lätt att veta”, säger hon. ”Jan verkade pålitlig på många sätt, men det fanns en del… varningssignaler. Han berättade nyligen för mig att han hade haft psykiska problem. I tonåren hade han tydligen vårdats på en psykiatrisk klinik.”

Doktor Högsmed fortsätter sin redogörelse. Han berättar om Leo Lundbergs spårlösa försvinnande från sin fosterfamiljs gård på fredagskvällen, och polisens sökande efter honom – ända tills han dök upp sent på natten vid en gård utanför Göteborg. Han hade alltså inte rymt. Han hade förts bort med bil.

Till sist berättar Högsmed att Jan Hauger hittats medvetslös nedanför en klippa av polisen, i samma skogsområde där Leo hade dykt upp. Patienten som Jan hade hjälpt rymma låg under honom, död. De hade lämnat sin bil nere på vägen, ihop med en skriven bekännelse.

”Vi antar att det var ett slags självmordsbrev”, säger doktorn.

”Hauger och patienten grävde upp en grav i skogen, men de släppte pojken fri ... innan de kastade sig ut från klippan ihop.”

Tystnad igen. Alla vet nog redan, men verkar ändå chockade. Andreas ser helt bedrövad ut, och Hanna hoppas att hennes egen blick är lika sorgsen.

”Hur mår lille Leo?” frågar Marie-Louise.

”Han är oskadd. Han minns inte mycket, och det kanske är lika bra”, säger Högsmed. ”Han minns bara att någon kom fram på gårdsplanen bakom honom när han satt på en gunga, och tog tag i hans armar. Läkaren hittade nålstick i ett armveck, så det har nog varit en drog inblandad ... Men han mår bra nu som sagt, efter omständigheterna.”

Hanna sitter med hårt knutna nävar under bordet. Vad har Leo berättat för polisen? Vad minns han av det som hände i mörkret på klippan? Han var drogad och hade ögonbindel – så han minns väl inte *henne*? Och om Jan vaknar upp, kommer han att kunna prata? Kommer någon att tro på honom?

Hon måste säga något, och lutar sig framåt:

”Jag minns en sak.”

Alla tittar på henne, hon fortsätter:

”Det var bara något som Jan Hauger berättade för mig en gång, och jag vet inte om det betyder något ... men han sa att han hade tagit ut en pojke i skogen på en utflykt en dag, och lämnat kvar honom därute.”

”Jaså?” säger Högsmed snabbt. ”När var det här?”

”Det var på något dagis som han jobbade på, sa han ... Det lät som att det var för många år sen.”

Marie-Louise tittar länge på henne.

”Du skulle ha sagt det här till mig tidigare, Hanna.”

”Jag vet. Men jag trodde att ... att det var någon sorts konstigt skämt. Jan *verkade* ju så pålitlig, eller hur? Han var omtyckt av barnen. Visst var han?”

Högsmed ser på henne och harklar sig.

”Det här är egentligen sekretessbelagt”, säger han, ”men polisen var hemma hos Hauger nu i helgen. De gick igenom hans lägenhet och hittade en hel del tveksamma saker. Bland annat hade han ritat en lång serie med grova våldsinslag och hämndfantasier … Och en av Haugers grannar jobbade tidigare här på vårt sjukhus, och hade tydligen fått frågor av Hauger om olika flyktvägar.”

Det blir tyst igen, och Hanna sänker huvudet.

”Stackars Jan”, säger hon lågt.

De andra tittar på henne. Hon möter deras blickar.

”Jag menar … Han borde ha fått hjälp. Vi borde ha varit mer vaksamma.”

”Antisociala störningar är mycket svåra att upptäcka”, säger Högsmed. ”Inte ens vi yrkesmän lyckas alltid med diagnosen.”

En sista lång tystnad. Han ser ner i sina papper.

”Ja … det var väl allt jag skulle informera om.”

”Tack så mycket, doktorn”, säger Marie-Louise. Sedan knäpper hon händerna och ler mot sin personal, mot Hanna och Andreas. ”Det finns säkert frågor, men vi kan ta dem efter hand. Vi får titta framåt … Barnen kommer ju snart.”

Hanna reser sig snabbt. Hon låtsas att det är en vanlig arbetsdag.

Och det *är* ju en vanlig arbetsdag, en dag i början av den långa vintern. Bortsett från att Jan och Ivan är borta och att Lilian är sjukskriven.

Hanna går ut ur rummet, och hör ytterdörren slå igen.

Barnen, tänker hon och gör sig beredd att fortsätta spela rollen som den goda förskolefröken.

Det är lilla Josefine som har kommit in på Gläntan, klädd i en tjock mörkgrön vinteroverall och med en fosterförälder i släptåg. Josefine ler stort mot Hanna, hon har tappat ännu en framtand i överkäken.

”Det snöar nu!” ropar hon.

”Gör det?” säger Hanna.

Hon tittar ut genom fönstret. Det stämmer. Stora vita snöflingor dalar genom luften. Kanske kommer snön att ligga kvar ett tag den här gången.

”Bra”, säger hon och ler mot Josefine. ”Då får vi gå ut och leka i snön, när de andra barnen kommer … Vi kan göra snöänglar. Men du kan väl gå in i lekrummet så länge?”

Josefine drar av sig ytterkläderna och försvinner inåt förskolan.

Hanna börjar slappna av.

”Ursäkta…”, frågar en röst bakom henne. ”Har ni sett några handgjorda böcker här?”

Hon vänder sig om.

”Förlåt?”

Hanna inser att det är Josefines fostermamma som har ställt frågan. Eller förmyndare, eller vad hon nu är. Kvinnan är i trettioårsåldern och står kvar vid ytterdörren, med en grå yllemössa neddragen i pannan och svarta smala glasögon.

Hanna tittar nyfiket på henne. Hon har nog bara sett den här kvinnan någon enstaka gång tidigare, för Josefine har oftast hämtats och lämnats av en äldre man.

”Jag lämnade några böcker här i somras”, säger kvinnan. ”Fyra tunna böcker… jag skrev dem för min storasyster, men hon fick inte ta emot dem.”

Hanna vet vad hon pratar om – Jans bilderböcker. Men hon skakar på huvudet.

”Tyvärr. Jag har nog inte sett dem… men du får gärna leta.”

”Får jag det?”

”Visst. Kom in.”

Kvinnan tar av sig skorna och knäpper upp jackan.

Hanna tittar på henne och frågar:

”Heter du Alice Rami?”

Kvinnan nickar och rätar på ryggen, men ser avvaktande ut. Hon har en blick som inte viker undan.

”Hur vet du det?” säger hon.

”För att… jag har hört talas om dig.”

”Jaså?”

Kvinnan ler inte, men Hanna fortsätter ändå:

”Ja… du var väl musiker?”

Alice Rami nickar.

”Ett kort tag, för många år sen.”

”Vad hände?”

Rami suckar.

”Det hände många saker… Min syster blev bara sjukare och sjukare, och jag mådde inte heller så bra. Så jag slutade spela.”

Hon pratar om sin storasyster, inser Hanna. Maria Blanker.

”Men hon får vård nu?” frågar Hanna.

Alice Rami nickar, och Hanna vill fråga varför systern sitter inspärrad. Men det vore nog för närgånget. I stället frågar hon:

”Tror du att hon kommer ut snart?”

”Ja”, säger Rami lågt, ”vi hoppas det. För Josefines skull, också.”

”Bra”, säger Hanna. Hon nickar förstående mot Rami. ”Jag vet hur det är att vänta på någon.”

”Väntar du också?” frågar Rami.

”Förr gjorde jag det”, säger Hanna. ”Jag väntade på en man… en väldigt speciell man.”

Det blir tyst. Bakom Hanna hörs plötsligt röster, och hon vrider på huvudet. Det är Marie-Louise och doktor Högsmed som har kommit ut från köket. Högsmed ställer någon fråga om ”personalskåpet”, och Marie-Louise svarar:

”Jo, det hade han… Men vi har reservnycklar…”

Hanna tittar på Rami igen. Här är hon – kvinnan som Jan Hauger har gått och väntat på hela hösten. Fast på fel ställe. Det är lite ironiskt.

Jan fick aldrig kontakt med Alice Rami. Han fick aldrig svar på sina frågor, men kanske kan Hanna försöka? Om inte Lilian och hon är vänner längre, så kanske hon och Rami kan bli det? Hon känner sig ensam nu. Övergiven.

”Kom in”, säger hon till kvinnan. ”Vi kan leta efter böckerna ihop, om du vill.”

Hanna hör en dov duns bakom sig.

Hon ser sig om. Det är Jans personalskåp som till slut har öppnats.

Marie-Louise har låst upp skåpet, ser hon. Det var hårt packat, och flera saker har fallit ut på golvet: en regnjacka, en liten cykelpump och några böcker.

Hanna vill inte titta på Jans ägodelar. Hon vänder sig mot Alice Rami igen, och fortsätter:

”Vi kan kolla i boklådorna ute i lekrummet… Vill du det?”

Men Rami verkar inte lyssna på henne längre. Hennes blick är fixerad på en punkt till höger om Hanna.

”Där är de ju”, säger hon.

Hanna ser sig om. Det är bilderböckerna som Rami tittar på – de ligger på golvet under Jans skåp. Och när Hanna tittar närmare känner hon förstås också igen dem; *Djurskaparen, Häxsjukan, Viveca i stenhuset* och *Prinsessans hundra händer*.

Fyra sagor om ensamhet.

Hanna står kvar i hallen, men innan hon hinner stoppa henne har Rami gått in i personalrummet och fram till skåpen. Hon böjer sig ner mellan Högsmed och Marie-Louise och plockar upp bilderböckerna, en efter en. Hon bläddrar i dem.

”Någon har ritat här”, säger hon lågt. ”Vet ni vem som har gjort det?”

Rami tittar upp, men Hanna kan inte säga någonting. Hon kan bara skaka på huvudet, trots att hon tydligt ser Jan Haugers ansikte framför sig.

Det finns en femte bok på golvet. Den ligger under de andra, och den har Hanna inte sett förut.

En gammal svart anteckningsbok, med en bild på omslaget: Ett bleknat polaroidfoto som tejpats fast på framsidan. Bilden visar en blond pojke som stirrar mot fotografen från en sjuksäng.

Rami plockar upp den också.

Hon reser sig och tittar på den, länge.

”Jag känner igen den här med, säger hon till slut. ”Det var jag som tog den här bilden … för väldigt längesen.”

Hon öppnar boken, och läser ett namn:

”Jan Hauger.” Hon tittar upp. ”Jobbar han här?”

Marie-Louise ser besvärad ut.

”Nej”, säger hon lågt. ”Han är tyvärr inte kvar här längre … Kände du honom?”

Rami nickar tyst.

Hanna känner panikkänslor vakna upp nere i sin mage. Hon vill säga något – men Rami fortsätter bara att förundrat bläddra i Jans dagbok, bland teckningar och tättskrivna sidor.

Hon släpper inte boken, och ler stilla.

”Jo, jag kände honom. Vi var vänner, Jan och jag.”